우루과이라운드

농산물 협상 2

우루과이라운드

농산물 협상 2

한국학술정보

| 머리말

우루과이라운드는 국제적 교역 질서를 수립하려는 다각적 무역 교섭으로서, 각국의 보호무역 추세를 보다 완화하고 다자무역체제를 강화하기 위해 출범되었다. 1986년 9월 개시가 선언되었으며, 15개 분야의 교섭을 1990년 말까지 진행하기로 했다. 그러나 각 분야의 중간 교섭이 이루어진 1989년 이후에도 농산물, 지적소유권, 서비스무역, 섬유, 긴급수입제한 등 많은 분야에서 대립하며 1992년이 돼서야 타결에 이를 수 있었다. 한국은 특히 농산물 분야에서 기존 수입 제한 품목 대부분을 개방해야 했기에 큰 경쟁력 하락을 겪었고, 관세와 기술 장벽 완화, 보조금 및 수입 규제 정책의 변화로 제조업 수출입에도 많은 변화가 있었다.

본 총서는 우루과이라운드 협상이 막바지에 다다랐던 1991~1992년 사이 외교부에서 작성한 관련 자료를 담고 있다. 관련 협상의 치열했던 후반기 동향과 관계부처회의, 무역협상위원회 회의, 실무대책회의, 규범 및 제도, 투자회의, 특히나 가장 많은 논란이 있었던 농산물과 서비스 분야 협상 등의 자료를 포함해 총 28권으로 구성되었다. 전체 분량은 약 1만 3천여 쪽에 이른다.

2024년 3월

한국학술정보(주)

| 일러두기

- 본 총서에 실린 자료는 2022년 4월과 2023년 4월에 각각 공개한 외교문서 4,827권, 76만여 쪽 가운데 일부를 발췌한 것이다.
- 각 권의 제목과 순서는 공개된 원본을 최대한 반영하였으나, 주제에 따라 일부는 적절히 변경하였다.
- 원본 자료는 A4 판형에 맞게 축소하거나 원본 비율을 유지한 채 A4 페이지 안에 삽입하였다. 또한 현재 시점에선 공개되지 않아 '공란'이란 표기만 있는 페이지 역시 그대로 실었다.
- 외교부가 공개한 문서 각 권의 첫 페이지에는 '정리 보존 문서 목록'이란 이름으로 기록물 종류, 일자, 명칭, 간단한 내용 등의 정보가 수록되어 있으며, 이를 기준으로 0001번부터 번호가 매겨져 있다. 이는 삭제하지 않고 총서에 그대로 수록하였다.
- 보고서 내용에 관한 더 자세한 정보가 필요하다면, 외교부가 온라인상에 제공하는 『대한민국 외교사료요약집』 1991년과 1992년 자료를 참조할 수 있다.

차례

정 리 보 존 문 서 목 록

기록물종류	일반공문서철	등록번호	2019080086	등록일자	2019-08-13
분류번호	764.51	국가코드		보존기간	영구
명　　칭	UR(우루과이라운드) / 농산물 협상 그룹 회의, 1991. 전7권				
생 산 과	통상기구과	생산년도	1991~1991	담당그룹	다자통상
권 차 명	V.3 6월				
내용목차	* 2.26. TNC, Dunkel 사무총장 제안서 채택 4.25. TNC, 농산물 그룹 의장에 Dunkel 선임 6.12. Dunkel 현황 보고서 배포 6.24. Dunkel 대안(optional paper) 제시 8.2. Dunkel 대안(6.24.) 부록 배포 11.21. Dunkel working paper 제시 - 11.25. Dunkel 작업문 초안 관련 농림부 장관 서한 발송 12.13. Dunkel 의장 농산물 협상 협정 초안 배포 - 12.17. 민감품목 관세화 예외 인정 수정 제안 사무총장앞 서면 제출				

0001

원 본

외 무 부

종 별 :

번 호 : GVW-1049 일 시 : 91 0606 1200

수 신 : 장 관(통기,경기원,재무부,농림수산부,상공부)

발 신 : 주 제네바 대사

제 목 : UR / 농산물 주요국 비공식 회의

6.10 주간 개최 예정 표제 주요국 비공식 회의 소집통지서를 별첨 FAX 송부함.

동회의는 6.17 주간으로 연장될 가능성이 많으며,동기간중 공식회의도 1-2 일 개최될 것으로예상됨.

첨부: UR/ 농산물 주요국 비공식 회의 소집통지서 1부. 끝(GVW(F)-188)

(대사 박수길-국장)

통상국 2차보 경기원 재무부 농수부 상공부

PAGE 1

91.06.06 20:02 FO

외신 1과 통제관

0002

GATT FACSIMILE TRANSMISSION

Centre William Rappard
Rue de Lausanne 154
CH-1211 Genève 21

Telefax: (022) 731 42 06
Telex: 412324 GATT CH
Telephone: (022) 739 51 11

GVW(집)-0188
10606120
GVW-104P 접부

TOTAL NUMBER OF PAGES 1
(including this preface)

Date: 4 June 1991

4 JUN 1991

대표기능

From: Arthur Dunkel
Director-General
GATT, Geneva

Signature: A Dunkel

To:			Fax No:
	ARGENTINA	H.E. Mr. J.A. Lanus	798 72 82
	AUSTRALIA	H.E. Mr. D. Hawes	733 65 86
	AUSTRIA	H.E. Mr. F. Ceska	734 45 91
	BRAZIL	H.E. Mr. R. Ricupero	733 28 34
	CANADA	H.E. Mr. J.M. Weekes	734 79 19
	CHILE	H.E. Mr. M. Artaza	734 41 94
	COLOMBIA	H.E. Mr. F. Jaramillo	791 07 87
	COSTA RICA	H.E. Mr. R. Barzuna	733 28 69
	CUBA	H.E. Mr. J.A. Pérez Novoa	758 23 77
	EEC	H.E. Mr. Trân Van-Thinh	734 22 36
	EGYPT	H.E. Dr. N. Elaraby	731 68 28
	FINLAND	H.E. Mr. A.A. Hynninen	740 02 87
	HUNGARY	Mr. A. Szepesi	738 46 09
	INDIA	H.E. Mr. B.K. Zutshi	738 45 48
	INDONESIA	H.E. Mr. H.S. Kartadjoemena	793 83 09
	ISRAEL	Mrs Eva Gover (Brussels)	32 2 374 98 20
	JAMAICA	H.E. Mr. L.M.H. Barnett	738 44 20
	JAPAN	H.E. Mr. H. Ukawa	733 20 87
	KOREA	H.E. Mr. Soo Gil Park	791 05 25
	MALAYSIA	Mr. Suppermanian Manickam	798 11 75
	MEXICO	H.E. Mr. J. Seade	733 14 55
	MOROCCO	H.E. Mr. M. El Ghali Benhima	798 47 02
	NEW ZEALAND	H.E. Mr. T.J. Hannah	734 30 62
	NICARAGUA	H.E. Mr. J. Alaniz Pinell	736 60 12
	NIGERIA	H.E. Mr. E.A. Azikiwe	734 10 53
	PAKISTAN	H.E. Mr. A. Kamal	734 80 85
	PERU	Mr. J. Muñoz	731 11 68
	PHILIPPINES	H.E. Mrs. N.L. Escaler	731 68 88
	POLAND	Mr. J. Kaczurba	798 11 61
	SWITZERLAND	H.E. Mr. W. Rossier	734 56 23
	THAILAND	H.E. Mr. Tej Bunnag	733 36 78
	TURKEY	H.E. Mr. C. Duna	734 52 09
	UNITED STATES	H.E. Mr. R.H. Yerxa	799 08 85
	URUGUAY	H.E. Mr. J.A. Lacarte-Muró	731 56 50
	ZIMBABWE	H.E. Dr. A.T. Mugomba	738 49 54

The next consultations on agriculture will start at 3 p.m. on Monday, 10 June 1991, in Room E of the Centre William Rappard, and will continue through the week of 17 June as necessary. Attendance is restricted to two persons per delegation.

Discussions will focus on the Checklist on Export Competition, and on the technical note by the secretariat on Domestic Support: special and differential treatment for developing countries in respect of reduction commitments, both of which have already been distributed.

PLEASE NOTIFY US IMMEDIATELY IF YOU DO NOT RECEIVE ALL THE PAGES

0003

** OUR FAX EQUIPMENT IS HITACHI HIFAX 210 (COMPATIBLE WITH GROUPS 2 AND 3) AND IS SET TO RECEIVE AUTOMATICALLY **

원 본

외 무 부

종 별 :

번 호 : GVW-1061 일 시 : 91 0606 1900

수 신 : 장 관(통기,경기원,재무부,농림수산부,상공부)

발 신 : 주 제네바 대사

제 목 : UR/ 농산물 협상

6.12 개최 예정 표제 협상 공식회의 소집통지서를 별첨 FAX 송부함.

첨부: UR/농산물 협상회의 통지서 1부 끝

(GVW(F)-195)

(대사 박수길-국장)

통상국 차관 2차보 경기원 재무부 농수부 상공부

PAGE 1

91.06.07 08:32 CT

외신 1과 통제관

0004

G1-V(FI)-0185 T0606 1800
" GUW-1061 첨부,
농무관

415519 KOGE CH
MOM BCT

412324 GATT CH

03.06.91/10:16

GATT 79

TO: PARTICIPANTS IN THE URUGUAY ROUND

FROM: ARTHUR DUNKEL, DIRECTOR-GENERAL, GATT

1. SUBJECT TO CONFIRMATION BY THE TRADE NEGOTIATIONS COMMITTEE AT ITS MEETING TO BE HELD ON 7 JUNE 1991 OF THE INITIAL CALENDAR FOR THE NEGOTIATING GROUPS, IT IS INTENDED THAT THE NEGOTIATING GROUP ON AGRICULTURE SHOULD MEET ON WEDNESDAY 12 JUNE 1991 AT 11 A.M. IN THE CENTRE WILLIAM RAPPARD.

2. THE FOLLOWING AGENDA IS PROPOSED FOR THE MEETING:
   A. REPORT BY THE CHAIRMAN ON INFORMAL CONSULTATIONS
   B. OTHER BUSINESS.

3. GOVERNMENTS PARTICIPATING IN THE MULTILATERAL TRADE NEGOTIATIONS WHICH WISH TO BE REPRESENTED AT THIS MEETING ARE INVITED TO INFORM ME OF THE NAMES OF THEIR REPRESENTATIVES AS SOON AS POSSIBLE.

4. THE FORMAL AIRGRAM WILL BE ISSUED AFTER THE MEETING OF THE TRADE NEGOTIATIONS COMMITTEE.

415519 KO

0005

1-1

관리번호	94-402

외 무 부

종 별 :

번 호 : DEW-0300 일 시 : 91 0606 1200

수 신 : 장관(국기,통기,청와대경제비서실,총리행정조정실,경기원,농수부,
상공부,주제네바,EC-직송필,주미대사-중계필)

발 신 : 주덴막대사

제 목 : 세계식량이사회(WFC)참석보고(1)

대:WDE-0210

연:DEW-0271

91.6.5. 주재국 헬싱거시에서 개막한 제 17 차 세계식량이사회 각료회의에 참석중인 농림수산부 박상우 양정국장과 최용규 국제협력담당관은 개회식 및 1 차 회의에 참석한바 동 결과 아래 보고함.

1. 개회식

0 세계 36 개국 회원국(미국, 일본등 10 여개국은 장관참석)과 21 개 옵서버국 대표들이 참석하고 주재국 MARGRETHE 2 세 여왕이 임석한 개회식에서

0 의장은 개도국의 기아와 빈곤 추방에 대한 현황과 이와 관련한 식량안보의 중요성을 강조하였음.

0 북한은 이종혁 주 FAO 대사(로마주재)와 하신국 주 덴마크대사관 3 등서기관이 참석

2. 1 차회의

0 주요회원국 및 옵서버국 장관급 수석대표(11 명)의 기아, 빈곤 및 식량안보에 대한 연설이 있었으며

- 특히 미국의 MADIGAN 농무장관은 UR 협상에서 국내보조, 시장개방, 수출보조에 대한 새로운 무역질서를 수립함으로서 개도국들에게 도움을 줄 것임을 강조하고 세계무역을 변화 시킬만한 광범위하고 분명한 합의를 도출하고자 하는 미국의 입장을 강조하였음.

- 한편 일본의 곤도 농림수산장관은 한 국가가 기초식량을 자급해야 하는것은 필수적임을 강조하고 식량을 수입에 의존하는 국가의 국내생산의 안정적 공급이 필요함을 역설하고, 식량을 수출하는 개도국들도 모든 품목에 경쟁력이 있는 것이

국기국 장관 차관 1차보 2차보 통상국 분석관 청와대 총리실
안기부 경기원 농수부 상공부

PAGE 1

91.06.07 09:19 0006
외신 2과 통제관 BS

검 토 필 (1991. 6. 30.)

일반문서로 재분류 (1991 . 12 . 31 .)

아님을 지적하였음.

- 기타 소련과 중국대표는 경제개혁과정에서 농업발전과 식량생산에 대한 자국의 성과를 설명하고 식량안보의 중요성을 지적하였음.

3. 기타 활동사항

0 아국 대표단은 개회식 직후 여왕이 주최한 리셉션에서 일본 농림장관과 만나 동일 저녁예정인 미.일 농림장관회담 전망과 일본국내의 쌀시장 개방 언론보도에 대하여 언급한바, 동 장관은

- 금일저녁 미국 마디간 농무장관과 저녁을 겸한 회담을 가질 예정이며

- 쌀시장 개방문제를 거론할 경우 단호히 거부할 것이라고 하고

- 일본의 쌀시장 개방문제는 미국의 웨이버(WAIVER), EC 의 가변과징금(LEVY)과 함께 UR 에서 다루어야 할 것이라고 하면서

- 일본국내에서의 쌀 관련보도는 현재 미국과의 무역마찰문제와 301 조의 의한 보복등을 염려하는 일부 재계 및 정치권의 주장일 뿐이며 일본정부의 입장에는 전혀 변화가 없음을 강조하고

- 명일 EC 로 가서 6.8. MACSHERRY 농업담당 집행위원과도 UR 에 관한 협의를 가질 예정이라고함.

0 미.일 농무장관회담 결과는 추보하겠음. 끝.

(대사 김세택-국장)

예고:91.12.31. 까지

관리 번호 91-406

외 무 부

종 별 :

번 호 : DEW-0303　　　　일 시 : 91 0607 1400

수 신 : 장관(국기,통기) 사본:수신처참조

발 신 : 주 덴마크 대사대리

제 목 : 세계식량이사회(WFC) 참석보고(2)

연:DEW-0300

표제회의 아국대표단은 6.6. 10:30 부터 속개된 회의에 참석한바, 그 결과를 아래보고함.

1. 제 3 차(10:30-13:00)및 4 차회의(14:30-20:30

0 6.5. 에 이어 각국 수석대표(잔여 28 회원국 및 국제기구)의 자국현황 설명(COUNTRY STATEMENT) 이 계속되었음.

- 호주, 헝가리, 알젠틴등 수출국들은 국경조치를 없앰으로써 식량안보가 이루어질 수 있다고 주장하고 동구국가들이 농산물 수출국으로 부상할 가능성을 경계

- 개도국들은 기아, 빈곤상태가 악화되고 있으며, 식량증산을 통한 식량안보의 중요성과 선진국, 국제기구의 지원확대를 요청

-독일, 프랑스등은 가난과 기아에 처한 인구가 계속 증가하고 있음을 지적하고 UR 에 의한 보조금 감축은 농산물 가격상승으로 이어져 수입개도국들의 부담이 가중되어 이들의 식량안보 문제가 더욱 심각해질 것이라고 경고

2. 미국.일본 농무장관 회담결과

0 6.5. 저녁 21:00-24:00 까지 가진 미국 마디간 장관과 일본 곤도 농림수산장관과의 회담 내용을 양국대표와 접촉 파악한바 아래 보고함.

0 일본측 설명(미야께 농림수산성 국제협력과장)

- UR 에 대한 구체적 얘기는 짧은 시간에 기본입장만 얘기한 셈이며 대부분의 시간은 양 장관간의 개인적 경험들을 교환하였음.

- 먼저 마디간 농무장관이 "농산물의 교역자유화는 관세화(TARRIFICATION)에 의해서만 하여야 되며 미국도 자국의 보호품목(WAIVER)을 모두 관세화의 대상으로 할 용의가 있음"을 표명한데 대하여

국기국	장관	차관	1차보	2차보	통상국	분석관	청와대	총리실
안기부	경기원	농수부	상공부					

PAGE 1　　　　91.06.07 22:51

외신 2과 통제관 CA

검 토 필 (1991.6.30.)

일반문서로 재분류(1991 . 12. 31.)

0008

- 곤도 일본장관은 "생산조절을 하고있는 품목과 기초식량은 국경조치로 수량제한이 반듯이 필요하며 관세화의 대상이 될 수 없음"을 분명히 하였다 함.

0 미국측 설명(슈로터 농무성 해외농업처 무역정책담당 부처장)

- 마디간 장관이 일본의 쌀 시장개방에 대한 MARKET ACCESS 를 요청한데 대해

- 곤도장관은 국내 정치적으로 어려움이 있다고 설명하였다고함.

0 마디간 장관과 곤도장관은 6 일 오전 간부진과 함께 각각 OECD 회의(파리) 및 맥세리 EC 농업담당 집행위원과의 회담을 위하여 출발함.

3. 기타 활동사항

0 6.8. 17:45 휴식기간중 북한측 대표인 이종혁 주 FAO 대사와 하신국 서기관이 아국대표단에 찾아와 이야기를 나누었음. 이종혁은 북한의 UN 가입방침에 대한 아측의 반응 및 우리의 쌀 생산여력등에 대한 관심을 표명하였으며, 북한의WFC 참석은 이번이 처음이라고 언급함. 끝.

(대사대리-국장)

예고:91.12.31. 까지

수신처:청와대 경제비서실, 총리행정조정실, 경제기획원, 농림수산부, 상공부, 주제네바대표부(직송필), 주이씨대표부(직송필),주미대사관(본부중계필)

송

원 본

외 무 부

종 별 :

번 호 : GVW-1050 일 시 : 91 0606 1200

수 신 : 장 관(통기,경기원,농림수산부)

발 신 : 주 제네바 대사

제 목 : UR / 농산물 협상

당관 천 농무관은 6.5신임 FRANK WOLTER 갓트 농업국장을 면담, 표제 협상에 관하여협의한바 동인 언급 요지 하기 보고함.

1. 차기 협상 일정

- 6.10.15:00 주요국 비공식 회의를 개최하여 수출경쟁 부분 토의자료와 국내보조 및 개도국 우대문제에 대한 사무국 작성자료 중심으로논의하게 될 것임.

- 동 회의는 6.17.주간에도 계속될 것으로 예상되며, 6.12(수), 6.18(화)에는 각각공식회의를 개최할 계획임. (본부대표 출장일시결정시 참고바람)

2. 협상대안(OPTION PAPER) 또는 협상골격(FRAMEWORK) 준비

- 6.19.부터는 그동안 진행된 주요국 비공식회의 결과를 종합하여 정책 결정을 요하는 OPTIONPAPER 또는 협상골격을 6월말 또는 7월초까지는 준비할 것임.

3. TNC 회의

- 6.7(금) 개최 예정인 TNC 회의에서는 6,7월중 각 그룹별 회의일정이 주요 논의대상이 될것이고, 7.29 주간 개최예정(잠정)인 TNC 회의는 각료급이 아닌 고위급으로 될 것으로 전망

4. 7월 G-7 정상회담 관련

- 6,7월 협상 진전 상황에 따라 달라지겠으나 구체적인 협상골격(FRAMEWORK) 을 상정하기는 어려울 것으로 보며, UR 의 성공적 조기 타결을 촉구하는 정치적 선언정도가 될것으로 전망함

- 본격적인 실질협상 9월 이후나 이루어질 것으로보이며, 금년말 또는 내년초를가능한 타결 싯점으로 예상함.

5. 주요 쟁점별 소그룹 구성

- 동 소그룹은 상설 그룹이 아니고 필요시 쟁점별로 구성되게 될것이므로 구성 국

통상국 2차보 경기원 농수부

PAGE 1 91.06.06 22:50 FO

외신 1과 통제관

0010

가는 가변적임.

0 아국의 소그룹 참여 필요성 촉구에 대하여 동인은 유념하겠다고 함. 끝

(대사 박수길-국장)

송. 사본, 국기 (3항 쓰자료)

원 본

외 무 부

암 호 수 신

종 별 : 지 급

번 호 : ECW-0491 일 시 : 91 0607 1730

수 신 : 장관 (통기, 경기원, 재무부, 농림수산부, 상공부) 주미대사-중계필,

발 신 : 주 EC 대사 주제네바대사-직송필

제 목 : GATT/UR 협상

6.7. 당관 강신성공사와 이관용농무관은 SCHIRATTI EC 집행위 농업총국 대외관계국장을 오찬에 초청, 표제협상 관련 논의한바 요지 하기 보고함

1. 강공사는 아국 농업구조의 영세성과 농업이 갖는 정치적, 사회적 중요성에 비추어 UR/ 농산물협상 추진에대해 아국은 지대한 관심을 갖고 있으며, 비록 농산물 시장개방 여건은 어려우나 아국은 점진적인 농산물 시장개방을 추진한다는 의지를 표명하고 있음을 상기시키면서 표제협상에서 아국 관심사항인 NTC 및 개도국 우대조치로서의 장기 유예기간을 인정받을수 있도록 협조를 당부함

2. 표제협상 관련한 SCHIRATTI 국장의 발언요지

가. UR 협상 추진관련

0 OECD 각료회의

- 금주 파리에서 개최된 OECD 각료회의에서 UR 협상문제가 논의되었는바 (EC 는 ANDRIESSEN 부집행위원장, 농업총국의 MOHLER 부총국장 참석) 동 회의 성격상 UR 협상의 SUBSTANTIAL 한 또는 정치적 타협을위한 논의보다는 동 협상의 추진절차에 촛점을 맞추어 주요국간 막후절충을 시도하였음

- 동 막후절충의 결과는 동 각료회의 COMMUNIQUE 에 표명된 바와같이 가급적 금년내에 동협상의 종결을 위한 노력을 하자는 내용임

0 LONDON G-7 회담

- 런던 G-7 에서도 UR 협상 관련한 정치적 타협점 모색을 시도할 가능성은 있으나 미국의 경우 과거의 실패경험에 비추어 협상종결 시한 또는 농산물협상을포함한 UR 협상의 정치적 타협을위한 적극적인 입장을 표명하는 것은 자제할 것이며 대신에 미국은 주요협상국들과의 막후교섭을 활발히 전개할 것임

- EC 로서는 CAP 개혁 구체안의 제시 또는 동 개혁안에 대한 회원국간의 합의가

통상국 장관 차관 1차보 2차보 청와대 경기원 재무부 농수부 상공부

PAGE 1 91.06.08 10:25

외신 2과 통제관 BS

0012

이루어지지 않은 상태에서 UR 협상의 전기를 마련하기 위한 적극적인 행동은 어려움

0 갓트/ 각료회의 개최 가능성

- DUNKEL 사무총장은 7 월초 농산물협상 관련한 OPTION PAPER 를 제시할 것이나, 동 PAPER 는 협상국들의 입장을 조정한 결과가 아닌 협상국들의 입장을 취합 또는 DUNKEL 자신의 PAPER 에 불과할 것이므로 협상국들을 만족시키기는 어려울 것임

- 그러나 동 PAPER 는 UR 협상 추진방향을 설정하는데 있어 하나의 계기가 될 가능성은 있으나, 4 월말 DUNKEL 이 제시한 각료회의 개최가능 여부는 불투명한 상태임. EC 의 경우는 각료회의 개최는 별로 유익하다고 보고 있지 않으며 이에대한 EC 의 입장이 결정된 바는 없음

0 동인은 MFC 에 참석중인 일농무대신이 브랏셀을 방문, MAC SHARRY 위원과회담할 것이라는 사실을 알고 있으나 MADIGAN 미 농무장관 방문여부는 인지하고 있지 못하다고 언급함

나. EC/CAP 개혁문제

0 CAP 개혁안의 주요요지는 보조금 상한선의 인하가 아니라, 가격인하 및 생산감축에 의한 EC 농업 내부문제 해결과 국내및 수출보조금을 점진적으로 감축하는 것임

0 CAP 개혁 구체안은 7 월 중순경 제시될 예정이며, 금년내에 동 개혁을 확정할수 있는지 여부에 대해서 확신할 수는 없으나, 내년초까지 토의가 계속될 것으로 보임. 따라서 런던 G-7 에서 UR 협상의 실질적인 논의 가능여부는 불투명함

다. 기타 UR/ 농산물협상 관련

0 SEPERATE COMMITMENT 관련한 EC 의 입장변화는 없음. 다만 CAP 개혁등의 결과에 따라 국내보조, 수출보조, 국경제한 조치등에 대한 각각의 COMMITMENT 도가능함

0 EC 의 REBALANCING 협상은 결코 쉬운 과제는 아니나 장기적으로 CAP 개혁추진에 따라 동 문제도 스스로 해결될 것으로 봄

0 EC 의 REBALANCING 과 미국의 DEFICIENCY PAYMENTS 간의 TRADE-OFF 가능성 여부에대한 문의에 대하여는 언급을 회피함

3. 동인은 내주 FAO 이사회에 참석할 예정이며, EC 는 현재 FAO 가입을 신청중에 있다고 말하고 (별개 국가가 아닌 EC 의 FAO 가입은 FAO 헌장을 개정할 필요가 있다고 언급함) 아국이 FAO 이사국이라면 EC 의 FAO 가입을 지지해 달라고 요청함. 강공사는 동 요청사항을 본부에 전달하겠다고 답변함. 끝

(대사 권동만-국장)

PAGE 3

0014

농 림 수 산 부

국협20644- 478　　503-7227　　1991. 6. 7.
수신 외무부장관
참조 통상국장
제목 UR농산물협상 공식회의 및 주요국 비공식회의 참석

1. '91.6.10-14일 주간에 i)전회원국에 대한 그동안의 농산물협상 추진상황 보고를 위한 UR농산물협상 공식회의와 ii)식량안보등 NTC의 GATT규정 방안방안, 수출보조 부문의 기술적 쟁점들에 관한 주요국 비공식회의가 개최될 예정입니다.

2. 금차회의에 다음과 같이 당부대표를 파견코자 하오며, 아울러 금차회의에서의 식량안보에 관한 GATT규정 반영방안 토의에 대비 주제네바 대사의 건의(GVW-0941, '91.5.23)와 관계부처협의('91.5.31)시 결정된 방침에 따라 이에대한 아국입장을 서면 제출코자 하오니 조치하여 주시기 바랍니다.

- 다 음 -

가. 당부대표단

	소 속	직 위	성 명	비 고
대 표	농업협력통상관실 국제협력담당관실	농업협력동상관 행정주사	소일호 최대휴	
자 문	한국농촌경제연구원	부원장(장관 자문관)	최양부	소요경비 : 농림수산부 부담

나. 출장기간 : '91.6.8 - 6.17(10일간)
다. 출 장 지 : 스위스(제네바)
라. 출장목적 : UR농산물공식회의 및 주요국 비공식회의 참석
마. 소요경비 : 농림수산부 부담

첨부 : 1. 금차회의 참가대책 1부
2. 식량안보에 관한 아국입장 서면제출 1부.
3. 출장일정 및 소요경비 내역 1부. 끝.

1991. 6. 07
농림수산부

농 림 수 산 부

0015

UR농산물협상 주요국비공식협의 참가대책

(식량안보, 수출경쟁, 국내보조부문 개도국우대)

1991. 6.

농림수산부

농업협력통상관실

0016

목 차

0017

0018

UR농산물협상 공식회의 및 주요국 비공식회의 참가대책

Ⅰ. 금차회의 개요

1. 일 시 : '91.6.10-6.14

2. 장 소 : GATT본부(스위스 제네바)

3. 금차회의 의제

가. 공식회의('91.6.12 예정)

0 던켈총장의 전회원국에 대한 그동안의 협상추진 경과와 향후계획 보고

나. 비공식회의

(1) 시장접근 분야

0 식량안보등 NTC의 GATT규정 반영방안(의제E)

(2) 수출경쟁 부문

1) 감축대상 수출보조의 정의(의제 Ⅰ)

2) 수출보조의 감축방법(의제 Ⅱ)

3) 식량원조등 허용대상 수출지원의 조건(의제 Ⅲ)

4) 수출경쟁부문 GATT규정강화(의제 Ⅳ)

(3) 국내 보조부문

0 개도국의 농업개발 지원의 허용방안

4. 당부대표단

구 분	소 속	직 위	성 명
대 표	농업협력통상관실	농업협력통상관 행 정 주 사	조 일 호 최 대 휴
자 문	한국농촌경제연구원	부원장(장관 자문관)	최 양 부

0 출장기간 : '91. 6. 8 - 6. 17

0019

- 1 -

II. 금차회의 참가대책

1. 기본방향

0 '91.1.9 대외협력위원회에서 확정된 아국협상대책이 관철 가능하도록 기술적의제 협의에서 그 토대를 마련하는데 주력

0 논리적 대응을 통하여 아국입장의 타당성을 인식시켜 나가고 이러한 우리의 입장에 대한 이해당사국의 지지기반을 확보

0 참가국의 실질적인 이해관계를 고려 수출보조에 관한 쟁점별 대응은 신축적으로 대처

2. 금차회의 의제별 중점사항

가. 시장접근 분야

(1) 식량안보

0 시장개방의 예외가 인정될 수 있는 새로운 GATT규정의 신설에 주력(GATT 11조2항 또는 21조의 2등에 신설하는 방안을 제시)

- 이러한 우리입장을 관철시켜 나가기 위한 전략으로 사전에 아국입장을 종합 정리한 토론 기초문서를 회원국에 배부하여 식량안보반영의 필요성을 인식시키고 충분한 토론이 이루어 지도록 유도

※ 식량안보에 관한 아국 설명자료 : 별첨

0020

2

나. 수출경쟁 분야

(1) 감축대상 수출보조의 정의

0 계측가능한 수출지원만을 감축대상으로 하고 조세감면이나 유인책 기타 계측이 어려운 수출지원은 지급규율을 강화

0 국내외 가격차를 보전하는 수출보조만 감축대상으로 하자는 미국,케언즈그룹 입장의 부당성을 지적하여 입장변경을 유도

(2) 수출보조의 감축방법

0 재정지원액, 재정지원을 통한 총수출 물량은 동시에 반드시 감축되어야 하나, 단위당 수출지원 감축은 논의현황에 따라 탄력적으로 대처

(3) 식량원조등 허용대상 수출지원의 조건

0 농업개혁을 통하여 세계 농산물가격 상승이 예견되고, 이에따라 저개발 개도국국, 순식량 수입개도국의 부담이 크게 증가하게 될 것이므로 이들 국가에 대한 식량원조와 양허판매의 확대는 필요. 다만 합의사항을 회피하는 수단으로 사용되지 않게하기 위한 명료한 한계를 설정

(4) 수출경쟁부문 GATT규정강화

0 수출보조 감축에 대한 합의방향이 결정된 후에 논의 가능한 사항이나, 수출보조는 공정한 질서를 가장 저해하는 지원정책이며, 국내보조와 국경보호의 필요성과는 다른점을 지적하고,따라서 수출경쟁에 관한 규정은 대폭 강화되어야 할 것임을 강조

0021

다. 국내보조 분야

(1) 개도국 농업개발지원 목적의 국내보조

0 이 분야에 대한 개도국의 지원정책은 허용대상정책(Green Box)으로 분류되어야 하며, 만약 논리적 모순 또는 기술적 어려움이 강조되는 경우 감축대상 정책기준의 예외(derogation)로서 허용되어야 함을 강조

0 감축폭, 이행기간등에 있어서의 개도국우대는 AMS의 감축에서 고려되어야 할 사항이며, 개도국 발전수준에 따른 차등적용조건의 개도국분류방식은 원칙적으로 수용하나 선발개도국을 분리하는 방식에는 반대

0022

4

Ⅲ. 세부 의제별 논의현황과 아국입장

1. 국경보호 분야

(1) 식량안보등 NTC고려방안

가) 의 제

44. If it necessary to provide for measures other than tariffs to deal with participants food security and other "non-trade" concerns? If it is necessary, what form should such provisions take?

나) 논의현황

1) 중가평가 합의사항

0 회원국은 농업정책 수행상 무역정책 이외의 요소들이 고려된다는 점을 인식, 장기목표 달성을 위한 협상에서 제안될 식량안보등 회원국들의 관심사항(non-trade concern)을 고려하도록 함

2) NTC에 관한 각국입장

쟁 점 별	각 국 입 장
농업의 비교역적 기능	0 미 국 : 식량안보 0 케언즈 : 식량안보, 사회적목표, 환경보전, 재교육 및 재배치, 사회보장 제도, 토지이용조정 0 한국,일본 : 식량안보, 토지 및 환경보전, 전체고용, 지역사회 유지 0 스위스 : 식량안보, 환경보전, 거주지역 분산 0 북 구 : 식량안보, 지역개발, 사회정책, 환경보전
기초식량의 정의	0 케언즈그룹 - 평상시 주식으로 간주되며 저소득층이 소비하는 식품 ※ 곡물 및 사료곡물만을 식량안보 대상품목으로 인정 ※ 식량안보를 위한 보호조치는 순수입개도국에만 허용

0023

5

쟁 점 별	각 국 입 장
	0 일 본 - 국민의 주요 영양공급원이며, 일일영양섭취의 주요부분이 되는 품목 - 정상적 상황에서는 안정적이고 충분한 생산의 확보, 식량부족시는 우선적으로 국내생산과 공급을 증대시키기 위하여 필요한 조치를 취하는 품목
목표 제시	0 일 본 - 품목군별 자급율(또는 품목군별 국내생산 수준) 0 스위스 - 최소시장접근율 보장 • (농산물 순수입액/농산물 총소비액) %로 표시 • 농산물 생산의 계절적 변동을 고려하여 3개년간 평균치로 표시 - 단, 현행시장 접근율이 최소시장접근율보다 적은 경우 충분한 경과기간 (15년) 인정 - LDC에 대해서는 0%의 최소시장 접근율 적용
자급목표 결정주체	0 일 본 - 국가의 최고의사결정기관의 결정에 따름 0 스위스 - 다자간 협상을 통하여 결정
허용대상조치	0 일 본 - 기초식량의 생산성 향상과 계획된 생산을 달성하기 위하여 시행하는 모든 조치 - 국가 최고 권위기관에서 필요성이 인정된 조치, 즉 허용조치의 선택은 국가 주권적 판단사항임 0 스위스 - 최소 시장접근율 범위내 보호 및 보조조치의 자율적선택(효과의 동등성 원칙 인정) - 최소 시장접근을 보장한 국가가 수출하지 않는다는 조건으로 지급한 국내보조금

0024

6

쟁 점 별	각 국 입 장
관련조항의 개선	0 일 본 - 11조의 규정외에 식량안보를 위한 기초식량의 적정 국내생산 유지에 필요되는 국경조치의 예외인정 - 식량안보에 관한 21조의 2 신설제안 - AMS적용에 있어 NTC의 특별 고려
목표 제시	0 스위스 - 11조(수량제한의 일반적 금지)의 개선 • 2항(a) : 수입국의 특수한 입장을 인정 • 2항(c)(i) : 최소 시장접근 약속이행에 필요한 국내산품 수량제한 허용 • 2항(c)(iii) : 수입규제 조치의 목적통보 및 과잉재발 방지수단 협의의무 반영 - 16조(보조금)의 개정 - 19조(긴급조치), 20조(일반적 예외), 21조(안전보장을 위한 예외)의 개정검토
NTC적용조건	0 일 본 - 과잉생산 처분을 위한 수출금지(단, 선의의 원조인 경우는 제외) - 국경보호조치를 적용하는 기초식량 품목을 체약국단에 통보 - 보호조치를 행하는 상대국의 요청시 협의에 응함 0 스위스 - 과잉생산분은 국제기구에 무상공급하고 국제기구는 이를 국제가격으로 판매 또는 개도국 농업개선에 지원 - 개편계획과 이행약속은 다자간 국제기구에서 감시하고 합의된 최소 시장접근율을 위반시 제재조치 강구 - 시장접근 및 보조와 관련된 농업정책의 변경, 약속이행을 위한 조치를 정기적으로 체약국단에 통보하고 체약국단은 매3년마다 이를 정밀검토 - 최소 시장접근율 범위내 보호 및 보조조치의 자율적선택

0025

7

다) 농업의 비교역적기능 반영에 관한 아국입장

1) 협상여건

0 식량자급율이 40%이하인 우리나라는 농업인구의 감소, 농업의 활력저하등으로 식량안보 등 농업의 비교역적역할의 중요성이 중요한 정책과제로 대두

0 경지규모가 협소하여 농산물을 자급할 수 없는 수입국을 중심으로 NTC가 강조되고 있으나, GATT의 일반원칙과 UR협상목적에 비추어 NTC목적달성을 위한 안정적인 보호 및 지원수단 확보에 어려움이 큰 실정, 식량안보 개념의 중요성은 수출국도 인식하고 있으나 관세화방법에 예외를 인정해야 한다는 입장. 농업의 비교역적 역할이 독립된 협상요소가 아닌 국내보조, 국경조치에 관한 합의사항에 부분적으로 반영하는 방향으로 전개

0 실제 적정수준의 생산기반이 유지되지 않은 NTC역할은 보장될 수 없으므로, 이의 관철을 위한 다각적인 통상외교 전개가 필요

2) 농업의 비교역적기능 반영에 관한 아국입장

i) 기본입장

0 비교역적 기능수행을 위한 국경보호조치의 허용
- 농업의 특수성 및 농업의 비교역적 기능수행을 고려할때 농산물교역의 자유화에 한계
- 비교역적 기능 수행을 위하여 어느정도의 보호조치 불가피

0 최소 농업생산기반의 유지
- 농업의 비교역적 목표달성에는 최소한의 농업생산기반 유지가 필수적
- 최소 농업생산기반 유지에 필요한 국경보호조치 및 국내농업보조의 허용
- 최소 농업생산수준 결정 및 정책수단 선택의 자율성 부여
- 수출국에 대해서는 품목군별 최저시장진출 보장 약속

0 GATT규정의 개정을 통한 농업의 비교역적 기능반영
- 비교역적 기능수행을 위해 요구되는 수량제한조치, 그리고 생산 및 가격보조등의 국내보조 허용

0026

8

ii) 쟁점별 아국입장

쟁 점 별	아 국 입 장
농업의 비교역적 기능	0 비교역적 요소 - 식량안보 - 환경보존 - 고용유지 - 지역개발 - 사회적 및 문화적 측면과 관련된 목적 0 분단국가로서 휴전상태를 유지하고 있는 한국의 특수한 상황으로 볼때 국가안정보장이라는 측면과 향후 통일이 되었을 경우 전체국민의 식량 확보라는 측면에서 특별한 의미와 중요성을 지님
기초식량 및 식량안보의 정의	0 기초식량 - 해당 국가국민의 주요한 영양공급원이며 아울러 일일섭취열량의 중요한 부분을 이루는 식품 - 평상시에는 안정적이고 충분한 생산을 확보하기 위해, 그리고 식량 부족시에는 우선적으로 생산과 공급을 증대시키기 위해 필요한 조치가 요구되거나 혹은 유지되어야 할 기초식품
NTC적용조건	0 식량안보 : 국민의 생존에 필요한 필수적인 기초식품을 안정적인 가격하에 항구적으로 확보할 수 있는 능력 0 식량안보 확보를 위한 일정수준의 국내생산유지의 필요성 - 식량안보를 달성하는 방안으로서 잠재적 국내생산 능력을 유지하는 방법은 엄청난 사회적 비용을 수반하며 식량 비축제도유지는 식량의 부패 특성상 어려움이 따르고, 마지막으로 안정적인 수입확보는 수출국의 상황변화에 전적으로 의존하게 되므로 수입국의 입장에 볼때 안정성 확보가 곤란. 따라서 이러한 사항들은 일정수준의 국내 농업생산 유지를 필요로 하게됨. - 더욱이 국제적 관점에서 볼때 주요농산물 교역은 독점적 시장구조에 의한 가격조작의 가능성, 빈번한 지역분개에 따른 위험성이 언제나 존재하고 있어 안정적 수입확보는 사실상 어려움. 아울러 국제곡물 메이저 행동은 농산물 가격변동 폭을 크게 하고 가격의 하방경직성을 야기시켜 결국 수입국의 구매력을 약화시키고 있음

0027

9

쟁 점 별	각 국 입 장
	- 따라서 이상과 같은 사항들은 종합적으로 고려할때, 일정수준의 국내 농업생산 유지는 특히 농산물 수입국들의 식량안보 확보상 필수적인 것임. 또한 국민 식관습상 기초식량의 확보와 수입국의 외환사정을 고려할때 필수기초식량의 안정적인 국내생산은 유지되어야 함
허용대상조치	0 품목군별 최저자급율 달성에 필요한 국경조치와 국내보조조치를 인정

라) NTC의 GATT규정화 방안(국경보호분야)

1) 향후 협상대책 기본방향(1.9 대외협력위원회 결정사항)

0 쌀등 최소한의 식량안보 대상품목의 개방예외입장 견지

0 국내생산통제와 수입제한을 연결시킬 수 있는 현재 GATT규정을 최대한 원용함과 동시에 동조항의 합리적 개선을 위하여 이해관계국과의 공동노력 강화(11조2항(c)(i))

0 개방화에 따른 국내피해를 최소화할 수 있도록 관세인상과 함께 수량제한이 가능한 긴급수입제한제도 마련에 협상력 집중

2) 금차협상 중점사항

i) 협상목표

0 쌀등 최소한의 식량안보대상품목에 대한 개방예외 관철

0 우선적으로 GATT규정에 반영

ii) GATT규정 반영방안

< 제1안 >

0 GATT 11조2항(d)를 신설하고 세부요건은 주석 및 보충규정에 구체화 - 11조2항(d)

① "식량안보달성에 최소한의 불가결한 산품으로서 국내 생산기반 유지에 필요한 수입규제 또는 제한"

또는,

② -"기초식품의 식량안보확보에 불가결한 산품으로서 요구되는 최소한의 국내생산기반 유지에 필요한 수입금지 또는 제한

- 11조2항(d)해석기준

• 기초식품 : 당해국가 국민의 주요한 영향공급원이며, 아울러 일일섭취열량의 중요한 부분을 이루는 식품

• 불가결한산품 : 기초식품의 자급력이 60%이하로서 국내에서 공급되는 비중이 30%이상을 차지하고 있는 농산물

0028

10

< 제2안 >

0 일본의 식량안보예외규정(21조의2) 신설 제안을 채택

0 일본제안 요지

- 목 적 : 기초식품의 식량안보를 고려, 요구되는 국내생산수준 유지를 위하여 필요한 국경조정 인정

- 기초식품의 정의 : ①당해체약국 국민의 영양공급원이며, 일일영양섭취에 중요한 부분을 구성하고 있는 산품
②당해 체약국이 평상시는 안정적인 생산유지, 식량부족시, 우선적으로 생산과 공급을 촉진시키기 위한 필요한 국내조치를 취해야 하는 산품

- 국경조정조치의 요건 : ①당해 기초식품공급을 위하여 유지되어야 할 국내생산 수준을 명확히 제시
②당해 체약국정부의 최고의사 결정기관이 필요한 국경조정을 취하도록 결정하여야 함

- 국경조정조치의 의무 : ①당해기초식품의 계획생산강화와 생산성향상 추진
②순수한 식량원조를 제외하고는 당해 기초식품을 수출할수 없슴
③이러한 조치를 취하는 체약국은 당해기초식품과 조치내용과 변동사항은 체약국단에 통보해야 함
④ 다른 체약국에 대하여 협의기회 부여

iii) 협상대책

0 아국입장을 기초로 토의자료를 작성 배포
- 식량안보 반영의 필요성을 설득력있게 제시하고, 충분한 토론이 되도록 유도

※ 첨부 : 식량안보에 관한 아국 서면제안(토의문서)

0029

//

(2) 유한 천연자원 보존(의제45)

가) 의 제

45. Is it necessary to provide for border measures other than tariffs to deal with participants concerns about the conservation of exhaustible natural resources? If it is necessary, what form should such provisions take? Does Article XX(g) need to be clarified in terms of its intetpretation and application?

나) 현행 GATT규정

0 GATT는 자의적이며 불공평한 차별의 수단 또는 국제무역에 대한 위장된 제한조치로 사용되지 않을 것을 조건으로 "국내의 생산 또는 소비에 대한 제한과 관련해서 실시되는 유한 천연자원 보존에 관한 조치"를 허용하고 있슴

「(g) relating to the conservation of exhaustible natural resources if such measures are made effective in conjunction with restricitions of domestic production or consumption ; 」

0 이 규정은 특히 수산물의 관리와 보존에 관련된 규정임

다) 논의현황

0 이규정에 대하여 구체적인 논의는 없으나, 농산물협상 품목범위와 관련된 사항으로 일본이 수산물을 포함시킬 것을 주장하면서 제기한 문제임

라) 아국입장

0 수산물은 일단 천연자원 산품그룹 협상대상으로서 농산물그룹에서 다루자는데 합의가 안된 상태임

0 농산물그룹에서 구체적으로 다룰 실익이 적은 문제로서 소극적대응이 바람직

0030

12

2. 수출경쟁(Export competition)

가. 수출보조의 정의(의제 I)

(1) 수출보조의 정의(의제 3-6)

가) 의 제

3. It is assumed that one of the purposes of an agreed definition of export subsidies would be to determine what level or quantity of exports of a given product should be considered as "subsidized" and therefore subject to commitments. Likewise an agreed definition would provide a means of determining what budgetary outlays or revenue foregone would be subject to commitments.

4. Does the concept of subsidies which operate to increase exports in the sense of Article XVI:1 and 3 provide an operational criterion for determining the policy coverage of the commitments to be negotiated?

5. Would the concept of subsidies contingent in law or in fact upon export performance as set out in Article 3 of the draft text under discussion in the Negotiating Group on Subsidies and Countervailing Measures (MTN.GNG/NG10/23) provide such a criterion?

6. Given the inherent imprecision of broadly framed concepts in the context of a technical examination it is suggested that attention might initially be focused on what specific forms of export assistance should be covered by an eventual definition. Accordingly, does the list of export subsidy practices in paragraph 20 of MTN.GNG/NG5/W/170 (listed below) provide an adequate basis for developing an appropriate definition? Which practices should be added to or excluded from the list and on what conditions? What degree of precision should be developed in defining particular practices?

(a) direct financial assistance to exporters to compensate for the difference between the internal market prices in the exporting country and world market prices ;

(b) payments to producers of a produce which result in the price or return to the producers of that product when exported being higher than world market prices or returns ;

(c) costs related to the sale for export of publicly owned or financed stocks ;

0031

73

(d) assistance to reduce the cost of transporting or marketing exports ;

(e) export credits provided by governments or their agencies on less than fully commercial terms :

(f) the provision of financial assistance in any form by governments and their agencies to export income or price stabilization schemes operated by producers, marketting boards or other entities which play de facto a dominant role in the marketing and export of an agricultural product;

(g) export performance-related taxation concessions or incentives;

(h) subsidies on agricultural commodities incorporated in processed product exports.

나) 의 의

0 최종 협상결과에 반영될 즉 감축대상이 될 수출보조를 어떻게 정의할 것인가의 문제임

0 이에대한 대안은 현행 16조1항과 3항의 골격하에 이를 예시하는 방안(EC), 보조금 및 상계관세 위원회에서 개정할 금지대상 수출보조금의 정의를 농산물협상에서 수용하는 방안(일부 케언즈그룹), 그리고 그동안 농산물협상그룹에서 논의되어 왔고, 드쥬의장 초안에 제시된 수출지원이라고 간주될 수 있는 유형을 추가적으로 검토하여 정의하는 방안(미국, 케언즈그룹)등이 제시되고 있음

다) 논의현황

1) 미 국

0 의제 6에서 제시된 감축대상 수출지원 유형중 (b)항을 삭제하고 (h)항을 「subsidies conditioned on export whitch reduce the cost of agricultural commodity components which are incorporated into processed product exports 」 수정 제의

※ 당초 금지,규제,허용대상 보조금으로 분류할 것을 제안할 때에는 보조금, 상계관세 위원회에서의 금지 보조유형을 농산물에도 적용할 것을 제안한바 있슴

2) E C

0 EC는 기본적으로 세계시장 가격이 안정적이라고 가정하면 총체적인 보조 및 보호의 감축에 따라 수출보조는 단위당 뿐만 아니라 총지출면에서 상당한 감축이 이루어 질 것이므로, 현행 16조의 기본골격하에 다음과 같은 추가적인 규정을 설정할 것을 제안

- 수출보조금 수준이 국내외 가격차보다 크지 않아야 한다는 원칙 도입
- 여하한 경우든 어떤 상품이 수출국으로 수입될 경우 수출보조금 수준이 동일상품에 적용되는 수입과징금(import charge)수준을 초과해서는 안됨

0032

14

- GATT 16조의 'equitable market share' 의 개념을 강화
- 가공농산품의 원료농산물에 대한 수출보조금 수준은 해당농산품의 국내외 가격차 이내로 제한
- 농산품의 수출신용(export credits)에 대한 OECD "consensus"의 확대 및 GATT로 편입
- 특별할인 국내보조감축, 수입과징금(import charge)수준으로의 수출보조금 제한

3) 케언즈그룹

0 의제 6)항의 정의와 동일

※ 여타 국가는 감축대상 수출보조에 재정지출과 조세감면등이 포함되어야 할 것임을 제안하고 있으나, 구체적인 유형은 제시하지 않고 있슴

라) 아국입장

0 수출보조에 관한 주요국입장이 "철폐"가 아닌 "대폭감축"으로 접근되고 있어, 현행 GATT 제16조 1항 및 3항의 골격이 유지되는 가운데 감축에 관한 Commitment와 해석기준을 강화하는 방향으로 타결될 것으로 전망

0 그러나 수출보조의 감축을 전제할때 제16조1항 및 3항의 수출보조정의는 해석기준이 모호하고 협상목적과도 상이한 점이 있어 보다 더 구체적인 개념정의가 필요

0 수출보조는 공정한 교역질서를 가장 저해하는 행위로서, 국내보조와 시장접근을 포함한 포괄적인 농업개혁이 전제되고 있는 점에 비추어 궁극적으로는 철폐되어야 할 것이며, 이러한 관점에서 적절한 방안은

1) 계측이 가능한 수출지원은 제6항의 리스트를 보완하여 감축대상으로 정의하고

2) 계측이 곤란한 제반 수출지원 정책은 개선될 보조금 상계관세 협정상 금지대상 수출보조 리스트를 별도로 정의하여 이러한 수출보조는 농산물교역에도 금지토록 하는 것임

- 의제 6항에서 제시된 수출지원만 감축키로 할 경우 재정지원이 규제대상에서 제외될 Marketing분야로 확대되게 될 것이며, 이는 사실상 품목에 대한 수출지원을 회피하는 수단이 될 수 없슴

〈 감축대상 수출보조유형에 대한 아국입장(의제6) 〉

항 목 별	아 국 입 장	사 유
(a) 항	"수출성과에 따라 정부가 수출업자에게 공여하는 직접 보조금"으로 수정	0 국내외 가격차 보전으로 한정할 경우 국제경쟁력이 있는 국가의 수출보조 감축의무가 축소조정됨

0033

15

항 목 별	아 국 입 장	사 유
		0 정부 재정지원 자체는 어떤 수준으로든지 교역에 영향을 미치는 것이며, 국내외 가격차가 감축기준이 될 경우 기술적인 문제가 제기되고, 또 감축을 회피하는 수단으로 활용될 우려가 큼
(b) 항	0 수출보조금에 포함 - 미국은 국내보조로 분류	0 수단을 가지고 평가할 것이 아니라 실제 효과를 가지고 평가해야 함. 이러한 지원을 통하여 결국 수출을 증대시킨다면 이는 수출보조로 분류 하여야 함
(g) 항	삭 제	0 조세감면 또는 유인정책은 수준이나 물량계측이 어려우므로 감축대상에서는 제외하고 규정분야에 반영
(h) 항	미국제안 수용	0 원료농산물에 국내보조가 지원될 경우, 이를 수출보조로 구분 계측하기는 기술적 어려움이 있슴

〈 사 유 〉

0 수출보조는 공정한 무역질서를 가장 저해하는 정책으로 인식되고 있으며, UR농산물협상에서 가장 우선적으로 규율되어야 할 부문임

0 적정수준의 국내보조와 국경보호는 사실 국내 농업정책의 필요에 의해서 유지되어야 할 부문이나 수출지원은 주로 재정지원이 가능한 수출선진국들만이 유지하고 있는 것으로서 보편적으로 요구되는 지원분야가 아님

0 따라서, 불공정한 수출경쟁을 유발하고 있는 수출지원의 대폭적인 감축과 엄격한 규제를 위하여 우선 수출보조에 대한 명확한 개념정의가 선행되어야 할 것인바, 농업무역의 특수성을 감안하여, 그동안 논의되어 왔던 의제6항에서 제시된 개념을 토대로 검토하는 것이 바람직할 것이나, 의제 6항에서 제시된 수출보조의 개념에는 다음과 같은 문제점이 있슴

0034

16

첫째, (a)항과 관련 수출보조는 그 자체가 불공정 무역관행임. 따라서 감축대상이 될 수출보조는 수출성과에 따라 정부가 수출업자에게 공여하는 지원총액이 되어야지 국내외 가격차 방법을 사용하여서는 아니됨(만약 국내외가격차 방법을 사용한다면, 농업개혁을 통하여 국제농산물 가격이 상승하게 될 경우 논리적으로는 국제가격 수준으로 수출보조를 증가시킬 수 있다는 이야기가 되며, 덤핑 수출을 용인하는 결과를 초래). 또한 기술적인 측면을 보더라도 국내가격과 국제가격을 어떻게 결정할 것인가도 문제가 되고, 서로다른 국내가격과 국제가격이 사용될 경우 감축 의무의 불균형이 발생하는 문제도 발생함. 중간평가 회의에서 "Direct budgetary assistance to exports, other payments on products exported and other forms of export assistance"에 합의하였다는 점을 주목해야 할 것임

둘째, 어떤 직접적인 재정지원이 수출과 직접 연계되어 있는 경우, 이러한 지원은 수출 보조로 간주되어야 함. 본질문제는 수단이 아니라 효과인바 결과적으로 직접적인 수출지원의 효과를 가지는 재정지원은 수출보조임

세째, 기술적인 문제로, 논의되고 있는 수출보조의 개념정의의 목적이 감축대상 보조의 계측과 감축약속 대상지원을 확정시키고자 한다면, 실제 계측가능한 개념정의가 되어야 할 것임. 예를 들면 조세감면이나 조세유인정책, 수출에 대한 정부의 서비스제공등 기타 지원은 실제 계측상 어려움이 있으므로 보조금 상계관세 협상그룹에서 논의되고 있는 금지대상 보조금의 유형을 활용하여 지원조건을 강화하는 방안이 유용할 것임

(2) 가격 및 소득안정책(의제 7)

가) 의 제

7. Some other issues for consideration are : whether the exception provided for in paragraph 2 of the note to Article XVI:3, which concerns certain price or income stabilization schemes, should be maintained : and whether export subsidies financed through levies on producers should be covered and, if, so, on what conditions?

나) 현행 GATT규정과 의의

0 GATT 16조3항에 관한 주석 및 보충규정

"2. 수출가격의 변동과는 관계없이 일차산품의 국내가격의 안정 또는 국내생산업자에 대한 수입의 안정을 위한 제도로서,동제도가 동종산품의 국내시장 구매자에 대한 비교가능한 가격보다 낮은 가격으로 해당산품의 수출을 야기할 경우, 체약국단이 다음과 같은 요건에 합치한 것으로 결정할 때에는 제3항에서 규정한 수출보조금으로 간주되지 아니한다

(a) 동제도가 동종산품의 국내시장구매자에 대한 비교가능한 가격보다 높은 가격으로 수출을 위하여 해당산품을 판매하게 하는 결과가 되었거나 또는 그렇게 입안되어 있는것. 또한,

(b) 동제도가 생산의 효율적규제 또는 기타방법중 어느 하나의 이유로 인하여 수출을 부당하게 자극하지 않도록, 혹은 타체약국의 이익을 중대하게 침해하지 않도록 운영되거나 그렇게 입안되어 있는 것

체약국단에 의한 전기결정에도 불구하고 전기제도의 운영을 위한 자금의 전부 또는 일부가 해당산품의 생산자에게 징수한 자금외에 정부자금으로 조달될 때에는 그 운영은 제3항의 규정에 따라야 한다"

0 동규정은 하바나헌장 27조 1항을 도입한 것으로서, 이러한 가격안정계획이 당해산품의 수출가격을 국내시장가격 이하로 저하시키는 경우도 있지만 위의 요건하에 이를 수출보조금 의무로 부터 제외시키고자 한 입안자들의 의도를 반영한 것임

다) 논의현황

0 논의된바 없슴

라) 아국입장

0 현행 주석 및 보충규정은 국내보조가 제한없이 허용되고 수출보조도 16조3항의 의무만 부과되어 있는 제도하에서 주로 선진국의 가격안정대 사업결과 수출되는 품목에 대하여는 16조3항의 의무도 배제시키려는 의도에서 도입된 것임

0 UR농산물협상에서 국내보조도 감축해 나가고, 더욱이 수출보조에 대하여는 규정을 강화하고 대폭 감축키로 한다면, 이 주석 및 보충규정에서의 예외는 사실상 의미가 없게됨(이러한 수출보조라 하여 감축에서 제외할 이유가 없슴). 따라서 이 규정은 삭제되어야 함

0 만약 이 규정이 계속 존치된다면 소득 및 가격안정 사업으로 수매 비축된 농산물을 국내가격보다 고가로 수출할 경우 수출보조의 의무가 면제되며 미국,EC등 수출선진국의 수출보조를 정당화 하게 됨

나. 감축약속방법(의제 II)

(1) 감축대상 수출지원(의제 8)

가) 의 제

8. The approaches for negotiating specific commitments on subsidized exports include commitments on the quantity of a product that may be exported with export subsidies : commitments on bubgetary outlays and revenue foregone : commitents on per unit export subsidization : or on some combination of such commitments.

0036

18

나) 논의현황

1) 미 국

0 총재정지출(직접재정지출과 value of payment-in-kind export subsidies)과 수출지원에 의한 총수출량

2) E C

0 AMS의 감축으로 수출지원 감축

- 수출지원 상한규제

3) 케언즈그룹

0 총재정지출, 단위당 수출지원, 수출지원에 의한 총수출량

다) 아국입장

0 총재정지출(직접재정지원과 계측가능한 세제지원등 재정지원액(revenue foregone)), 단위당 수출보조, 재정지원을 받아 수출하는 총수출량을 동시에 감축

< 사 유 >

0 농업개혁을 통하여 불공정한 교역질서를 바로 잡고, 이러한 방안으로 수출지원을 감축키로 한다면, 그 방법은 계측 가능한 revenue forgone을 포함한 총재정지원액, 단위당 수출보조, 재정지원을 통한 총수출량을 감축하여야 합의된 목적을 달성할 수 있슴.

⇒ 수출지원액의 대폭감축을 통한 우리농업의 경쟁력제고 도모

(2) 수출물량 감축방법(의제 9)

가) 의 제

9. The quantitative approach involves a number of technical and other issues. These include;

(a) What base period would be used for establishing the initial quantity in respect of which commitments would be undertaken?

(b) in terms of product coverage, whether the approach would apply to all agriculture products which are to be regarded as subsidized in accordance with an agreed definition of export subsidies, or only to the major traded commodities?

(c) would the initial or base quantity cover commercial transactions only or would certain concessional and other non-commercial transactions be taken into account?

0037

-19-

(d) would primary agricultural products incorporated in processed agricultural exports be included in the commitment on the primary product? Alternatively would a separate quantitative commitment or sub-commitment be negotiated in respect of incorporated products?

나) 논의현황

의 제 별	논 의 현 황
1) 기준년도	0 미국 : '86-'88평균 0 케언즈그룹 : '87-'89평균 0 EC : AMS기준연도(1986) 0 스위스 : 1989 또는 1990 0 오스트리아 : 1989
2) 대상품목 범위	0 미국,케언즈그룹 : 모든 농산물 0 EC : AMS대상품목
3) 비 상업적 판매 포함여부	0 지원조건강화만 제시
4) 가공산품, 포함여부	0 원료농산물에 포함시킬 것인가, 가공산품별로 별도로 계측할 것인가에 대하여 구체적인 제안이 없으나, 미국은 C/L에서 일부 가공산품은 별도 계산하였으며, EC는 포함하여 계산한 것도 있고, 별도 계산한 것도 있음 0 스위스는 가공산품에 대한 지원은 국내보조 감축대상이라는 점을 제시

다) 아국입장

0 기준년도 : 정치적 결정사항이나 수출보조의 대폭 감축이라는 기본입장하에 최근연도 채택지지

0 대상품목 : 모든 농산물을 포함(주요 농산물에만 한정할 경우 여타 품목에 대한 수출보조 확대우려)

0 비 상업적 판매포함 여부(수출물량에는 포함하되 감축예외 인정)
- 비 상업적 판매는 식량원조 및 순식량 수입개도국 우대와 관계되므로 감축에 대한 예외만 인정

0 가공산품에 대한 수출지원 : 가공산품에 대한 직접지원은 수출보조로 분류하되 원료에 포함된 지원은 국내보조 감축대상으로 함(기술적문제)

0038

-20-

(3) 재정지원 감축(의제 10)

가) 의 제

10. In respect of the approach involving commitments on bugetary outlays and revenue foregone in respect of export assistance :

(a) what base period would be used for calculating the budgetary outlays(and revenue foregone) in respect of which commitments would be undertaken?

(b) would commitments relate to the level of export assistance for the agricultural sector as a whole, to the individual commodities, or to both?

(c) what transactions other than normal commercial sales would be covered?

(d) what arrangements should be made to attenuate the effect of world market price and currency fluctuations? Whould a multi-year moving average provide a means of achieving this?

(e) what if any adjustments should be made for taking account of excessive rates of inflation?

나) 논의현황

0 수출물량 감축에 관한 의제검토 참조

다) 아국입장

0 기준연도 : 최근연도 지원실적

0 감축방법 : 총지원액, 단위당 지원액 감축의 동시활용
- 총지원액 감축방법을 채택할 경우, 품목별 재정배분방법에 따라 지원액 증가도 가능

0 비 상업적지원 : 총 지원액에는 포함하되 감축에 예외인정

0 세계시장가격 및 통화가치 변동고려(실질가치 기준)

0039

-21-

(4) 단위당 수출지원감축(의제 11)

가) 의 제

11. The approach involving commitments on per unit export subsidies and total outlays raises a number of issues in common with the modalities discussed above. An issue specific to this approach is whether a per unit export subsidy commitment would be based pericd, or whether such a commitments would be based on the average per unit subsidy to be derived from data on budgetary outlays and revenue foregone?

나) 논의현황

0 케언즈그룹이 단위당 수출지원 감축도 제기

다) 아국입장

0 수출보조의 무역왜곡 효과는 대상품목과 지원액이 문제가 되므로 이의 감축효과가 분명히 나타나게 하려면 단위당 수출지원도 감축되어야 함. 감축기준은 품목별 총 수출보조를 물량으로 나누어 계측하는 방안이 더 적절할 것임

(5) 감축의무이행 보장수단(의제 12)

가) 의 제

12. Other issues that might be addressed would include the precise nature of commitments. For example where commitments are exceeded or likely to be exceeded in any year. would there be an automatic commitment to take corrective action or would the exporting country concerned not be required to take corrective action unless a finding adverse to it is made under dispute settlement proceeding? What implications would an overshoot in one year have on the level of commitments in the following year? For example, would compliance with commitments be based on a multi-year moving average of subsidized exports?

나) 논의현황

0 구체적으로 논의된바 없슴

다) 아국입장

0 Commitment 수준보다 초과되어 감축될 경우 이는 협상목적에 합치하는 것이므로 수정하지 않도록 하고 차기년도 감축에 반영

22

0040

(6) 개도국우대(의제 13)

가) 의 제

13. Another issue for consideration, although this is ultimately a matter for political decision, concerns the modalities of differential treatment for developing countries as regards commitments in this area and their implementation.

나) 논의현황

0 미 국 : 이행계획에 예외인정

0 케언즈그룹 : 품목별로 장기이행기간허용

0 E C : 개도국발전 수준에 따라 개도국우대

0 일 본 : 장기이행기간 허용

다) 아국입장

0 장기이행기간 허용등 개도국우대는 인정

0 국내생산량의 X%미만 소액수출에 대하여는 동결 및 감축의무 면제

다. 식량원조 규정강화(의제III)

가) 의 제

14. Since the specific commitments to be negotiated in the area of export competition would relate primarily to commercial sales in the world markets, one of the principal concerns would be to ensure that concessional sales and other non commercial transactions are not used to circumvent the commitments that may be undertaken. The main disciplines in this area at present are the FAO Principles of Surplus Disposal which are administered by the FAO Consultative Sub-Committee on Surplus Disposal (CSD). Another area of concern is the question of export credits. Although aspects of this subject are covered by the FAO/CSD consultative arrangements as regards food aid transactions, there is no consensus or agreement on what export credit terms and conditions are to be regarded as commercial or non-commercial. A brief description of the current arrangements in these areas is attached.

15. There is a close linkage between food aid and concessional sales on the one hand and export credit arrangements on the other. Accordingly one of the main issues to be considered from the point of view of developing means to avoid circumvention

0041

concerns the basic approach that might be followed in each of these interrelated areas. One issue for consideration therefore is whether it would be operationally and technically feasible to compartmentalize commercial and non-commercial transactions in a way that would remove a large sector of the grey area that lies between the two and which may consititute a relatively broad avenue for potential circumvention of commitments?

16. In the area of food aid and concessional sales one issue would be whether the range if permitted forms of assistance should be confined to a more limited range of transactions. For example, under the Food Aid Convention, the basic elements of which were negotiated in the Kennedy Round, the form in which food aid may be provided is restricted to gifts of grain (or cash equivalents); and, sales on credit over twenty years or more on certain conditions regarding repayment. Should this basic approach be extended to all the major traded commodities, and if so, with what modifications regarding Usual Marketing Requirement (UMR) disciplines? What disciplines would be needed to prevent permitted (high grant element) food aid transactions being tied to commercial sales?

17. some of the issues involved in defining normal commercial transactions would include;

(i) what limit should be placed on commercial credit? (180 days?)
(ii) what limits should be placed on repayment terms beyond (i) above?
(iii) should official support for transactions under (ii) above be prohibited?
(iv) what means should be employed to prevent tied-aid credit transactions?
(v) what provisions should be made for differential treatment in respect of sales to developing country markets?

18. Question (iv) above is part of a broader issue, namely under what arrangements could transactions in the grey area be prohibited or strictly disciplined?

19. The maintenance of adequate levels of food aid is an issue which would involve substantive review of current levels of food aid commitments, their product coverage and their adequacy. One issue that may be considered is whether, given that an approach along the lines outlined in paragragh 16 above could lead to a higher overall grant element in food aid transactions. consideration should be given to accompanying measures to progressively increase food aid commitments? Aspects relating to net food importing developing countries would also be relevant in this contex as regards the availability of adequate supplies of foodstuffs both as food aid and under concessional sales on appropriate terms.

0042

24

나) 논의현황

1) 미 국

0 식량수입개도국에 대한 원조가 지속될 수 있도록 적절한 제도적장치 마련

- 합의원칙을 회피하는 수단이 되지 않도록 규정

0 식량원조위원회에서 원조수준의 적적성을 정기적으로 평가

0 세계적인 긴급상황에 대처하고 비정부기관 또는 자발적인 사적기구 또는 국제기구에 의한 식량원조를 허용하기 위한 목적하에 순수식량원조와 수출보조에 대한 원칙을 회피하는 수단들에 관하여 합의

- 이를 위하여 식량원조 정책계획위원회, 식량원조위원회 FAO재고처리위원회, UMRS 원칙등을 토대로 협의

0 재정수단에 의한 양국간의 식량원조는 FAO재고처리 원칙과 회원국간 협의원칙을 준수하고 합의원칙 회피수단 방지는 우선적으로 UMRS에 따름

2) E C

언급없슴

3) 케언즈그룹

0 저개발개도국, 식량 수입개도국에 대한 식량원조 지속필요

- 식량원조수준이 충분한가, 회피수단 방지요건을 충족한가를 검토

0 식량원조는 현행 국제협정에 합치되는 조건하에 허용

다) 아국입장

0 저개발개도국,순식량 수입개도국에 대한 식량원조와 양허판매는 인도적 견지에서 확대되어야 하며, 이러한 원조는 국제협정등이 활용될 수 있을 것이며, 합의수단 회피의 방지라는 이유로 지나치게 엄격하게 규제되지 않아야 할 것임

0 본의제는 저개발개도국, 순식량수입개도국에 대한 식량원조나 양허판매의 필요성은 인정하면서도, 특히 합의사항 회피수단으로 활용되는 것을 엄격히 규제하려는 전략이 있는 것으로, 아국으로서는 아국의 실정과 현재의 FAO재고처리규정등에 비추어 식량원조를 통한 농산물 재고처리는 기대하기 어려우므로 기본적인 입장이나 세부 규정등에 대하여 적극적인 대응은 불필요함

0 다만, 제기되고 있는 세부의제별 쟁점을 살펴보면

14 - 16항 : food aid와 concessional sales는 상호밀접한 관계가 있으며, 또한 export credit arrangement도 관계됨. 그러나 이와관련 commercial transaction과 non-commercial transaction을 자동적으로 기술적으로 구분할 수 있겠는가 하는데는 대단히 어려운 점이 있슴. FAO/CCP 실무작업단에서도 이 문제를 중점 검토하였으나 결국 거래유형을 유형화 하는데 그쳤슴. 따라서 이러한 기술적인 문제를 고려할때 Food aid와 concessional sale의 유형은 FAO/CCP에서 합의된 거래유형 목록(Catalogue of Transactions) 1-13항을 수용하는 방안이 있으나 이러할 경우 합의사항을 회피할 우려가 큼

0043

25

17 - 18항 : 수혜자의 입장에서 commercial credit는 대량거래되고 있는 수입농산물의 국내 물가파급효과 통화정책등과도 연계되는 사항으로서 아국은 미국이 공여하고 있는 GSM자금을 '94년 이후에는 중단키로 결정한 사항

0 Commercial credit를 구분하는 문제는 일단 food aid 및 non-commercial를 먼저 명확히 하면 될 사항이며, tied-aid transactions에 관하여는 회피 수단으로 활용될 가능성이 크나 이는 외형적으로는 판단하기 어려울 것으로 보이나 일단 금지되어야 하며, 통보 협의절차 과정에서 이해당사국과 협의를 통하여 일반원칙에 합치되도록 하는 의무규정을 두어야 할 것임

19항 : 식량원조는 저개발개도국, 순식량 수입개도국의 구조적인 식량부족문제를 해결할 수 있는 유용한 수단이며, 이는 GATT의 목적과도 합치되는 것임. 따라서 식량안보의 중요성에 비추어 수출국 이익에 집착하지 말아야 하며, 수혜대상국가의 필요수준이 확보 가능하도록 지원 수준은 충분히 허용되어야 할 것임

라 GATT규정강화(의제Ⅳ)

0 수출보조의 Commitment내용에 따라 수출보조에 관한 Rules and Disciplines는 새로이 규율되어야 할 사항으로서 정치적 결정이 선행되어야 논의가능함

0 지금까지의 각국입장에 따라 대두되고 있는 GATT규정 개정방향은 다음과 같이 3개분야로 나누어짐

1) 현행 GATT 16조 규정의 체제내에서 강화방안(EC입장)

0 "공정한 점유율 이상"(More than Equitable share)의 개념을 합의 사항에 일치하게 구체적으로 규정

0 일반원칙으로 국내외 가격차 이상의 상한규제와 신규 수출보조 금지

2) 새로운 원칙의 설정(미국,케언즈 그룹입장)

0 수출보조 사용규제, 일반적금지와 예외, 가능한 예외의 본질등을 검토

0 수출보조의 범위는 최종 합의결과에 규정될 수출보조의 정의에 따라 결정

0 허용될 예외규정으로 27항 (ⅰ)-(ⅷ)등을 검토

3) 현행 또는 새로운 규정하에 허용될 수출보조에 관한 규율강화(조정안)

0 허용될 수출보조에 관한 일반원칙 또는 한계설정(EC)

0 제3국에 "심각한 피해"를 방지하고 구제할 수단 개선

< 문 제 점 >

0 현행 체제내에서 지원수준을 감축만하고 추가적으로 지급조건을 강화할 것인지, 궁극적

0044

26

으로 수출보조를 철폐하는 방향으로 대폭 감축할 것인지에 대한 정치적 결정사항이 선행 되어야 한나, 미국,케언즈그룹과 EC가 입장이 첨예하게 대립되고 있어 타결방향 예측이 곤란

0 지금까지의 논의현황에 비추어 일단 "감축"에 합의할 경우에도 현행 GATT 16조1항과 3항과의 관계, 상계조치, 분쟁해결절차등 부수적인 문제가 제기, 정치적 결정사항이 해결되지 않는한 이러한 기술적문제에 중점적인 협의가 곤란

< 아국 대응방안 >

0 수출보조의 대폭감축은 수입의존 농산물의 수입가격 상승이라는 부정적 효과도 예상되나 농업보호 및 보호의 필요성, 그리고 무역왜곡 효과면에서 다른 측면이 있고 수출보조가 소폭 감축되고 국내보조와 국경 보호분야가 집중 감축되는 경우 전체적인 협상의 영향은 아국과 같은 수입국에 크게 불리하게 될 것이므로 수출보조의 우선적인 대폭감축과 지급 규율강화 방향으로 대응

(1) 현행 GATT규정의 강화(공정한 점유율 개념)(의제 21,22,23,24)

가) 의 제

21. The following suggested issues are listed for consideration regarding the reinforcement of the more than equitable share discipline on export subsidies(as eventually defined):

(i) Should the more than equitable share concept be developed as a specific binding limitation on the global level of exports of an agricultural product in respect of which a contracting party is entitled to use export subsidies in any calendar or marketing year?

(ii) How woould this level be determined? On the basis of the average annual level of subsidized exports over the most recent three year period, on the basis of the average resulting from the exclusion of the highest and lowest annual levels from the most recent five year period, or on some other basis?

(iii) How should the resulting shares be expressed: as a percentage of world export trade in the product concerned, or, in quantitative terms?

0045

27

(iv) if equtable shares are to be quantified along the above lines should Article XVI;3 be amended or interpreted to provide that a subsidized share of world export trade would not be considered to be more than equitable as long as the level of subsidized exports in any period in does not exceed the negotiated level applicable to the period in question as recorded in the subsidizing contracting party's schedule of reduction commitments?

(v) what obligations should be imposed under reinforced disciplines on a subsidizing exporter which has exceeded or which is likely to exceed the commitment level specified for a given year?

(vi) what reinforced rules and disciplines would apply to subsidized exports of products in respect of which the calculation of shares for the purpose of reinforced Article XVI;3 disciplines is not practicable? In other words, should a reinforcement of the more than equitable share discipline be limited to the major traded commodities, with subsidized exports of other products being subject to commitments on budgetary outlays and to reinforced disciplines on ser ious prejudice?

22. Another issue for consideration is how specific binding commitments negotiated on quantities that may be exported with the use of export subsidies (as eventually defined) would be integrated into the existing framework of rules and disciplines? For example, would an amendment or note to the first sentence of Article XVI;3 regarding tha avoidance of the use of subsidies on the export of primary agricultual products, provide an appropriate means for integrating schedules of commitments into the existing framework?

23. A procedural aspect of the reinforcement of Article XVI;3 disciplines is whether an amendment or note should be introduced providing that once a prima facie case had been established by the complaint that the specified commitment level had been exceeded the onus would rest with the subsidizing exporter to demonstrate conclusively that the increased share (in quantitative or percentage terms) is nevertheless not more than equitable?

24. The integration in Article XVI;3 of commitments to progressively reduce bedgetary outlays on export subsidies raises specific issues. Existing Article XVI;3 disciplines are essentially concerned with quantities and with shares of the volume of world export trade in particular products, not with the budgetary outlays involved. It would therefore be an issue for consideration whether there is any inherent difficulty, in such commitments being into p as an amendment or note

28

0046

to the first sentence of Article XVI;3 as outlined in paragragh 22 above. Where a commitment on budgetary outlays is not respected, should this be treated as a breach of the equitable share rule or as the breach of a specific commitment that would be deemed to constitute serious, or both?

나) 논의현황

0 EC가 "equitable market share"에 관한 개념강화를 주장하고 있으나, 여타국가의 구체적인 조문에 관한 개정제안은 없음. 그러나 현행규정과 협상목적과의 관계에 비추어 현행규정 또는 해석기준의 개정이 불가피한 사항임

다) 아국입장

0 논의되고 았는바와 같이 수출보조를 기준연도 수준으로 동결하고 감축키로 한다면, GATT 16조3항에서 규정한 "equitable share"의 개념은 불필요한 개념이며 개정되어야 함
  - EC의 입장처럼 현행 16조의 골격하에 감축범위만 약속하는 것이라면 경우에 따라서는 수출지원의 증량도 가능함

0 아국은 기본적으로 수출지원의 대폭감축과 엄격한 지원조건이 부과되어야 한다는 입장이므로 이 규정은 강화문제를 논의할 실익이 없음. 그 이유는 수출보조는 MTR에서 지원수준의 동결에 합의하였고 또 합의는 현수준동결, 그리고 이행기간동안 지원액과 물량을 점진적으로 계속 감축해 나가야 하는 형태가 되어야 함. "equitafble share"란 기존 수출시장에서의 점유율을 확대할 목적으로 지급되는 수출보조를 규제하기 위한 것으로 위와같이 수출보조를 감축키로 한다면 점유율을 확대할 목적의 수출보조 개념은 삭제 또는 수정되어야 함

0 만약, 현행 16조3항의 테두리내에서 그 해석기준을 개정한다면 "equitafe share"개념은 다음과 같이 개선되어야 할 것임
  - 21항 (i) : 당해년도 가능 수출보조수준의 한도수준으로 개념이 수정되어야 할 것임
    (ii) : 지원 수준은 수년평균 수준으로 결정해서는 안되며 매년 Commitment수준이 되어야 함
    (iii) : 시장점유율은 감축약속을 한 물량이 기준이 되어야 함
    (iv) : 질문사항과 같이 수정되거나 해석되어야 함
    (v) : Commitnent위반에 대하여는 수출지원으로 인한 수출증가가 아니라는 입증이 제시되지 않은 경우, 상계조치가 허용되어야 함
    (vi) : 감축약속을 한 모든품목에 확대 적용해야 하고, 합의사항의 위반에 대하여는 심각한 침해가 있다고 의제되어야 함
  - 22항 : 지원 가능한 수출보조의 법적근거는 "Should seek to avoid"라는 개념을 주석규정에 감축약속 수준을 의미하는 것으로 개정하여 신설
  - 23항 : 수출보조 증가의 입증책임. 즉 Commitment를 초과하지 않았다는 입증책임은 수출국이 부담하여야 함
  - 24항 : GATT 16조3항의 해석기준을 재정지출, 물량, 단위당 지원액의 Commitment로 수정하면 해석상의 문제가 해소될 수 있슴

0047

29

(2) 새로운 GATT규정설정(의제 25-28)

가) 의 제

25. The issue relevant to an examination of an improved framework for limiting the use of export subsidies include: the scope of a general prohibition subject to exceptions : and, the nature of possible exceptions. The question of the disciplines that might apply to the case of subsidies permitted under exceptions is dealt with in the next sub-section of the checklist since relating to reinforced disciplines in large measure apply to both the existing and an improved framework.

26. The range of export subsidy practices that, in principle, would be prohibited under the framework of a prohibition with exceptions would depend on the scope or policy coverage of the definition of export subsidies to be subject to the terms of the final agreement.

27. The following possible exceptions are listed as issues for examination :

(i) food aid and concessional sales in which the grant element is not less than( ) per cent and which are not tied directly or indirectly to commercial sales and which comply with the relevant FAO/CSD principles and procedures :

(ii) export subsidies on products in respect of which specific binding commitments to limit or progressively reduce such subsidization has been rntered into in terms of the final agreement.

(iii) subsidised export credits on terms and conditions that conform with specific criteria :

(iv) producer financed export subsidies, subject to appropriate terms and conditions :

(v) subsidies on agricultural primary products incorporated in exports processed agricultural products, subject to appropiate terms abd conditions.

(vi) developing countries: terms abd conditions.

(vii) other exceptions for discussion.

28. It is to be noted that items (iv), (v) and (vi) above are included for discussions as possible exceptions on the basis that the criteria or conditions that might be applied to these practices could be elaborated either in the contex of a definition of export subsidies or in the contex of conditional exceptions to a prohibition.

30

0048

나) 논의현황

0 감축원칙과 방법 food aid and concessional sale을 규제하는 원칙, 설정방안등에 관한 의견은 제시되어 있으나, 이러한 방안들에 대한 GATT규정과의 관계에 대하여는 제시된 의견이 없슴

0 그러나 GATT 제16조3항 첫번째 귀절과 두번째 귀절의 불일치, 감축목표수준에 따라 수정 되어야 할 "equatable share"의 개념, 새로운 금지규정과 예외 규정을 어떻게 설정할 것인가등의 여러 문제가 제기되고 있슴

0 정치적 결정사항이 타결되야 이러한 부분에 대한 의견접근이 순조로울 것이나 쟁점에 대한 검토는 필요함

다) 아국입장

0 25항 : 수출보조에 관한 GATT규정은 Commitment의 내용에 따라 이를 제도적으로 뒷받침하는 형태가 되어야 하는바, 수출보조의 무역왜곡 효과, 현행규정의 불합리성을 고려할때 일반원칙과 예외규정에 합치되게 현행 규정의 대폭적인 수정과 신설을 통한 새로운 규정이 정립되어야 함

0 26항 : 의제 3에서 제시된 감축대상 수출보조의 정의는 수출보조 수준과 물량의 계측, 그리고 감축대상의 결정을 위한 것으로서 계측이 곤란한 여러가지의 수출지원제도가 제외되고 있슴. 따라서 의제 3항에서의 수출보조 정의와 금지 또는 규제대상이 될 수출보조는 구별되어 설정되어야 함

0 27항(i) : 식량원조나 양허판매 승인요건과 관련, 순식량 수입개도국과 저개발개도국의 식량사정은 구조적으로 해결하기 어려운 실정이고, 또 매년 기상조건에 따라 공급수준이 달라지기 때문에 이를 X%로 규제하는 것은 이들 국가의 식량안보의 중요성과 인도적 견지에서 부당한 것임. 당해국가의 여건에 맞추어 합의될 일반원칙하에 신축적으로 운용 가능하여야 함(tied to commercial sale을 허용하게 되면 사실상 합의원칙을 회피하는 수단으로 활용할 가능성이 크나 이를 배제시키면 수출국이 식량원조나 양허판매를 회피하여 개도국에 불리하게 작용할 우려)

(ii) : commitment 수준에 대하여는 금지의 예외로 허용

(iii) : export credit은 보조금 상계관세 협상결과를 수용(EC가 제안한 OECD가이드라인 협약 수용)

(iv) : 생산자조달 수출보조에 대하여는 정부가 관여하기 곤란, 합의원칙에 제외되어야 함

(v) : 가공산품에 체화된 원료 농산물에 대한 국내보조는 국내보조로 분류, 직접적인 수출보조만 수출보조로 분류(기술적인 문제)

(vi) : 개도국에 대하여는 이행기간과 감축폭에 예외인정, 아울러 총생산량의 X%이하의 수출에 대하여는 동결 및 감축의무면제(선개도국간의 보호 및 보조수준 균형 차원)

0049

31

(3) 허용된 수출보조의 일반원칙(의제 29-33)

가) 의 제

29. The issues that arise in this context may be discussed under two headings : namely, general disciplines and disciplines more directly related to reinforcing the role of serious prejudice.

General Disciplines

30. General disciplines or limitations on the use of permitted export subsidies which need to be considered are :

(i) a rule or discipline under which in all cases an export subsidy may not exceed the difference between the internal market price. The precise basis on which such prices would be determined or constructed and the range of products where this would be feasible are some of the points that need to be examined :

(ii) a complementary discipline limiting the amount of an export subsidy to the amount of the corresponding import charge on the like product when imported into the market of the exporting country. What import charges should be included in this amount? How would this charge be determined in the case of non-tariff access barriers such as quantitative restrictions?

(iii) a discipline or provision that export subsidies would not be granted : (a) in respect of products which are not eligible for export subsidies or in respect of which export subsidies have not in fact been granted during a recent representative period : and (b) in respect of any market or region where during a representative period prior to the final agreement, export subsidies have not been employed.

Serious Prejudice

31. Some of the principle issues that arise are (i) whether the concept of serious prejudice should be reinforced as a discipline on permitted subsidy practices which seriously affect the commercial interests of contracting parties in individual or regional markets, with the equitable share discipline operating as a broader safeguard or preventive discipline on global shares: and (ii) whether the

32

0050

obligation in the second sentence of Article XVI:1 to merely discuss the possibility of limiting the offending subsidization should be upgraded to an obligation to take remedial action if a panel so determines.

32. The situations of serious prejudice which might be examined as a basis for developing reinforced disciplines under Article XVI:1(second sentence) or as additional provisions under Article XVI:3 could include :

(i) significant price undercutting in individual markets, with the basis for determining undercut being a comparison with prices practised by the party complained against, adjusted as appropriate, in markets where it is a traditional supplier of the product concerned :

(ii) where export subsidies are applied in a manner which results in the displacement of the exports of a contracting party from an individual market or region, or which are applied in a manner, whether through price suppression or otherwise, which hinders or impedes the maintenance of the exports of traditional suppliers to an individual market or region.

33. Issues for consideration in this context would include the precise basis on which prices would be selected and adjusted the role of per unit export values, the definition of regional markets and traditional suppliers, as well as the question of the evidentiary onus in proceedings where the specific commitments discussed above have not been respected and where the complainant does not use export subsidies as defined and/or is a developing country.

나) 아국입장

1) 30항(i) : 수출보조금의 분리, 대폭감축에 반대하는 EC입장으로서 수출보조의 대폭감축에 반대하는 아국으로서는 수용할 수 없슴

(ii) : 수입부과금을 수출보조의 상한으로 설정(EC입장)할 수 없슴(정치적으로 결정될 commitment 수준이 상한이 되어야 함)

(iii) : 수출보조의 규율은 모든 농산물을 대상으로 하여야 하며, 현재 수출보조금이 없다는 사실만으로 새로운 수출보조를 지급하지 않아야 한다는 것은 의무부담에 큰 불균형초래. 이는 현재 높은수출지원을 하는 국가는 이행기간동안 또는 그이후에도 수출지원이 가능하게 되며, 그렇지 못한 국가는 이행초기부터 규제되는 결과를 낳게됨. 따라서 현재 수출보조를 지급하지 않고 있는 국가에 대하여는 수출지원 물량이 국내생산량의 X% 이내 범위내에서는 수출보조의 동결 및 감축의무가 면제되어야 함

0051

33

2) 31항 : 합의원칙 위반에 대하여는, 이행확보 수단의 하나로서 교역상대국에 심각한 피해를 야기하는 것으로 해석하여야 하며, "공정한 몫"의 개념은 협상결과에 맞게 삭제 또는 수정되어야 함. 수출보조를 지급하고 있는 체약국은 매년 감축계획과 이행실적을 GATT에 통보토록 하고 의무위반인 경우 즉시 시정조치 의무를 부여함과 아울러 상계조치가 허용되어야 함

3) 32항 및 33항 : 특정국가의 의무위반 시정방안으로 기존 수출국과의 협의기회를 부여하는 것은 수출국간의 자율규제를 허용하는 결과를 초래할 위험이 큼. 따라서 의무이행의 관점에서 검토되어야 하며, 수출국간의 협의기회는 수출보조의 commitment위반을 시정하는 것이 되어야지 가격 조건을 가지고 협의하는 것은 협상목적의 본질과 어긋남

0052

34

3. 국내보조

가. 개도국 우대

(1) 개도국 농업개발지원에 대한 접근방법(의제1-3)

가) 의 제

1. The following informal note is intended to assist the technical discussions on domestic support by examining further various technical questions concerning the treatment of domestic support in developing countries in relation to reduction commitments. It outlines in connection with each question a number of possible options which have emerged in the consultaitions to date. These options are presented in order to help focus subsequent discussions and do not purport to be an account of all of the positions of individual participants.

2. Paragraph 7(vi) of the checklist on domestic support posed the question whether all or some of the policies in the group "developing countries' assistance to agriculture in pursuit of development objectives" are to be excluded from reduction. The question to what extent developing countries should be expected to undertake commitments to reduce domestic support is primarily a political one. But in the light of the agreement in the Mid-Term Review(MTN.TNC/11) that special and differential treatment is an integral element of the negotiations and that government assistance measures to encourage agricultural and rural development are an integral part of the development programmes of developing countries, it is appropriate to examine in more depth the technical issues related to the implementation of these principles.

3. A basic question is whether the "green box" of policies exempt from reduction commitments includes, as discussed so far, sufficient provision for the development-oriented support policies of developing countries. For many participants the answer appears to be negative. If the coverage of exempt policies is to be improved, two main options seem indicated:

(a) to enlarge the "green box" in order to encompass the desired range of developing-country policies, possibly including some which would otherwise be considered "amber", subject to certain conditions ;

(b) to maintain a more limited "green box" but make specific derogations from the reduction commitment for certain "amber" policies when used by developing countries, subject to certain conditions.

0053

35

나) 의의 및 논의현황

0 개도국우대 원칙의 하나로 개도국의 농업개발지원을 인정되어야 한다는데는 중간평가에서 이미 합의한 사항이나, 아직 이러한 농업개발지원의 개념이 정립되지 않고 있으며, 허용대상으로 분류하는 방법에 있어서 허용대상정책의 예시에 반영해야 할것인지 또는 일반기준에 대한 예외를 설정할 것인지에 대하여도 기술적문제와 관련되어 어려운점이 있고 선 개도국간의 입장도 다르게 제시되고 있슴

0 '91.3.11-3.15 개최된 국내보조부문 기술적쟁점 협의시 제시된 각국입장을 보면
- 브라질, 칠레, 인도, 멕시코등 개도국 : 개도국의 농업개발정책 수행을 위해서는 별도의 허용정책(Green box)을 인정하거나 개도국의 농업개발정책에 대하여는 허용기준을 적용 시키지 않도록 하는 조치가 필요하다고 주장
- 미국,이씨 : 개도국에 대하여도 무역왜곡효화를 적게하는 허용기준 적용이 필요하며 개도국우대 문제는 감축대상 정책범위, 기간, 삭감폭과 관련시켜 논의
- 한국 : 개도국에 대하여는 농업개발을 위한 투자지원등 제반 정책수행이 가능하도록 허용되야 하며, 개도국에 대하여는 허용기준 적용이 부적정함을 주장

0 이에 대하여 던켈 총장 사무국이 개도국의견을 수렴, 별도 자료를 준비하기로 하였으며, 그 결과 제시된 토의문서가 본 의제임

0 이러한 논의현황을 요약하면 개도국 농업개발지원에 대한 우대조치 방안을
① 허용대상정책 리스트(green box)의 한 유형으로 이에대한 개념을 보다 더 구체화하여 명시하는 방안
② 정책분류 기준을 토대로 특정정책에 대하여는 감축의무를 면제(derogation)하는 방안
③ 일반적인 원칙하에 소폭감축, 장기이행기간 허용, de minimis 설정등으로 우대하는 방안등이 있슴
※ 논의되고 있는 de minimis는 모든 국가에 적용할 것을 조건으로 하고 있으나 사실상 대부분 개도국이 혜택을 보게 될 것임

다) 아국입장

0 선 개도국간 농업구조와 발전수준 차이, 장기간이 소요되는 농업개발의 특성, 수출 수입 개도국 공히 농업이 차지하고 있는 산업의 중요성등을 고려할때 안정적이고 실질적인 우대조치 확보라는 관점에서 구체적인 개념정의를 통하여 Green Box에 설정하는 방법이 유리(대안 a)
0 다만 엄격한 기준에 의한 감축 및 허용대상 정책의 분류가 전제된다면 개도국 농업개발 정책은 분류기준을 충족할 수 없는 경우가 대부분일 것이므로, 논리적인 측면과 기술적인 측면에 있어서 허용대상정책으로 분류하는데는 모순이 발생하기 때문에 이러한 관점에서는 대안 b가 유용
0 따라서 본 의제는 각대안별 문제점을 검토한후 최종적으로 검토되어야 할 사항임

0054

36

(2) 대안(a) : Green Box에 규정하는 방안(의제4)

가) 의 제

4. Option (a) above raises further specific questions, e.g.:

(i) what additional policies might need to be included in the "green" category? Should their use be generally permitted or restricted to developing countrues?

If the "green box" was established by means of a descriptive list of policies, paragraph 7(vi) of the checklist could be expanded as appropriate to encompass the desired range of developing-country policies. However as it may be difficult to make such a list exhaustive, or flexible enough to cope with new or evolving policies in the future, a more pratical option may be a combination of illustrative policy listing, showing the policy objectives and types to be considered "green", and criteria relating to the means of implementation and effects of those policies.

(ii) Do such policies fall within the scope of the general criteris (paragraph 9 of checklist no.1) or are different criteria required? If so, what should they be?

The draft criteria set out in paragraph 9 of checklist are essentially based on the concept of trade distortion, and do not distinguish between developed and developing-country policies. Developing countries have made the point that in many cases their development-oriented policies may involve product specificity, or links to production levles or indeed price support - all of which would run counter to the criteria in paragraph 9. If such support was to be listed as "green", the criteria would have to be amended in order to permit it to be applied. Such amendment could take the form of specific derogations from one or more of the standard criteria in respect of development-oriented policies in developing countries. Additional criteria or conditions might need to be agreed concerning the extent of these derogations. The resulting array of permanent conditions and sub-conditions could weaken the general criteria without necessarily ensuring flexibility to developing countries in the implementation of their development strategies. A further technical point relevant to this option is that placing developing-country support in the "green" box means that in all cases exemption from reduction would be the only treatment available. On the other hand, option(b) could provide a range of possibilities, as noted below.

0055

나) 아국입장

① 예시적인 것으로 제시되어 있는 Green Box중 다음의 정책은 허용대상이라는데 의견접근

i) 조사연구등 일반지원
ii) 작물보험등 재해구호
iii) 국내 식량원조
iv) 자원전환 및 탈농지원
v) 식량안보 목적의 공공재고 관리
vi) 환경 보전지원

② 이에 반하여 i) 특정지역개발과 관련된 지원(가격지지허용)
ii) income safety net programme(직접지원의 예외)
iii) 농업구조조정과 투자지원(투입재 보조인정) iv) 토지등 투입재지원(투입재 보조인정)
v) 농업생산성 향상지원 vi) 기타 이상의 정책수행수단등에 대하여는 무역효과, 생산 및 가격효과등 일반기준과의 관계, 정책목적과 수단과의 해석기준등을 이유로 허용대상으로 할 것인지, 감축대상으로 할 것인지에 대한 의견대립
※ ( ) 내는 던켈총장의 조정안

③ 개도국의 농업개발지원의 유형을 크게 분류해 볼때 ①항의 정책외에 i)농업구조조정과 투자지원 ii)토지등 투입재지원 iii)농업생산성 향상지원 iv)기타 이상의 정책 수행 수단등이 필요하고 이러한 정책들을 수행하는데 있어서 필수적으로 가격 및 소득지원, 투입재 보조등이 수반되어야 한는바 실질적인 개도국우대의 필요성을 고려할때 유용한 방안은 예외적인 분류기준 설정을 통하여 개도국에 대하여는 위의정책(i) -(iv)들을 포괄적으로 Green Box에 명시하는 것이 개도국 입장에서는 브다더 안정적이고 실질적임

④ 이와 관련되어 제기되는 문제는 일반적인 허용대상정책 분류기준(check list 9항)을 적용할 것인가 또는 다른 기준을 적용할 것인가하는 문제임

0 의제에서 제시된 바와같이 개도국의 농업개발정책은 품목 특정적이고, 생산수준 또는 가격 지지등과 연계될 수 밖에 없으며, 또한 개도국의 경제사정상 소비자이전이 불가피하기 때문에 9항의 일반기준을 수용할 수 없을 것임. 따라서 개도국 농업개발지원에 대하여는 설사, 무역, 생산 및 소득지원 효과가 있더라도 개도국농업 개발지원의 필요성, 현실적인 지원수준의 차이와 의무이행의 실질적인 공평부담이라는 관점에서 완전한 예외가 허용되어야 할 것임

0 다만, 이경우에 일반적 분류기준과의 논리적 일관성의 문제가 제기 될 수 있으며, 이러한 문제를 이유로 green box에 설정할 수 없다면 감축대상정책에 대한 derogation을 인정하여야 하고 이 derogation에는 분류기준의 일반원칙에 대한 광범위한 예외가 인정되어야 할 것임

0056

38

(3) 대안(b) : 감축에서 예외를 인정하는 방안(의제5)

가) 의 제

5. Option (b) in paragraph 3 (above) also raises some specific further questions. If it was to be agreed that certain forms of support, while clearly in the "amber" category, might be treated in a special and differential way when applied by developing countries in pursuance of their development programmes, then the precise nature, scope and duration of this special treatment would have to be agreed. Would it take the form of a complete or partial exemption from reduction commitments or a lesser depth of cut, some other form, such as extended time-frames, or a combination of these? Under what conditions would it aply? Would all internal support be eligible, or only certain forms? Could support through such policies increase? Would such provisions be limited in time?

6. These questions need further discussions, but so far a number of technical possibilities can be identified concerning the conditions on which exceptions to the reduction commitment might be applied. Paragraph 11 of MTN.GNG/NG5/W/170 proposed that:

> "developing countries" assistance to agriculture in pursuit of development objectives shall be exempt from the reduction commitments provided that (i) it has no, or minimal effect on trade that (ii) it does not act to maintain domestic prices higher than free-at-frontier prices for like products".

These conditions do not appear to be generally acceptable as they stand, and several possible amendments or alternatives have emerged. For example, condition (i) could be amended to require no, or minimal, effect on world trade; (ii) to stipulate that the internal price should be no higher than the c.i.f. import price, or the price of like products in international trade. These conditions are essentially effect-oriented. Others might be quantitative - e.g. permitting, on grounds of equity or a "de minimis" approach, developing countries to maintain "amber" support up to a certain level established by reference to developed countris; or qualitative, involving exemptions on grounds of programme type, e.g. generally available investment subsudies, or programme objective such as the eradication of illicit narcotics. Another option could be to define the development objectives which would be relevant to exemption, e.g. in terms of economic deficiencies in the agriculture sector.
Commodity-specific exemptions for staple crops are a further technical possibility. Lastly, a general question is whether such conditions should be cumulative or not.

0057

나) 아국입장

0 본 의제와 관련 개도국의 농업개발지원은 감축대상이 될 수 없음. 정책분류 자체는 여기에서 논의되어야 하고, 일반적인 개도국우대 원칙으로서 감축폭과 이행기간에서의 우대문제와는 별개의 문제임

0 광의의 개도국우대 조치로서 개도국의 감축대상정책에 대하여는

i) 저개발개도국에 대하여는 모든 감축의무가 면제되어야 하며,

ii) 일반개도국은 일반원칙의 예로서 소폭감축과 장기 이행기간이 허용되어야 함

- 이러한 개도국 우대조치에 대하여는 드쥬의장초안(MTN.GNG/NG5/W/170)에서 제시한 조건을 적용할 수 없으며 충분한 수준의 "De minimis"개념인정(De minimis범위 내에서는 지원인상도 허용) "De minimis"를 초과하는 지원에 대해서는 위의 우대 조치가 허용되어야 함

0 의제 6항의 개도국우대 기준은 허용대상분류 기준으로 논의되어야 할 사항임

(4) 개도국우대의 적용요건(의제7-8)

가) 의 제

7. Under any of the approaches discussed above the question of country eligibility arises. Some specific questions are:

(a) Do developing countries need to be defined in any way for the purposes of these provisions? If so, how?

(b) Should eligibility be on a once-for-all basis, or should some distinctions be made among developing countries as to the degree of derogation from commitments they can claim? If so, on what basis?

(c) Should any derogations from the reduction commitments apply to developing-country export products which play a significant role in the world market?

8. If question 7(a) above is answered in the negative, presumably the present essentially pragmatic GATT approach to definition of a developing country would apply to this area also. In the event that a more precise selection was deemed necessary, account could be taken, inter alia, of work done in the Negotiating Group on Subsidies. Concerning 7(b), the broad options are to apply whatever special and differential treatment is agreed to all developing countries in a uniform manner, or to differentiate it in some way. Options for implementing the latter approach generally attempt to relate the level of commitment to the level of development. This could be done by reference to certain economic indices, e.g. percentage of GDP derived from agriculture, proportion of the workforce involved in

0058

40

agriculture, share of food in household consumption. An individual country's place on a scale relating to these parameters would determine its obligations to reduce support. A reporting mechanism could enable review of obligations as appropriate in relation to measured changes in development level. A minimum form of differentiation which appears to be widely supported would be to exempt the least-developed countries from reduction commitments.

나) 개도국 분류에 관한 국제적 관행

1) GATT

0 현행 GATT규정에서는 저개발국(less-developed Country) 또는 개발도상국(developing countries) 개념 및 기준을 명시적으로 정의하지 않고 필요한 국가의 선언에 의해서 개도국 또는 선진국으로 분류

0 다만 개도국 조항으로 불리는 GATT 18조항은 다음과 같이 2가지로 개도국을 분류하여 우대조치를 구분

a) 경제상태가 오직 저생활수준에 있고 개발의 초기단계에 있는 체약국
(18조 A.B 및 C에 의거 일반협정 의무면제 허용)

b) 개발도상에 있지만 (a)항의 범주에 속하지 아니한 체약국(18조 D적용 : 체약국단의 승인 조건)

※ 과거의 판례에서는 경제생활수준은 국민 1인당 GNP, 경제개발 초기단계는 전체 GNP에서 광공업이 차지하는 비중을 가지고 판정(1956, 실론)

2) IBRD 분류방법('88년 1인당 GNP기준)

① 저소득경제국 : Low - Income Economies
500$미만 국가

② 중하위소득경제국 : Low - Middle Income Economies
500$ - 2,000$ 국가

③ 중하위소득경제국 : Upper - Middle Income Economies
2,000$ - 6,000$(한국)

④ 고소득경제국 : Hight - Income Economies
6,000$이상 국가

3) OECD 개발원조위원회(DAC)의 분류('83년 1인당 GNP기준)

① 저소득경제개도국 : Low - Income Economies
700$미만 국가

② 중하위소득경제국 : Low - Middle Income Countries
700$ - 1,300$ 국가

③ 중tkd 소득경제국 : Upper - Middle Income Countries
1,300$이상 국가(한국)

0059

4) UNCTAD의 분류('80년 1인당 GNP기준)

① Group Ⅰ : 1,500$이상 국가 (한국)

② Group Ⅱ : 500- 1,500$ 국가

③ Group Ⅲ : 500$미만 국가

5) UN에서의 국가구분

① 선진국권 : 27개국(미국, 카나다, EC, EFTA, 아일랜드, 지브랄타, 남아프리카, 일본, 이스라엘, 호주, 뉴질랜드)

② 개도국권 : 159개국(한국포함)

6) IMF 분류방법

① 선진국 : 23개국(미국, 카나다, EC, EFTA, 일본, 호주, 뉴질랜드)

② 개도국 : 132개국

- IMF 가맹국중 선진국을 제외한 모든 국가 및 홍콩, 대만, 캄보디아
- 우리나라는 비산유개도국(공산품 수출국)으로 분류

나) UR협상에서의 논의동향

1) 농산물협상

① 드쥬의장 초안

0 국내보조 감축시 중간평가합의사항에 의거 개도국에 대해서는 약속내용과 이행 기간등에 신축성 부여

0 국경보호분야에서는 개도국 관심품목에 대한 보다 빠른 TE감축 및 TQ확대

② 각국의 주장내용

< 미국 > : 1인당 GNP기준

0 1인당 GNP 2,500$이상 : 10년에 75%감축(한국)

0 1인당 GNP 501-2,500$: 12년에 75%감축

0 1인당 GNP 500$이상 : 15년에 75%감축

< Cairns Group >

0 개도국은 최장 15년간 국경보호 45%, 국내보조 37.5% 감축(선진국:10년간 75% 감축)

0 최빈개도국은 모든 감축의무로 부터 면제

0 개도국의 개발목적을 위한 정책은 생산액에서 차지하는 지원비율이 5%미만일 경우에는 감축의무 면제

< 기타 개도국 >

0 개도국은 18조 B에 의한 예외나 11조2항C에 의한 예외인정 필요(브라질, 태국)

0060

42

0 각 국가별 경제규모(GDP중 농업비중), 농업고용비중, 가계소비등 식품소비비중을 기준으로 결정(인도)

0 발전단계에 대한 명확한 기준, 정책별 무역효과를 계량화는 기준을 보완하여 감축의무 면제범위 결정(이집트)

2) 보조금 및 상계관세협상(협정초안)

0 개도국우대 적용국가를 예시

- 협정의무 면제 최저개발국(Annex VII) : 20개국
- 초기 수출보조를 일정기간 일정율 이하로 감축해야 할 개도국(AnnexVIII)
  - 40개 국가를 예시하고 있으나 가봉, 이스라엘, 싱가폴등은 감축이행기간을 인정하지 않고 있음. 아국은 이러한 분류방식에 반대하여 이 협정초안상의 개도국 리스트에 포함되지 않았음

다) 아국 입장

< 선.개도국과의 경제지표 차이 >

사 항 별	국 별	1970	1975	1980	1985
농업인구비중 (%)	OECD평균(22개국)	11.3	9.6	7.9	6.5
	EC평균(12개국)	12.6	10.7	8.9	7.2
	수입개도국(7개국)	41.4	37.9	34.3	31.3
	수출 개도국(9개국)	42.4	38.8	35.2	32.2
1인당 GNP($)	OECD 평 균	2,942	6,140	11,165	11,956
	EC 평 균	2,276	4,722	9,363	8,226
	수입 개도국	648	1,268	1,831	2,031
	수출 개도국	470	788	1,521	1,354

주 1) OECD국가 : 호주,오스트리아,EC12개국,카나다,핀랜드,노르웨이,일본,뉴질랜드,스웨덴,미국
2) 수입개도국 : 한국,멕시코,이집트,이스라엘,자마이카,모로코,페루
3) 수출개도국 : 아르헨티나, 브라질, 칠레, 콜럼비아, 인도네시아, 말레아지사, 필리핀, 태국, 우루과이

※ 자료 : World Agricultnre, Trends and Indicators 1970-1989(USDA ERS)에서 발췌, 단순 평균한 수치임)

0061

43.

< 아국 입장 >

i) 허용대상정책 또는 derogation의 차등적용을 목적으로 한 개도국 분류는 반대 (개도국 경제수준은 30-60년전의 선진국 수준에 불과)

ii) 감축대상보조의 감축폭과 이행기간에 대한 우대조치의 차등적용을 목적으로한 개도국 분류는 검토가능(1인당 GNP 기준이 유용)

iii) ii)항에 의한 분류시에도 저개발 개도국과 일반개도국의 2가지 분류방식을 채택
⇒ 선발 개도국의 차등적용 배제
- 선발개도국과 선진국과의 경제수준차이는 너무나 현격하며, 선발개도국이 이행계획 수립시 발전수준 고려는 원칙에 의해서가 아니라 자발적인 의무사항으로 규정

iv) 국내보조에 있어서는 수출국도 어려움이 클 수 밖에 없으므로 동일하게 적용(수출 선발개도국을 지원하여 개도국우대 조건이 완화되도록 협력도모)

0062

44

식량안보등 농업의 비교역적기능을 반영하는 방식에 대한 한국의 입장

1. 농업에 있어서 비교역적 기능의 중요성은 공동으로 인식하고 있는 사항임(중간평가 합의등)

   0 UR농산물협상에서 논의의 촛점은 이러한 비교역적 기능을 협상목표와 조화시켜 나가는 수단의 선택과 합의의 도출임(Reduction of Support and Protection)

   0 따라서, 국내지원에 있어서 비교역적 기능과 관련된 정책의 지원을 어떻게 취급해야 할것이냐의 문제와 시장개방분야에서 이것을 어떤 방식으로 취급하겠느냐의 문제임

   0 첫번째로, 국내보조에 관련해서는 한국은 기본적으로 교역에 대한 영향이 큰 특정정책을 제외하고는 허용되어야 하며, 특히 비교역적 기능의 수행과 관련된 정책의 수행은 허용대상 정책으로 분류되어야 한다는 것임

   0 두번째로, 식량안보를 위한 기초식량에 대해서는 관세화의 대상으로 할 수 없다는 것임

0063

2. 식량안보의 중요성은 역사적으로 인식되어 왔으며, 많은 나라들이 식량부족으로 어려움을 겪었을 뿐아니라, 세계수준에서도 인류의 생존과 직결된 식량안보문제는 일시적인 식량의 공급과잉 여부를 막론하고 지속적인 관심이 되고 있음

0 식량이 만성적으로 부족한 저개발국 농업의 발전을 지원하는 것이나, 이들에 대한 식량원조의 확대는 현재도 우리모두가 공유하는 책임이며 한국도 이러한 지원의 혜택으로 어려운 시기를 최저생존유지의 수준에서 극복할 수 밖에 없었던 산 경험을 갖고 있음

0 따라서, 농산물교역의 자유화를 확대하기 위하여 현존하는 비관세조치를 관세화하고 이것을 점차적으로 감축시켜 나간다는 기본분야에는 동의하고 이러한 방안을 지지하나, 이와같은 분야는 어디까지나 시장가격으로 환산할 수 있는 경제적 사유에 국한하는 것으로 봄

0 식량안보와 같이 계량화 할 수 없는 질적인 요소는 이와같은 성격상 관세화의 대상이 될 수 없으며 자국민의 기본적 생존을 보장할 책임을 갖는 모든 정부는 자국의 기본적 식량공급의 안정성을 기할 의무를 가져야 함. 이같은 노력이 우리모두가 다른 장소에서 논의하는 세계식량의 안보문제와 균형을 가질 수 있다고 봄

0064

3. 그러나 식량안보의 중요성이 원칙없이 확대되는 것은 전반적인 농산물교역의 자유화 노력을 훼손할 수도 있음. 이를 억제하기 위해서는 식량안보와 관련한 합의된 기준의 설정이 필요함

0 따라서 한국은 아래의 원칙이 반영될 것을 주장함

가. 대상은 기초식품으로 함. 품목의 선택은 각회원국이 자국의 식량안보상 중요한 품목으로 선정하되 각 회원국에 공개되어야 함

나. 이러한 기초식품의 수입제한은 체약국들에게 통보되어야 함. 일률적인 최저수입량 허용은 않되고 각국의 사정에 따라 결정해야 함

다. 기초식품의 생산에 필요한 일정수준의 국내생산 지원은 별도로 허용되야 함

라. 수입을 제한하는 경우에는 기초식품의 과잉생산을 방지해야하고 별도의 식량원조등 예외적 경우를 제외하고는 통상적 수출은 안됨. 식량원조의 경우는 순수입 개도국에 국한하되 통상적인 수출국의 양해가 있어야 함

마. 수출국의 경우에도 식량안보상 수출제한은 유지되어야 함

바. 이러한 원칙은 GATT Rule로서 인정되어야 함. 한국은 11조에 규정할 것을 제안한바 있으나 21조 또는 다른 적절한 조항에 반영할 수 있음

0 이같은 기준에 의해서 식량안보에 관한 기능이 명료하게 반영된다면 시장개방분야에서 각 회원국이 갖고 있는 식량안보의 관심이 균형되게 반영되고 농업이 갖고 있는 본질적인 비교역적 기능을 고려하면서 교역자유화가 추구될 수 있음

0065

식량안보에 대한 일본제안의 Basic Idea

1. 농업생산의 특수성과 농업의 비교역적 기능 강조

2. 식량안보는 모든국가에 공통되는 개념임을 환기
   o 1974 세계식량 회의에서 키신저가 식량안보 필요성 주장

3. 식량안보 달성 방법
   o 국내생산기반 유지와 재고보유가 있으나 재고보유의 한계 지적
   o 일본의 쌀 과잉생산에 대해 수출보조는 하지않고 효과적인 생산조절 조치로 해결해 오고 있음.

4. 적정수준 자급을 유지는 국가의 책임임.
   o 시장개방 조치로 인해 일본의 자급율 수준은 선진국중 최저수준으로 하락
   o 수출국도 모든 품목에 대해 경쟁력이 있다고 볼수 없으며, UR에서 국경보호의 감축은 수출국에 대해서도 기초식품의 생산을 안정적으로 확보해야 할 안정장치가 필요함.

5. 식량안보에 대한 규범재정 및 보완 필요
   o 수출국 식량안보는 11조 2항(a)에서 규정하고 있으나 기초식품에 한정토록 함.
   o 수입국에 대해서도 식량안보를 보장하는 GATT 규정상 특별한 조항이 설정되어야 함.

6. 식량안보 규정의 내용과 제약조건
   o 새로운 GATT규범은 기초식품의 적정수준 국내생산 유지에 필요한 국경보호 조치를 인정해야 함.

   o 그러나 제약조건으로서
      ① 관련 기초식품의 계획생산을 강화하기 위한 조치의 시행과,
      ② 자선목적의 식량원조를 제외하고는 과잉생산분을 수출하지 않아야 한다는 것임.

0066

Basic Idea of Japanese Proposal on Food Security

(Draft)

1. Agricultural production, being distinctive from industrial production, has the special characteristics of being constrained by land and affected by climatical conditions. Also, agriculture plays important role in non-trade related aspects such as food security, preservation of the environment and maintenance of rural communities. Focusing on food security out of various aspects of such non-trade concerns, Japan has proposed that special measures be taken to ensure stable supply of basic foodstuffs.

2. We believe the concept of food security is universally recognized. In this context, we would like to remind participants of the fact that the main theme of the World Food Conference advocated by Dr. Henry Kissinger in 1974 was food security. In that Conference, it was more urged to secure domestic production capability rather than to secure stockpile of foods, to meet the objective of food security.

Foodstuffs as well as energy are integral part of fundamentals of national economy. As for foodstuffs, it is indispensable to prepare for such unexpected situations as poor harvest and serious hindrance in transportation system.

0067

3. As to oil, it is widely observed that most countries try to maintain the domestic production capability as well as to establish reserve stocks. Similar to that, it is fundamental to ensure the domestic production capability of basic foodstuffs. We assume anyone familiar with actual agricultural production could easily understand that it is indispensable to ensure the sound conditions for agricultural production such as production skills, labour force, land for cultivation through actual production activities, to achieve steady supply of the basic foodstuffs at the time of an unforeseeable situation.

As for reserve stock of foodstuffs, there is no other choice but revolving stock for foodstuffs due to perishability. Furthermore, the level of the revolving stock is restrained by the preference of consumers for fresh products. In the case of rice in Japan, the level of the stockpile should be less than two months of consumption, from the viewpoint of strong preference of Japanese consumers for the new crop.

We would like to draw your attention that the potential production of rice in Japan exceeds its consumption level. To cope with such a situation, we have been taking effective production control measures every year over the decade (The rate of production control is 30% in 1991.) with understanding and cooperation of three million domestic farmers, thus avoiding any subsidied

0068

exports which might have disturbed world rice market.

4. It is one of the paramount responsibilities of a nation to supply its people with foodstuffs in a stable manner which is the most basic goods for national daily lives. We are convinced that those countries, which have increased the dependence on imports of foods as a result of market opening, share the same concern.

As for Japan, as a result of various market opening measures, the self-sufficiency ratio has declined to as low as 48% on a calorie basis as well as 30% for cereals. No other developed country in the world has such a low self-sufficiency ratio. Put it differently, it is because domestic production of basic foodstuffs has been maintained that Japan, with the population of more than 120 million, could take past market opening measures.

Moreover, serious examination of this issue is of vital importance for developing countries.

There are some cases that countries categorized as exporters do not have adequate competitiveness of every product. However, one of the objectives of Uruguay Round is to make agricultural trade more forward in the direction of liberlization. The reduction in border protection would, without doubt, affect adversely domestic agriculture in such exporting countries. Admitting the concept of

0069

basic foodstuffs would become a safety valve in implementing the reduction of border protection, even for those countries, since they will be able to maintain required domestic production level of their basic foodstuffs.

5. Furthermore, the concept of food security for exporting countries is embodied in the existing GATT rules, specifically in Article XI: 2(a). However, Japan, as an importing country, considers that the scope of this Article, which presently can be applied to all agricultural products, should be limited to basic foodstuffs.

In correspondence to that, special provisions should be provided for in the GATT rules in order to ensure food security of importing countries.

6. From the points of view as has been stated, we have proposed that a new GATT rules be established in order to enable contracting parties to implement border adjustment measures necessary to maintain its required domestic production level of their basic foodstuffs.

We would like to remind all participants that our proposal on basic foodstuffs does not mean to allow to take such measures without any disciplines. That is to say, any contracting parties concerned must observe that measures are appropriately being implemented to enforce

0070

planned production with regard to the basic foodstuffs concerned and that the basic foodstuffs are not exported for the purpose of dispensing of the surplus production except for as bona-fide food aid..

0071

식량안보에 관한 아국입장 제안서 제출계획(안)

1. 배　경

0 5.17 일본이 식량안보에 논의에 앞서 비공식제안서를 각국에 배포

0 5.23 주제네바 대사는 아국입장을 제안서로 작성 배포할 것을 요청

0 5.31 UR관계부처 실무대책위에서 아국제안서를 제출키로 합의

0 6.10-17 주요국 비공식회의시 식량안보등 농업의 비교역적 기능(NTC)의 GATT규범에 고려 방안을 협의할 예정

2. 기본방침

0 한국의 특수한 입장을 강조하기 보다는 모든국가에 공통적인 관심사항으로서의 식량안보의 중요성 부각

0 식량안보를 GATT의 일반적 규범에 반영하는 방안과 구체적인 규제방법을 제시

⇒ 상기 입장을 Position Paper로 작성, 6.10회의시 모든 참여국에 배포

0072

3. 제안서의 주요내용(제안서 국.영문 별첨)

가. 농업의 비교역적기능의 중요성에 대한 공동인식

0 비교역적기능에 대한 논의는 협상목표와 조화되는 가운데 분야별로 적절한 수단을 선택하는 것임

- 국내보조분야 : 비교역적 기능과 관련정책은 허용대상으로 분류

- 국경보호분야 : 식량안보를 위한 기초식량은 관세화대상에서 제외

나. 식량안보 문제를 세계적차원에서 관심사항임을 강조

0 저개발국의 경제,사회발전에 있어 식량안보의 중요성

0 농산물교역자유화 기본원칙은 인정하나 식량안보와 같이 계량화 할수 없는 질적인 요소는 관세화의 대상이 될 수 없음

0 국민의 생존을 위한 기본식량의 안정적공급은 주권국가의 권한이자 의무임

다. 교역자유화 원칙과 조화될수 있는 식량안보 반영방안 제시

0 대상품목은 기초식품에 한정하되 각국의 특수상황을 고려하여 결정

0 수입규제조치는 일율적인 최소수입보장보다는 각국의 사정에 따라 결정하되 체약국단에 규제 대상품목과 조치내용을 통보

0 기초식품의 일정수준 국내생산 유지를 위한 지원정책 허용

0 기초식품의 과잉생산 방지에 노력하되 식량원조를 제외하고는 수출금지

0 상기원칙은 GATT규범에 명확히 반영되어야 하며 반영방법은 11조 또는 21조등에 반영

0073

수신 : 외무부 통상기구과장
발신 : 경제협력국, 농림수산

June 10,1991

Technicals Notes on the Reflection of Food Security and Non-Trade Concerns by The Korean Delegation

1. This paper is intended to facilitate the technical discussions on non-trade concerns (NTCs) including food security by clarifying various technical questions concerning the treatment of NTCs in the negotiation and in strengthened GATT rules and disciplines.

2. The question to what extent NTCs should be taken into account is primarily a political one. But in light of the recognition in the Mid-Term Review(MTN.TNC/11) that factors other than trade policy are taken into account in the conduct of agricultural policies and that in the negotiations account will be taken of proposals aimed at addressing participants' concerns such as food security, it is legitimate to examine in more depth the technical issues related to the implementation of these principles.

1-1

0074

3. The stated aim or purpose of NTCs is to exempt certain agricultural policy measures from reduction commitments and market access to the extent that such policy measures have the least trade-distorting effects. In other words, the trade liberalizing aims of the negotiation in certain cases should be harmonized by the realistic principle of NTCs. It is worth noting that agricultural reform could not be carried out without compromising with the existing and widely practicing policy measures of ~~NTCs and~~ food security and other NTCs by the most contracting parties. Therefore, an appropriate accommodation of such recognitions to the negotiations will, in fact, not retard, but accelerate the substantial progress of the negotiations.

4. In this context, a basic question is how non-trade concerns including food security are being taken into account in the negotiation. The question raises further specific technical issues:

   a) Does the "Green Box" of policies exempt from reduction commitments include, as discussed so far, sufficient provisions for NTCs? If the coverage of green policies is to be improved, what additional policies might need to be included in the "Green Box"?

   b) Does the "tariff equivalent" which is supposed to quantify the value of the non-tariff measures include, as discussed so far, sufficient substitutes for NTCs and food security?

1 - 2

0075

5. For many participants the answer to the question a) appears to be positive, while they still do need further clarification. The question b) is basically a question whether all non-tariff measures can be quantifiable or not.
The replacement of non-tariff measures with tariffs and its progressive substantial reduction is acceptable provided that all non-tariff measures can be convertible to monetary values by the price difference approach. This line of reasoning is purely an economic one.
However, in the real world, such qualitative elements as food security and NTCs associated with certain basic foodstuffs can hardly be quantified by the monetary terms only. In other words, certain basic foodstuffs, which are much more than a simple commercial commodity, cannot and/or should not be included in the scope of tariffication. This is a painful conclusion drawn from the very expensive historical experiences.
As far as basic foodstuffs are concerned, it is desirable for most countries to do their best efforts to ensure food security, rather than to depend upon imports. This is the way history taught us. This is the reason why many net food importing developing countries are struggling for the more production of basic foodstuffs internally today.

6. However, it is recognized that the principle of NTCs and food security should not distort the trade-liberalizing aims of the negotiation. In this context, it is quite

1 — 3

0076

legitimate to establish an agreed framework and new rules and disciplines of the GATT within which the principle can be properly implemented. The followings are the principle we propose:

a) Participants should be allowed to choose a limited number of basic foodstuffs which are exempt from tariffication and minimum market access commitments. For developing countries in particular, these exemptions should be an integral element of special and differential treatment.

b) The export of the chosen basic foodstuffs should be prohibited except the limited cases of humanitarian food aid. The food aid should be limited to the net food importing developing countries and those countries under emergency relief.

c) The participants should give due consideration to avoid overproduction of the basic foodstuffs concerned.

d) The implementation of the principle of NTCs and food security in relation to market access should be subject to multilateral surveillance.

7. In light of the Mid-Term Review agreement, non-trade concerns and food security exempt from the commitment to reduction in support and protection is an integral element of the negotiations. The agreed framework reflecting policies related to non-trade concerns and food security shall be a balanced and practical one for adoption and implementation.

기 안 용 지

분류기호 문서번호	통기 20644-	(전화: 720 - 2188)	시 행 상 특별취급	
보존기간	영구. 준영구 10. 5. 3. 1.	차 관	장 관	
		전 결		
수 신 처 보존기간				
시행일자	1991. 6. 7.			

보조기관	국 장		협조기관	제2차관보	문 서 통 제
	심의관				
	과 장				
기안책임자		송 봉 헌			발 송 인

경 유 수 신 참 조	건 의	발신명의		
제 목	UR/농산물 협상 회의 정부대표 임명 건의			

1991.6.10-14간 스위스 제네바에서 개최되는 UR/농산물 협상 주요국 협의 및 전체회의에 참가할 정부대표를 "정부대표 및 특별사절의 임명과 권한에 관한 법률"에 의거 아래와 같이 임명할 것을 건의하오니 재가하여 주시기 바랍니다.

- 아 래 -

/뒷면 계속/

0078

1. 회 의 명 : UR/농산물 협상 주요국 협의 및 전체회의

2. 회의기간 및 장소 : 1991.6.10-14 (회의기간 연장 가능),

스위스 제네바

3. 정부대표

o 농림수산부 농업협력통상관 조일호

o 농림수산부 농업협력통상관실 행정주사 최대휴

o 주 제네바 대표부 관계관

(자 문)

o 한국농촌경제연구원 부원장 최양부

4. 출장기간(본부대표) : 1991.6.8-17 (9박10일)

5. 소요경비 : 소속부처 소관예산

6. 훈령(안) : 별 첨

첨 부 : 훈령(안). 끝.

0079

훈 령(안)

1. 기본방향

o '91.1.9. 대외협력위원회에서 확정된 아국 협상 대책이 관철 가능하도록 기술적 의제 협의에서 그 토대를 마련하는데 주력

o 논리적 대응을 통하여 아국 입장의 타당성을 인식시켜 나가고 이러한 우리의 입장에 대한 이해당사국의 지지 기반을 확보

o 수출보조에 관한 쟁점별 대응은 신축적으로 대처

2. 금차회의 의제별 입장

가. 시장접근 분야

(1) 식량안보

o 시장개방의 예외가 인정될 수 있는 새로운 갓트 규정의 신설에 주력 (갓트 11조2항 또는 21조의 2등에 신설하는 방안을 제시)

나. 수출경쟁 분야

(1) 감축대상 수출보조의 정의

o 계측 가능한 수출지원만을 감축 대상으로 하고 조세 감면이나 유인책등 기타 계측이 어려운 수출지원은 지급 규율을 강화

o 국내외 가격차를 보전하는 수출보조만 감축대상으로 하자는 미국, 케언즈그룹 입장의 부당성을 지적하여 입장 변경을 유도

(2) 수출보조의 감축방법

o 재정지원액, 재정지원을 통한 총수출 물량은 동시에 감축되어야 하나, 단위당 수출지원 감축은 탄력적으로 대처

0080

(3) 식량원조등 허용대상 수출지원의 조건

o 농업개혁을 통하여 세계 농산물 가격 상승이 예견되고, 이에따라 최빈 개도국, 식량 순수입개도국의 부담이 크게 증가하게 될 것이므로 이들 국가에 대한 식량원조와 양허판매의 확대는 필요하나, 합의사항 이행을 회피하는 수단으로 사용되지 않게 하기 위한 명료한 기준 설정

(4) 갓트 규정 강화

o 수출보조 감축에 대한 합의방향이 결정된 후에 논의 가능한 사항이나, 수출보조는 교역 질서를 가장 저해하는 지원정책이며 그 성격상 국내보조와 국경보호와는 차이가 있음을 지적하고, 수출경쟁에 관한 규정은 대폭 강화되어야 할 것임을 강조

다. 국내보조 분야

(1) 개도국 농업개발지원 목적의 국내보조

o 개도국의 농업개발 지원정책은 허용대상정책으로 분류되어야 하며, 만약 논리적 모순 또는 기술적 어려움이 강조되는 경우 감축대상 정책기준의 예외(derogation)로서 허용되어야 함을 강조

o 감축폭, 이행기간등에 있어서의 개도국 우대는 AMS 감축에서 고려되어야 할 사항이며, 개도국 발전 수준에 따른 차등 우대를 위한 개도국 분류 방식은 ~~원칙적으로 수용하나~~ 반대하며, 특히 선발개도국을 ~~우대 대상에서 제외~~ 차별하는 것은 반대. 끝.

0081

25872

기 안 용 지

분류기호 문서번호	통기 20644-	(전화: 720 - 2188)	시 행 상 특별취급	
보존기간	영구. 준영구 10. 5. 3. 1.	장 관		
수 신 처 보존기간				
시행일자	1991. 6. 7.			

보조기관		협조기관		문서통제
국 장				검열 1991. 6. 08 통제관
심의관				
과 장	전 결			
기안책임자	송 봉 헌			발 송 인

경 유 수 신 참 조	농림수산부장관	발신명의		발송 1991. 6. 08
제 목	UR/농산물 협상 회의 정부대표 임명 통보			

1991.6.10-14간 스위스 제네바에서 개최되는 UR/농산물 협상 주요국 협의 및 전체회의에 참가할 정부대표가 "정부대표 및 특별사절의 임명과 권한에 관한 법률"에 의거 아래와 같이 임명 되었음을 알려 드립니다.

- 아 래 -

/뒷면 계속/

0082

1. 회 의 명 : UR/농산물 협상 주요국 협의 및 전체회의

2. 회의기간 및 장소 : 1991.6.10-14(회의기간 연장 가능),

스위스 제네바

3. 정부대표

o 농림수산부 농업협력통상관 조일호

o 농림수산부 농업협력통상관실 행정주사 최대휴

o 주 제네바 대표부 관계관

(자 문)

o 한국농촌경제연구원 부원장 최양부

4. 출장기간(본부대표) : 1991.6.8-17 (9박10일)

5. 소요경비 : 소속부처 소관예산

6. 출장 결과 보고 : 귀국후 20일이내. 끝.

0083

관리번호 91-407

분류번호 | 보존기간

발 신 전 보

번 호 : WGV-0750 910608 1303 ED 종별 : 암호발신

수 신 : 주 제네바 대사. 총영사

발 신 : 장 관 (통 기)

제 목 : UR/농산물 협상

검토필(1991. 6. 30.)

일반문서로 재분류(1991 . 12 . 31 .)

1. 91.6.10-18간 귀지에서 개최되는 UR 농산물 협상 주요국 비공식 협의 및 전체회의에 아래 정부대표를 파견하니 귀관 관계관과 함께 참석토록 조치바람.

o 농림수산부 농업협력통상관 조일호

o 농림수산부 농업협력통상관실 행정주사 최대휴

(자 문)

o 농촌경제연구원 부원장 최양부

2. 금번 회의에는 아래 입장과 본부대표가 지참하는 세부입장에 따라 적의 대처바람.

가. 기본방향

o '91.1.9. 대외협력위원회에서 확정된 아국 협상 대책이 관철 가능하도록 ~~기술적 회재 협의에서 그 토대~~ 다자간 규범정립면에서 근거를 마련하는데 주력

o 논리적 대응을 통하여 아국 입장의 타당성을 인식시켜 나가고 이러한 우리의 입장에 대한 이해당사국의 지지 기반을 확보

o 수출보조에 관한 쟁점별 대응은 신축적으로 대처

보안통제

앙고재	91년 6월 8일	통상국 과	기안자 성명		과장	심의관	국장		차관	장관
			송봉헌			대결	전결			

외신과통제

0084

나. 금차회의 의제별 입장

1) 시장접근 분야

o 식량안보

- 소수 기초식량에 대한 관세화 예외가 인정될 수 있고 그중 식량안보에 특히 결정적인 역할을 하는 품목(쌀 1개 품목 의미)에 대해서는 최소시장 접근도 유보할 수 있도록 하는 내용의 새로운 갓트 규정의 신설에 주력 (갓트 11조2항 또는 21조의 2등에 신설하는 방안을 제시)

2) 수출경쟁 분야

o 감축대상 수출보조의 정의

- 계측 가능한 수출지원만을 감축 대상으로 하고 조세 감면이나 유인책등 기타 계측이 어려운 수출지원은 지급 규율을 강화

- 국내외 가격차를 보전하는 수출보조만 감축대상으로 하자는 미국, 케언즈그룹 입장의 부당성을 지적하여 입장 변경을 유도

o 수출보조의 감축방법

- 재정지원액, 재정지원을 통한 총수출 물량은 동시에 감축되어야 하나, 단위당 수출지원 감축은 탄력적으로 대처

o 식량원조등 허용대상 수출지원의 조건

- 농업개혁을 통하여 세계 농산물 가격 상승이 예견되고, 이에따라 최빈 개도국, 식량 순수입개도국의 부담이 크게 증가하게 될 것이므로 이들 국가에 대한 식량원조와 양허판매의 확대는 필요하나, 합의사항 이행을 회피하는 수단으로 사용되지 않게 하기 위한 명료한 기준 설정

o 갓트 규정 강화

- 수출보조 감축에 대한 합의방향이 결정된 후에 논의 가능한 사항이나, 수출보조는 교역 질서를 가장 저해하는 지원정책이며 그 성격상 국내보조와 국경보호와는 차이가 있음을 지적하고, 수출경쟁에 관한 규정은 대폭 강화되어야 할 것임을 강조

0085

3) 국내보조 분야

o 개도국 농업개발지원 목적의 국내보조

- 개도국의 농업개발 지원정책은 원칙적으로 허용대상정책으로 분류되어야 하나, 특정품목의 생산증대와 직접 연결되는 보조등을 허용대상으로 분류할 수 없다는 것이 다수국의 입장일 경우, 허용대상 보조범위를 최대화 하도록 노력
- 개도국 국내보조중 감축대상으로 분류되는 보조의 감축폭, 이행기간 등은 AMS 감축 약속과 관련 검토되어야 할 사항인 바, 선진국 감축기간의 두배를 제의토록하고, 이와관련 개도국 발전 수준에 따른 차등 우대를 위한 개도국 분류 방식에 반대하며, 특히 선발개도국을 차별하는 것은 반대

3. 상기 식량안보에 대한 아국 제안서 제출 관련 사항은 별전 통보함. 끝.

(통상국장 대리 최 혁)

0086

관리 번호	91-408

	분류번호	보존기간

발 신 전 보

번 호 : WGV-0752 910608 1559 BU 종별 : 지 급

수 신 : 주 제네바 대사. 총영사

발 신 : 장 관 (통 기)

제 목 : UR/농산물 협상 (식량안보)

연 : WGV-750

연호 식량안보에 관한 아측입장 서면제출 방안에 대해서는 ~~농수산부 추입에 대한~~ 관계부처간 의견을 조정중에 있음을 감안, 6.17 시작 제출을 염두에 두고 내주초 회의에는 91.1.9 자 대외협력위 결정내용에 맞추어 아국입장 표명바람. 끝.

(통상국장대리 최 혁)

검 토 필 (1991.6.30.)

일반문서로 재분류 (1981 . 12 . 31 .)

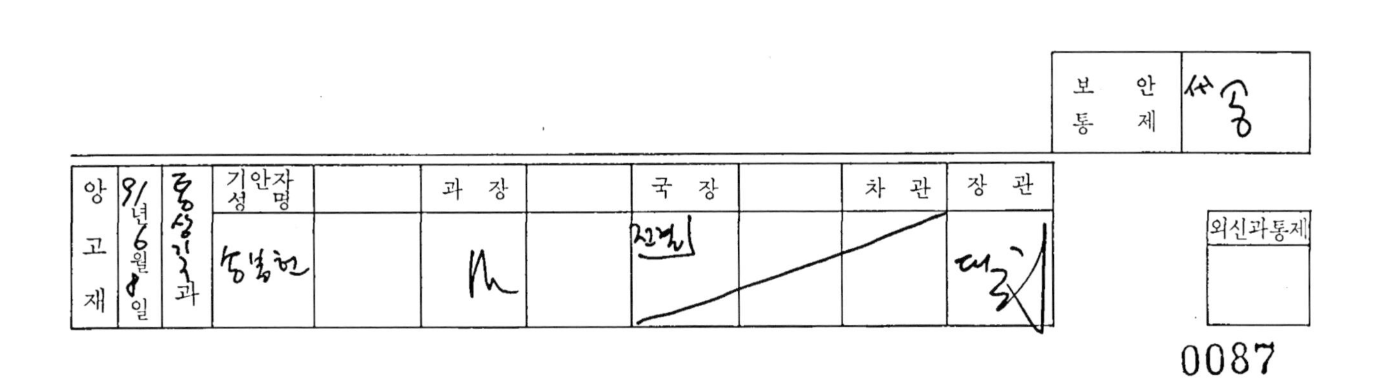

보안 통제	

앙 고 재	91년 6월 8일	통상기구과	기안자 성명		과 장		국 장		차 관	장 관
			송봉헌				전결			

외신과통제

0087

보류

관리 번호	

	분류번호	보존기간

발 신 전 보

번 호 : 종별 : 지급

수 신 : 주 제네바 대사. 총영사

발 신 : 장 관 (통 기)

제 목 : UR/농산물 협상 (식량안보)

연 : WGV-750

식량안보 ~~문제를 다자간 무역 규범의 일부로 제안하는~~ 에 대한 아국입장을 문서로 제출하는 문제와 관련한 본부 입장을 아래 통보함.

1. 상금 관계부처간 제출내용에 대한 의견 조정 과정에 있고, 자칫 아국이 금년초에 표명한 전향적 입장이 제대로 전달되지 ~~않은 부담이~~ 못할 가능성이 있으며, 이미 이에 관한 일본의 서면 제안이 제출된 바 있음에 비추어 아측 서면 제안 제출은 6.17 시작주초로 연기하고 시간을 두어 재검토하는 것이 바람직할 것으로 사료됨.

2. 연이나, 현지 협상 분위기에 비추어 내주초 서면 제안이 꼭 필요하다고 판단될 경우 농수부 작성 영문 초안(본부대표 지참) 제6항을 아래 ~~요지로~~ 사항을 반영하여 적의 재작성~~하여~~ 제출바람.

가. 기본 방향

- 91.1.9. 대외협력위원회에서 채택한 전향적인 입장을 기조로하되 현실적으로 쌀등 기초식량에 대한 특별 고려는 불가피함을 부각시키도록 함.
- 아울러, 상기 1.9자 결정이 현재로서는 아국의 기본입장임을 감안, 동 내용이 논리적이면서 충분히 반영되도록 함.

보안 통제	서명

앙 고 재	91년 6월 8일	통상기구과	기안자 성명		과 장	국 장		차 관	장 관
			송봉헌		심의관 (서명)	(서명)			(서명)

외신과통제

0088

나. 세부 입장

1) 각국의 농업정책에서 차지하는 식량안보의 중요성, MTR시의 식량안보를 포함한 NTC에 대한 인정, 그간 UR/농산물 협상에서의 논의사항에 기초하여 식량안보와 관련 농산물 시장접근 및 국내보조 감축 규범에 포함되어야 할 내용을 아래와 같이 제안함.

2) 시장접근

- 식량안보에 필요한 제한적인 숫자의 기초식량은 관세화 대상에서 제외하고 최소 시장접근(MMA)을 통해 점진적으로 시장접근을 허용함.
- 동 기초식량중 식량안보에 결정적인(critical) 역할과 기능을 하는 소수 품목에 대하여는 동 품목의 특수성(specificity)를 고려, ~~상당기간 동안~~ 최소 시장접근도 유보할 수 있도록 허용되어야 함.

3) 국내보조

- 식량안보에 필요한 기초식량의 일정수준 생산기반 유지를 위한 국내 보조는 계속되도록 허용함.
- 동 기초식량중 식량안보에 결정적인 역할과 기능을 수행하는 소수 품목에 대한 국내보조는 ~~상당기간 동안~~ 허용되도록 함.

4) 기초식량의 생산 및 수출

- 기초식량의 생산과잉 방지를 위한 필요 조치를 검토하고, FAO 규정등 관련 국제규범에서 허용하는 인도적인 식량원조등을 제외하고는 수출을 금지함.

5) 감 시

- 상기 기초식량의 과잉생산 방지 조치, 수출금지 조치는 다자 감시 대상으로 하고 이해관계국의 요청이 있을 경우 협의에 응함.

6) 순수입 개도국에 대한 우대

- 순수입 개도국에 대하여는 상기 제시된 지침을 보다 더 융통성 있게 적용토록 함. 끝. (통상국장 대리 최 혁)

0089

관리번호	91-411

원 본

외 무 부

종 별 :

번 호 : GVW-1071 일 시 : 91 0610 1530

수 신 : 장관(통기, 경기원, 재무부, 농림수산부, 상공부)

발 신 : 주 제네바 대사

제 목 : UR/농산물 협상(식량안보 서면 제안)

연: WGV-0750, 0752

연호 식량안보 관련 아측 서면 제안을 별첨 (FAX) 과 같이 제출코자 하는바검토의견 지급 회시 바람.

첨부: 식량안보 관련 아측 서면 제안 1 부. 끝

(GVW(F)-196)

(대사 박수길-국장)

예고 91.12.31. 까지

검 토 필 (1991 6.30)

일반문서로 재분류 (1991 .12 . 31.)

통상국 차관 2차보 경기원 재무부 농수부 상공부

PAGE 1

91.06.11 00:14

외신 2과 통제관 FM

0090

GVW (m)-0186 10610 15 ??

10 June 1991
Korea

Food Security and Other "Non-Trade" Concerns

1. Food Security and other non-trade concerns are important for all participating countries, particularly for importing countries. These concepts were clearly recognized in the 1989 Mid-Term Review Agreement. In this context, a basic question is how food security and other non-trade concerns are being taken into account in the negotiations? More specifically, what measures to deal with those concerns are being considered in the negotiations?

We believe that the trade liberalizing aims of the negotiation should be balanced by accommodating the interests of both importing and exporting countries. Therefore, an appropriate accommodation in the negotiation of the concepts of food security, and other non-trade concerns will accelerate the process of the negotiations.

During the discussions of technical issues on internal supports, we saw several positive signs that ways are being found to accommodate food security and other non-trade concerns. These measures though do need further clarification and development.

. In relation to market access, we have to carefully examine the ways to accommodate the concepts of food security and other non-trade concerns with the principle of tariffication. Some critical points on the concept of tariffication should be clearly understood.

First, the idea of tariffication (the replacement of non-tariff measures with tariffs and its progressive reduction), is based on the assumption that the tariff equivalents (the difference between domestic and world prices) represents the value of the non-tariff measures and all non-tariff measures are quantifiable.

However, in the real world, qualitative concepts such as food security and other non-trade concerns, can be extremely difficlt to be quantified in monetary terms. In other words, for certain basic foodstuffs, which are more than a simple commercial commodity, food security and other non-trade concerns could not be quantified by the difference between domestic and world prices. This is one of the reasons that Korea views tariffication of basic food stuffs required for food security is highly difficult, although it accepts the principle of tariffication.

Secondly, history has taught us the importance of securing basic foodstuffs. During this century, Korea has experienced several food shortages. Natural disasters and other emergency situations are not the sole causes of shortages. When we faced these food shortages, the world market verv often turned aoainst us. This is one of the reasons why many food importing countries are struggling to secure a domestic supply of basic food stuffs.

3. The following is the idea we have developed to deal with food security and other non-trade concerns. We believe, it can be accommodated with the negotiation's objectives and it also minimizes world trade distortion. It acknowledges our view that there should be rules and disciplines which would prevent the abuse of measures to secure food security and other non-trade concerns.

   a) Product coverage for special measures to secure food security should be limited to participants' basic foodstuffs. In the case of Korea, the number of basic food stuffs is only a few, including rice. We are seriously reviewing the previous position on non-trade concerns in this manner. Limitations in the trade of those basic foodstuffs would have relatively little

196-4-2

impact on world trade because the world trade volume relative to production would be very small.

b) Participants which have substantially low overall food self-sufficiency ratios should be allowed to take necessary border protection measures to the extent that they could secure food security of basic foodstuffs and other non-trade concerns. In the case of Korea, basic foodstuffs for food security and other non-trade concerns must be treated differently from the mechanical application of tariffication. Certain product (or products) of basic foodstuffs may be imported depending on domestic production situations, provided it (or they) is (are) not subject to the minimum market access commitments.

c) To minimize world trade distortion, basic foodstuffs chosen for border protection measures should be prohibited from export, except for limited cases of humanitarian food aid.

d) Participants should give due consideration to reducing the distortive impact of their border measures on domestic production and markets. However, internal support necessary to secure the maintenance of a domestic production base for certain basic foodstuff should be permitted.

e) The implementation of such measures should be subject to multilateral surveillance, including notification, monitoring and consultation with major interested countries.

In conclusion, the appropriate treatment of food security and other non-trade concerns is an integral part of the successful conclusion of the negotiations. We believe that the aforementioned ideas would provide a feasible and balanced solution to this important issue. We hope that the future negotiations will reflect these ideas.

4

186 - 4-4

0094

GATT 농업 교섭 차관급 협의 7월초 개최

1991. 6.11.
산께이 신문

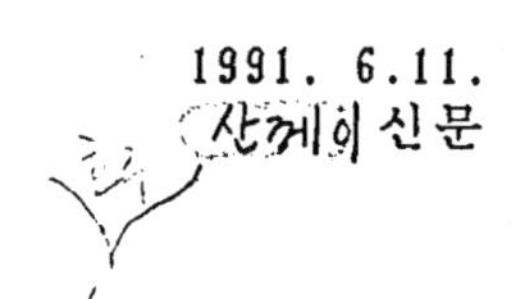

o 6.10. 정부는 일본, 미국, EC, 호주등 주요국간 GATT UR 차관급 고급 사무 Level 협의를 7월초 GENEVE에서 개최함을 밝혔다.

o DUNKEL 사무국장은 PARIS OECD 각료회의 COMMUNICATION을 받고 6월말까지 농업교섭 논점을 정리하여 초안을 작성할 예정임.

o 7월초 차관급 사무 Level 협의는 사무국장 초안을 근거로한 교섭임.

o 정부에 의하면 사무국장 초안은 각국의 주장을 병기한 내용이 될 확률이 높다.

o PARIS OECD 각료이사회와 동시 주요국의 고급 비공식 사무 Level 협의가 있었으나 진전이 거의 없었다.

o 농업 교섭 일정

- 6.12.이후 기술사항 협의
- 7월초 고급사무 Level 협의
- 7월말 TNC
- 가을 GATT 각료회가 개최될 가능성도 있음.

※ 일 정부로서는 쌀 문제 대응방안이 급히 필요. 끝.

0095

	분류번호	보존기간

발 신 전 보

번 호 : WGV-0761 910611 1809 FO 종별 :

수 신 : 주 제네바 대사. 총영사 (사본 : 주미 WUS -2618, WEC -0329, 주일 WJA -2667, 대사 WAU -0422)

발 신 : 장 관 (통 기)

제 목 : UR/농산물 협상 동향

6.11자 일본 '산께이' 신문은 7월초 귀지에서 미, 일, EC 등 주요국 차관급 회의를 개최, 6월말까지 작성될 UR/농산물 협상에 대한 Dunkel 사무총장의 초안을 토대로 비공식 교섭을 실시할 예정이라고 보도한 바, 상기 7월초 주요국 차관급 회의 개최 와 관련된 동향 파악, 보고바람. 끝. (통상국장 대리 최 혁)

보안 통제	

앙 고 재	91년 6월 11일	통상기구과	기안자 성명	과장	국장	차관	장관
			송봉헌		전결		

외신과통제

0096

종(지원과)

원 본

외 무 부

종 별 :

번 호 : GVW-1082　　　　일 시 : 91 0611 1200

수 신 : 장관(통기,경기원,재무부,농림수산부,상공부)

발 신 : 주 제네바 대사

제 목 : UR/ 농산물 주요국 비공식 회의(1)

6.10(월) 개최된 표제 주요국 비공식 회의 논의요지 하기 보고함.

1. 회의 일정

- 표제회의는 6.18(화)까지 속개키로 하였고, 6.12(수) 및 6.18(화) 일에는 농산물 협상 전체 공식회의를 개최하여 던켈 의장이 현재까지 분야별 진행 사항을 보고하기로 하였음.

- 이와 관련 본부 대표단이 동 회의에 참석할수 있도록 출장일정을 6.21(토) 까지 연장 조정함이 좋을 것으로 사료됨.

2. 수출 보조 논의

가. 던켈 총장은 회의의 능률적 진행을 위하여 수출 경쟁분야 및 개도국 우대 등을 먼저 논의하고, 식량안보 및 비교역적 관심사항(NTC) 관련한 논의는 수출경쟁분야후 논의키로 함.

나. 수출 보조의 개념(4,5 항)

- 이씨는 현행 16조에 규정된 개념(4항)을 선호하였고 미국은 5항에 제기된 보조금 그룹의 정의방식을 선호함.

- 북구, 알젠틴등 다수 국가는 단기적으로는 (이행기간중) 농산물의 수출 보조에대한 특별한 취급이 필요할 것이나 장기적으로는 일반 보조금과 같은 규율을 받아야 할 것이라고 함.

다. 수출 보조 대상 정책(6항)

- 미국은 B 항이 제외되야 한다고 주장하면서 결손지불(DEFICIENCY PAYMENT) 은 국내 보조로 봐야한다고 재 강조함.

- 스위스, 북구, 이씨등은 가공품과 관련 (H항) 구체적 기준 설정에 문제가 있을 것이라고 함.

통상국　경기원　재무부　농수부　상공부　지방

PAGE 1

91.06.11　20:36 DA

외신 1과 통제관

0097

- 일본은 A 항 관련 직접적인 재정적 지원에만 한정해서는 안된다고 하고, 농산물 수출을 독점하고 있는 국영기업이나 생산자 단체등에 의한 지원도 대상이 되야한다고 함.

- 인도는 보조금 상계관세 그룹 합의 초안에 예시된 수출 정책과 6항에 나열된정책이 일치하는 여부를 질문 하였는바, 던켈 총장은 조문화 하기 위해서는 6항을 보다 구체적인 개념으로 재구성해야 할 것이라고 지적함.

- 아국은 보조금 그룹의 정의를 농산물에 적용하기 곤란하다고 하고 4항의 개념을 기초로하여 6항에 제시된 내용을 구체화 해 나가는 것이 좋겠다고 함.

끝

(대사 박수길-국장)

원 본

외 무 부

종 별 :

번 호 : GVW-1089 일 시 : 91 0612 1100

수 신 : 장 관(통기,경기원,재무부,농림수산부,상공부)

발 신 : 주 제네바 대사

제 목 : UR/ 농산물 주요국 비공식 회의(2)

대: WGV-0761

6.11(화) 속개된 표제 주요국 비공식회의에서는 수출보조 감축방법에 대한 논의가 있었음.

1. 삭감 방법론(8항)

- 미국은 품목별 물량 기준 약속을 하도록 하고,재정 지출을 대상으로 하자고 하면서, 단위당 약속은 행정적으로 어렵고 가격 상승시 이행곤란을 이유로 반대입장을 표명함.

- 호주등 케언즈 그룹은 세가지 삭감 방법 모두를 사용하여야 하며, 개별 품목별로 접근해야 하고, 특히특정 시장을 대상으로한 수출보조가 엄격히 규제되어야 한다고 하면서 신 시장 진출을 위한 수출보조는 금지해야 한다고 주장함.

- 일본은 수입국 입장에서 단위당 약속을 중심으로 해야 수입국 시장에서 공정한 경쟁이 가능하다고 강조하였고, 이씨는 물량, 재정지출,단위당 약속이 각각 가지는 제약점을 지적하면서아직은 특별한 입장이 없다고 함.

2. 구체적 약속방법(9,10,11 항)

- 기준년도 관련 일본,이씨등은 86년을, 미국은86-88평균, 호주는 최근 3년 평균을 주장하였음.

- 대상품목 관련 미국 및 케언즈그룹은 개별품목별로 하자고 하였고 이씨,북구,오지리등은 총액또는 상품군 별로 하자고 하였음.

- BXU상 물량관련 미국 및 케언즈 그룹은 비상업적 판매도 포함하자고 하였음.

- 가공품 포함 여부 관련 이씨를 제외한 대부분국가가 가공품을 포함시키자고 하였는바, 특히 카나다및 케언즈 그룹은 보조금 협정 해석상 1차산품만 특별 대상 취급 대상이 되므로 농산물 2,3차상품은 동 협정의 적용대상이 되어야 한다고주장함.

통상국 차관 2차보 청와대 경기원 재무부 농수부
상공부

PAGE 1 91.06.12 20:30 FN

외신 1과 통제관

0099

- 인플레와 관련 대부분 국가가 반영의 필요성을 주장하였으나 미국은 반대입장을 표명함.

3. 감축 이행 보장 수단

- 케언즈 그룹은 분쟁해결에 의할 것을 주장하였고, 이씨는 이동평균에 의한 방법을 사용하되 보상하는 방법을 선호하였음.

4. 개도국 우대

- 페루는 특별 취급을 주장하였고, 인도,이집트,모로코등은 선진 수출국의 수출보조가 충분히 삭감되기 전에는 개도국이 감축의무를 질수 없다는 입장을 표명함.

5. 삭감 방법에 대한 던켈총장 의견

- 던켈총장은 수출보조의 실질적 감축없이 농산물 협상의 실익을 얻을수 없다고전제하고,케언즈그룹에 대하여 실천하기 어려운 주장(3가지감축법 병행) 보다는 재정 지출 감축을우선적으로 시행하고, 그이후 단계적으로 다른방법을 도입하는 것을 고려하는 것이 좋을 것이라고하면서 융통성을 보여줄 것을 간접적으로 요청하였음.

- 호주는 이에대하여 이씨가 아무런 입장변화를 보이고 있지 않은 싯점에서 융통성을 보이기 어렵다는 점과 실질적 효과 확보를 위해서는 단위당 약속이 필요하다고 주장함.

6. 7월 협상 동향

- 탐문한바에 따르면 케언즈그룹은 7.8-9경브라질에서 각료회의를 개최하기로 하였다 하며,이를 위하여 6월말경 던켈총장이 OPTION PAPER를 제시할 수 있도록 요청하고 있다고 함.

- 일본 농무성 대표를 접촉 대호 관련 일본신문보도를 확인한바, 7월초 주요 소수국차관급회의 개최문제는 지난 OECD 각료회의시미국이 OPTION PAPER 제출이후에 고위 정책결정자의 의견 교환 필요성을 제기한 것이라고하고, 시기와 장소에 대하여 합의한 바는 없으나다른 국가가 그와같은 모임을 거부할 이유가없다는점에서 반대는 없었다고 함

참가 예상국은 미국,이씨,일본,호주등 주요국이 될것이라고 함.끝

(대사 박수길-국장)

PAGE 2

0100

공안

검토 의견

1991. 6.12. 13:00

1. 금번 회의에 제출할 서면안은 기본적으로 첫째 91.1.9.자 대외협력위원회에서 결정된 입장을 정확히 반영하고, 둘째 아국이 협상 목표 달성을 위해 보다 전향적인 입장을 취하고 있다는 점을 반영해야 되고, 셋째 아국이 제안하고자 하는 내용을 명백하게 표현하는 것이 되어야 할 것으로 사료됨.

2. 따라서, 서면안중 핵심내용인 3항을 아래와 같이 수정, 제출바람.

가. a)항 : 기초식량의 무역이 세계농산물 교역에 미치는 영향이 미미하다는 것은 설득력이 없으므로 마지막 문장(Limitations 이하)이하는 삭제

나. b)항 : 식량안보와 여타 NTC 해당품목을 수개의 제한된 기초식량으로 한정하였기 때문에 식량안보와 함께 NTC를 거론하는 것은 가함. 그러나, 서면안에는 동 품목을 관세화에서 제외하는 것을 표명했을뿐, 구체적인 최소 시장접근 허용에 대한 언급이 없는 바, 1.9. 대외협력 위원회 결정에 따라 관세화 대신, 최소 시장접근을 통해 시장접근을 허용한다는 것을 명시함. 다만, 식량안보를 위해 매우 결정적인 역할(critical role)을 하는 품목(쌀을 의미)에 한해서는 최소 시장접근도 유보할 수 있다는 내용도 구체적으로 명시

다. d)항 전단 : 일본 제안에도 기초식량에 대한 생산통제가 포함되어 있음을 감안, 아국 제안에도 동 내용이 적절히 반영되어야 할 것으로 생각되는 바, 아국의 경우 즉각적인 과잉생산 억제 조치 시행이 현실적으로 어려운 점을 감안, 과잉 생산을 피하기 위해 필요한 조치를 검토해 나간다는 수준으로 내용을 수정

0101

라. d)항 하단 : 상기 관련 기초식량에 대한 국내보조의 점진적 감축문제가
언급되어야 할 것으로 사료되는 바, 식량안보를 위해 매우
결정적인 역할을 하는 품목을 제외한 여타 기초식량에
대해서는 합의된 수준의 국내보조 감축 수용(1.9.자 대외협력
위원회 결정 내용) 의사 표명

마. e)항 : 다자간 감시 대상이 되어야 할 조치가 무엇인지 모호함으로 상기
b), c), d)항에 포함된 조치 내용이 다자간 감시 대상이 된다는
것을 명시

3. 기타사항으로 관세화는 제안이며 확립된 원칙이 아님을 감안, "원칙"이라는
표현을 지양하고, 식량안보 및 NTC는 개념을 의미하는것이 아니므로 "개념"을
삭제토록 함. 끝.

0102

원 본

외 무 부

종 별 :

번 호 : AUW-0449　　　　일 시 : 91 0612 1530

수 신 : 장 관(통기,아동)

발 신 : 주 호주 대사

제 목 : UR/농산물 협상 동향

대:WAU-0422

1. 대호관련 금 6.12 당관 장동철 참사관은 주재국 외무성 DEADY UR 농산물과장을 접촉한바, 동과장에 의하면 산께이 신문내용에 관해서 주재국으로서는 전혀 아는바가 없으며, 지금까지 CAIRNS 구릅회의에 미.일.EC 의 대표들이 OBSERVER로 초청 (통상, 주재대사들이 참석하며 실질, 비공개회의에는 불참)해왔으므로 오는 7.8-9 간 BRASIL 에 서 개최되는 CAIRNS 구릅회의에도 동국가들을 초청예정임으로 이러한 내용이 와전된것이 아닌가 생각된다고함.

2. 금번 BRASIL CARINS 구릅회의에서는 6월말까지 작성완료가 예상되는 DUNKEL 사무총장의 초안이 주요 토의사항이 될것이라고 함.끝.

(대사 이창범-국장)

통상국　2차보　아주국

PAGE 1　　　　91.06.12　15:12 WG

외신 1과　통제관

0103

	분류번호	보존기간

관리번호 91-414

발 신 전 보

번 호 : WGV-0769 910613 1509 FN 종별 : 지급

수 신 : 주 제네바 대사. 총영사

발 신 : 장 관 (통 기)

제 목 : UR/농산물 협상 (식량안보 서면 제안)

대 : GVW-1071

1. 금번 회의에 제출할 서면안은 기본적으로 첫째 91.1.9.자 대외협력위원회에서 결정된 입장을 정확히 반영하고, 둘째 아국이 협상 목표 달성을 위해 보다 전향적인 입장을 취하고 있다는 점을 반영해야 되고, 셋째 아국이 제안하고자 하는 내용을 명백하게 표현하는 것이 되어야 할 것으로 사료됨.

2. 따라서, 대호 서면안중 핵심내용인 3항을 아래와 같이 수정, 제출바람.

   가. 3항 본문 : 첫번째 문장 말미에 "1.15 TNC 회의에서 제시한 신축적 입장에 기초하여" 삽입함.

   나. a)항 : 상기 3항 본문에서 아국의 신축적 입장을 언급했으므로 세번째 문장 (We are 이하)을 삭제하고, 기초식량의 무역이 세계농산물 교역에 미치는 영향이 미미하다는 것은 설득력이 없으므로 마지막 문장 (Limitations 이하)이하도 삭제함.

검 토 필 (1991. 6. 30.)

보안통제	

오차보 :

앙고재	91년 6월 13일	통상기구과	기안자 성명		과 장		국 장		차 관	장 관
			송봉헌				전결			

외신과통제

0104

다. b)항 : 서면안에는 식량안보 품목을 관세화에서 제외하는 것을 표명했을뿐, 구체적인 최소 시장접근 허용에 대한 언급이 없는 바, 1.9. 대외협력 위원회 결정에 따라 기초식량이라도 관세화 대신, 최소 시장접근을 통해 시장접근을 허용한다는 것을 명시함. 다만, 식량안보를 위해 매우 결정적인 역할(critical role)을 하는 품목(쌀을 의미)은 최소 시장접근의 대상이 되지 않는다는 내용도 구체적으로 명시함. 또한, 두번째 문장중 "한국의 경우"와 "여타 비교역적 고려"는 각각 삭제함.

라. d)항 전단 : 아국의 경우 즉각적인 과잉생산 억제 조치 시행이 현단계에서는 어려운 점을 감안, 전단을 삭제함.

마. d)항 하단 : 기초식량에 대한 국내보조의 점진적 감축문제도 언급되어야 할 것으로 사료되는 바, 식량안보를 위해 매우 결정적인 역할을 하는 품목을 제외한 여타 기초식량에 대해서는 합의된 수준의 국내보조 감축 수용(1.9.자 대외협력위원회 결정 내용) 의사 표명

바. e)항 : 다자간 감시 대상이 되어야 할 조치가 무엇인지 모호함으로 상기 a), b), c), d)항에 포함된 조치 내용이 다자간 감시 대상이 된다는 것을 명시

3. 기타사항으로 관세화는 제안이며 확립된 원칙이 아님을 감안, "원칙"이라는 표현을 지양하고, 식량안보 및 NTC는 개념을 의미하는것이 아니므로 "개념"을 삭제바람. ~~토록 하며, 3항 결론 맨마지막 문장중 We hope를 "We strongly hope"로 수정토록 함~~.

4. 서면안 3항에 대한 본부 작성 영문 초안을 Fax편 송부하니 참고바람. 끝.

(통상국장 대리 최 혁)

0105

분류번호	보존기간

발 신 전 보

번 호 : WGV-0772 910613 1925 FN 종별 :

수 신 : 주 제네바 대사. 총영사 (천중인 농무관)

발 신 : 장 관 (통기 홍 종기)

제 목 : 업 연

1. 농산물 자료중 제일 마지막 문장 "We hope ......"은 좀 약한감이 있어 동 문장전체를 삭제하든지, 좀더 강한 표현으로 해달라는 농수산부의 의견이니 조치 부탁드립니다.

2. 건승기원합니다. 끝.

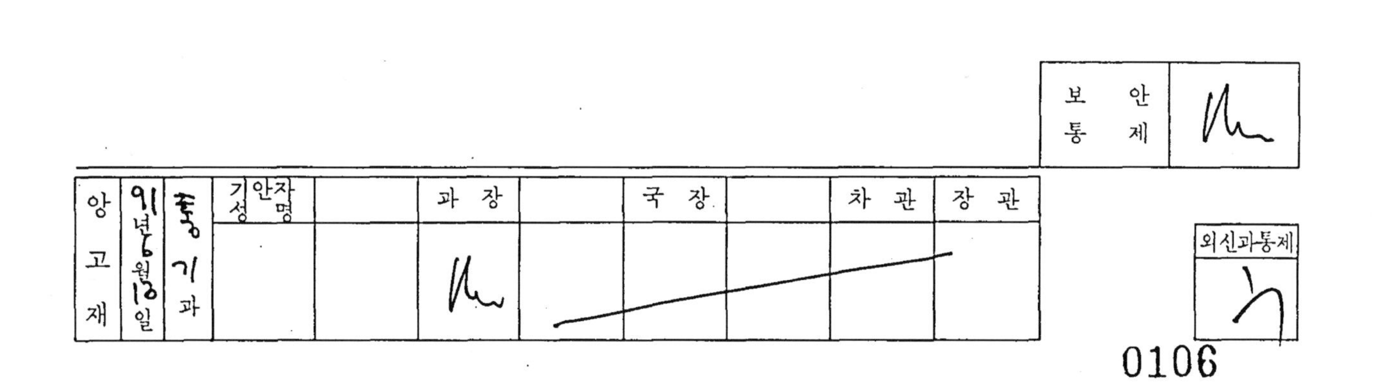

보안 통제	

앙 고 재	91년 6월 13일	통기과	기안자 성명		과 장		국 장		차 관	장 관

외신과통제

0106

WGV(F) - 147　　　　　　　　　　DATE : 10613 1800

지급

수신 : 주 제네바 대사

발신 : 장 관 (통 기)

제목 : UR/농산물 협상

보 안 통 제	

표제관련 영문 자료를 별첨 송부함. 끝.

(통상국장 대리 최 혁)

(총 3 매)

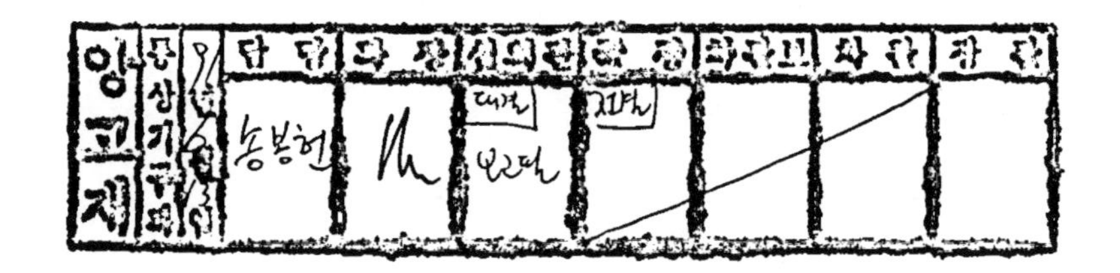

0107

3. The following is the ideas Korea has developed to deal with food security and other non-trade concerns on the basis of a forward-looking position Korea stated at the January 15 TNC meeting. Korea believes that the ideas duly accommodate the negotiating objectives in the sense that they attempted to minimize distortion in the world trade. The ideas also acknowledge the view of Korea that there should be rules and disciplines in the GATT which would ensure food security and other non-trade concerns of the importing countries.

a) Product coverage for special measures to secure food security should be limited to participants' basic foodstuffs. In the case of Korea, the number of basic foodstuffs is only a few, including rice.

b) Participants which have substantially low overall food self-sufficiency ratios should be allowed to take necessary border protection measures to the extent that they could secure food security of basic foodstuffs and other non-trade concerns. Basic foodstuffs for food security must be treated differently from other agricultural products, and would not be subject to tariffication. Import market access will be allowed for those basic foodstuffs in the form of the minimum market access. However, certain basic foodstuff which plays a very critical role for food security should not be subject to minimum market access commitment.

2-1

0108

c) To minimize trade distortion, basic foodstuffs chosen for border protection measures should not be exported, except for limited cases of humanitarian food aid.

d) Internal support to basic foodstuffs will be subject to reduction commitment in accordance with the principles and criteria to be agreed upon in the negotiations. However, internal support necessary to secure the maintenance of a domestic production base for certain basic foodstuff critical for food security should be permitted.

e) The implementation of the above-mentioned measures should be subject to multilateral surveillance, including notification, monitoring and consultation with interested countries.

2-2

0109

원 본

외 무 부

종 별 :

번 호 : GVW-1103 일 시 : 91 0613 1900

수 신 : 장 관(통기, 경기원, 재무부, 농림수산부, 상공부)

발 신 : 주 제네바 대사

제 목 : UR/ 농산물 전체 공식 회의

1. 6.12(수) 오전에 개최된 표제 전체공식회의에서는 UR 협상 재개 이후 진행된비공식회의 내용에 대한 던켈 총장의 종합보고가 있었는 바, 그 요지는 아래와 같음.(본직, 농림수산부 조국장, 농경연 최부원장, 천중인농무관 참석)

가. 국내 보조 분야

0 국내 보조 분야에서는 삭감대상 정책과 허용대상 정책으로 분류하고 허용되상정책에는 일반 서비스, 재해구조, 환경보전 정책등이 포함된다는 점에 대체적 합의가 형성되고 있고, 구조조정, 지역 개발 정책의 포함여부도 논의되고있음.

0 AMS 계측관련 상당한 진전이 있었으며, 국경조치 효과 제외 문제등 정치적인 결정을 요하는 문제들만이 남아 있음.

0 인프레 효과 반영 주장이 많으나 구체적방법에는 아직 논란이 있음.

나. 시장접근 분야

0 시장접근 관련 관세화 개념 정의에는 상당한 진전이 있었으나 적용범위등 정치적문제가 많이 남아 있으며, 시장접근 보장 관련 관세 상당액(TE) 의 상한 설정문제, 최저시장접근 문제가 더 논의되어야 할 부분이며, 특별 세이프 가드 관련 그 필요성에는 대부분 공감하고 있으나 일반 세이프 가드 규정과의 관계, 이씨가 주장하는 보정요소(CORRECTIVE FACTOR) 등 정치적 문제에 견해차가 큰 상황임.

0 갓트 11조 개정, 식량안보등 갓트 규범 관련사항은 정치적 결정을 요하는 문제이며, 추후관계국과 논의가 필요한 사항임.

다. 기타

0 위생 및 검역 규제는 브럿셀 각료회의에서상당한 합의가 이루어 졌으므로 추가논의가 현재로서는 불필요 하다고 판단됨.

2. 동 총장의 보고는 과거 3차에 걸친 비공식협의가 성격상 기술적인 사항에

통상국 2차보 경기원 재무부 농수부 상공부

PAGE 1 91.06.14 08:02 WH

외신 1과 통제관

0110

관한협의였음에도 불구하고 그 결과는 참가국의 정치적 결정을 요하는 중요 현안 문제의 해결을 유도하는데 상당히 기여할 것이라고 평가한점, 또 개도국 우대 및 수입국의식 량안보 개념등에 관한 관심을 특히 강조하고 있다는 점에서 주목되고 있음.

3. 현재 비공식 협의에서 논의되고 있는 수출경쟁 및 시장접근 분야에 대해서는 6.18(화)공식회의에서 그 결과를 보고키로 하였으며, 금번의 보고를 위요한 논쟁을 회피하기 위하여 총장 보고는 공식 문서가 아닌 NON-PAPER 로 취급키로 하였음을 참고로 보고함.

첨부: 던켈 총장 보고서 1부 끝

(GVW(F)-204)

(대사 박수길-차관)

GVW(거)-0204 10 1800
GVW-1103 첨부

12.6.91

Uruguay Round:
Negotiating Group on Agriculture

Meeting on Wednesday, 12 June 1991

Chairman's Report on Informal Consultations

1. You are all aware that following the Ministerial meeting in Brussels and subsequent deliberations in the Trade Negotiations Committee at official level, I was charged with the task of undertaking consultations on all areas of the negotiations in which differences remain outstanding and that these consultations have centred on technical issues whose solution is an essential adjunct to political decisions.

2. In agriculture, I have undertaken those consultations on the basis of the work programme which I proposed to the TNC on 26 February this year, which set out an agenda for technical work to facilitate negotiations to achieve specific binding commitments on each of the areas of domestic support, market access, and export competition, and to reach an agreement on sanitary and phytosanitary issues (MTN.TNC/W/69 refers).

3. I would like to share with you my preliminary views about those consultations in the areas of domestic support and market access, and review the state of the work on sanitary and phytosanitary issues. I am still undertaking consultations in the area of export competition, and concerning the implementation of special and differential treatment for developing countries in respect of domestic support, and I shall report to this group concerning those consultations at the first opportunity.

4. Overall I am pleased to be able to say that the consultations have been productive, and that with the hard work and co-operation of delegations along with officials from capitals, we have made worthwhile progress in many areas. Major political questions remain; but I am

8-1

0112

confident that, as a by-product of the technical discussions, the way may be clearer to answering even these. Participants will, at least, now have a deeper appreciation of the technical aspects of each other's positions and of the practical implications of the political decisions that need to be taken.

5. My report to you this morning will follow the same basic structure and order as my consultations. Obviously it is a summary of some lengthy and complex discussions and it cannot pretend to cover all the details or reflect precisely all the positions involved. It is also emphatically not intended as any sort of proposal on my part. This is simply a report on progress, in the interests of the clarity and transparency which are fundamental to the success of the negotiation. The report will be made available to participants as a non-paper. It should not itself be a subject for debate. We have too much to do in a short time to allow our energies to be diverted from the essential questions of substance.

6. Before turning to the area of domestic support, I would like to make one final comment on points of particular concern for developing countries, net food importing developing countries, and those participants concerned with food security questions - I have had these issues firmly in mind throughout the consultations and I can say with confidence that no delegation is ignoring them. I believe that my informal consultations have improved our perception of the technical possibilities for handling these concerns in the context of the agreement as a whole.

A. Domestic Support

7. As for domestic support, I will limit my observations to the areas of:

0113

Finally, I will make a few comments about the rules and disciplines as they may affect domestic support.

8. Concerning policy coverage, there is, I believe, broad agreement that some domestic support policies should be exempt from reduction commitments. Indeed, my consultations have shown that it is possible to be more precise in this area, and that the following policies are widely regarded as "green", i.e. exempt from reduction: general services; disaster relief; domestic food aid; resource diversion and retirement programmes; public stockholding for food security purposes; and environmental and conservation programmes. The need for special and differential treatment for developing countries in respect of support commitments has also been recognized in the consultations, and as I noted earlier I am continuing to consult on this aspect. In addition, it is fair to say that most whom I have consulted believe that some other policies could also be exempt from commitments. These types of policies, including certain regional development aids, income support policies, and structural adjustment policies may, however, need further clarification to ensure that they operate in ways which cause minimal distortion to trade.

9. It has become apparent that merely identifying an illustrative list of policies to be exempt from reduction (or indeed subject to reduction, that is in the "amber box") may not be sufficient to ensure this minimal trade distortion, or to establish clear guidelines for future policies. For these reasons, the consultations I have been undertaking have also been looking at the development of criteria designed to ensure that policies are allocated to the appropriate category. This work is comparatively well advanced, but it may be one area where further consultations could be useful.

10. The concept of a ceiling on the total level of internal support also appears to be linked to the means used to allocate policies into the "green" or "amber" categories. I believe that most of those consulted might allow their trading partners not to have to face a ceiling on total (i.e. "amber" plus "green") support, if they are confidont that a workable

8-7

1991-06-13 18:54 KOREAN MISSION GENEVA 2 022 791 0525 P.02

0114

system can be agreed and implemented to prevent the "green" category becoming a vehicle for continuing trade-distorting support. The monitoring of policies in the green category and of the conformity of new policies with agreed criteria is likely to be an important part of such a system. This is an area which needs further consideration.

11. Concerning the definition of the AMS, I am pleased to report that useful work has been done and I am confident that we will be able to meet the needs of the policy makers once the necessary decisions are made. At this stage, the major issues outstanding are largely of a political nature. To be more precise, one major point outstanding is whether or not the effects of border measures that are not linked to any specific domestic support mechanism are to be included in the AMS. When the final decision is made with respect to the form of the specific commitments, I believe that the way will be clearer to a solution of this question.

12. I discern an encouraging level of agreement on the means of calculating the effects of policies in terms of an Aggregate Measure of Support, at least insofar as the technical specification of the AMS is concerned. The use of a fixed external reference price for price support policies seems clear. For the other policies, budgetary expenditure or revenue foregone appears to be the favoured method, though other methods may be required for policies such as interest concessions. Also, the concept of allowing some form of credit for products with effective supply controls is one which is supported by some participants, but I do not yet see a consensus concerning either the principle or the possible means of implementation.

13. Further consultations may be required in the area of equivalent commitments, i.e. commitments for those products for which AMS calculations are impracticable. All those consulted recognise, I believe, the need for commitments on these products which should be aligned as closely as possible to the commitments on AMS products. The decisions which will have to be made concerning the use and scope of the AMS will, of course, affect

8-4

0115

the extent to which these products need in practice to be considered separately.

14. In my consultations a number of participants have stressed the need to take into account inflation with respect to the commitments on internal support. I am still considering this issue, since there are also strongly-held views that there should be no direct linkage between commitments and inflation. So far, few proposals have been made that would suit all participants, given the range of inflation levels involved.

15. Finally on domestic support, the area of rules and disciplines will, like in other areas of the agricultural package and in the Round generally, be of vital importance as they set the scene for the future trading system. It has been difficult to work intensively in this area before the technical framework is clear, but I am pleased to be able to say that some progress has been made in my consultations. In this area too, I believe that once the political decisions have been made we will be able to provide the necessary technical backup. This work of course, is strongly linked to the work going on in some of the other negotiating groups, for example concerning the actionability of subsidies.

B. Market Access

16. Let me now turn to market access. I will limit my comments to a few key areas: tariffication and the maintenance of current access opportunities; new minimum access opportunities; a possible special safeguard provision for agriculture; and the treatment of products subject to existing tariffs only. Finally, I will again make a few comments about the rules and disciplines as they may affect market access.

17. Concerning the technical consultations I have undertaken in the area of tariffication, I believe that significant progress has been made on the basic concept. I am not speaking here of the scope of tariffication, but the technical aspects of tariffication wherever and whenever it is agreed that tariffication will be used. It is a credit to those whom I have

0116

consulted that they have been able to talk about the technical aspects of this sensitive issue despite their well-known political positions on the whole concept. I now believe that in this area we are prepared to respond to the political demands that may be made. One aspect on which I believe there may be a need for further work, however, is the subsequent steps which are involved if tariffication is to be used.

18. During the consultations on this issue, it also became clear that tariffication, as a means of improving market access, would also require that current access opportunities be maintained. During the consultations I therefore discussed the two issues in tandem. Most of those I consulted agreed with this duality and had useful-suggestions as to how current access opportunities should be maintained and expanded. Overall, I believe that there is broad consensus on the need to introduce tariff rate quotas to maintain such access, although other methods have also been proposed such as maintaining the current protective mechanisms or setting the new tariff equivalents at levels which would ensure a similar access opportunity to that currently existing.

19. In the area of a possible special safeguard for agriculture, there is also broad consensus among those consulted that some form of a special safeguard for agriculture is necessary and indeed it may, I believe, constitute a key part of the acceptance of some of the other commitments on market access. There still remains a major difference of opinion, however, which is fundamentally political. I mean by this, the concept of a safeguard mechanism more in line with a safeguard in a traditional GATT sense versus a "corrective factor". I may have been somewhat bold even to consider these two elements together under the one chapeau of a special safeguard. At some stage, I will have to resume my consultations on this issue and I am confident that delegations will be able to discuss more fully the technical aspects involved, despite their own political preferences, in the same constructive manner as they have responded throughout these technical consultations.

8-6

0117

20. The technical issues involved in the concept of new, minimum access opportunities which may complement tariffication were also discussed thoroughly during the consultations. I must stress again that this area was treated, to the credit of those involved, in a purely technical sense and, in line with the understanding throughout these technical consultations, its discussion did not prejudge any delegation's position on the matter. It is clear that there are some technical difficulties involved in the minimum access approach. Most issues involve the measurement of current access opportunities and how minimum access opportunities could be converted into a simple mechanism at the tariff line level. In terms of actual mechanisms, tariff rate quotas were again discussed most frequently. Some further work may, I believe, be necessary in this area.

21. Concerning the treatment of products currently subject only to existing tariffs, there are still some differences of opinion on how they should be negotiated. It this connection, a number of references were made to the commitments which may be undertaken elsewhere on tariffs.

22. It is well known to all of you that in the area of rules and disciplines there are fundamental differences concerning - in particular - Article XI:2(c)i and other rules that may allow non-tariff trade measures to be maintained for reasons such as food security. I may have to return to this issue in future discussions with some of you. In terms of the other rules and disciplines, I think that, as in the area of internal support, we are ready to move forward rapidly once political decisions are made.

23. On various occasions in my consultations on market access the concern was raised on how to implement special and differential treatment for developing countries on each of the points I have noted. The technical issues have been discussed and it is my intention to continue to consult on this issue.

8-7

TOTAL P.05

0118

C. Sanitary and Phytosanitary Measures

24. In the area of sanitary and phytosanitary measures, I have not held any consultations since the Brussels meeting. This is because I judged the work on an agreement to be sufficiently advanced in comparison with the other areas of the agriculture negotiations, so that I did not believe it would have been the most efficient use of our time to have held technical consultations during the last few months on this specialized area.

25. You will recall that a quite detailed Chairman's text was put forward at Brussels, reflecting a substantial degree of consensus. It is my understanding that the few remaining disagreements in this area are largely of a political nature. In order not to divert our attention from the areas where considerable work remains to be done, it is not my intention to schedule any further work on the sanitary agreement at this moment. Participants will, of course, have the opportunity to address any remaining technical problems before the final political decisions are made.

* * *

26. That is my report to you on my consultations so far. As I mentioned at the outset I shall report again to you shortly on my continuing talks on other subjects. This report shows that a great deal of work has been done in the last three months, and that this work has improved our understanding, and thus helped to bring participants closer together, on a large number of technical issues. It also underlines implicitly the important decisions, mostly of a political nature, which still confront us.

8 - 8

0119

원 본

외 무 부

종 별 :

번 호 : GVW-1110 일 시 : 91 0614 1830

수 신 : 장 관(통기,경기원,재무부,농림수산부,상공부)

발 신 : 주 제네바 대사

제 목 : UR/ 농산물 주요국 비공식 회의(2)

6.12.13 속개된 표제 주요국 비공식 회의에서는 수출보조 부문 (남은문제)에 대하여 논의하였는바 요지 하기 보고함.

1. 수출 보조 삭감 방법

- 칠레는 수출보조 규율대상 품목을 수산물까지 확대해야 한다고 주장하였음. 던켈 사무총장은 농산물 그룹에서 모든 농산물을 취급한다는 점을 상기 시키면서 향후 동 문제를 취급할것이라고 언급함.

- 인도, 폴랜드, 파키스탄, 헝가리등은 수출보조가 상대적으로 적거나 없는 나라에도 균형 유지관점에서 수출보조가 허용되야 함을 주장함.

- 아국은 수출보조가 무역 왜곡 현상이 가장 크므로 협상의 핵심이 되야 한다는 점을 지적하고, 원칙적으로 수출보조 자체를 금지해야 할것이나, 일시에 개혁을 할수는 없으므로, 국내보조와 수출보조의 구분이 쉽지 않은 점과 갓트 16조의존치 필요성등을 감안하여 상당폭 삭감하는 방향이 되야 한다고 하였음.

0 특히 수입국 입장에서는 시장 개방 및 국내보조 감축과 균형되지 않은 수준의 수출보조 감축은 현실적으로 받아들이기 어렵다고 강조하고 재정 지출방식보다는 단위당 보조금액 삭감방식을 택해서 확실한 수출보조 감축을 보장해야 한다고 주장하였음.

0 또한 개도국과 관련 현재 수출보조가 없는나라에 대한 균형된 고려가 있어야 한다고 하였고 수입 개도국에는 특별한 우대가 필요하며, 수출개도국의 경우는 최소한의 보조금 지급에 대한 고려가 필요하다고 주장함.

- 카나다, 호주, 뉴질랜드등은 단위당 삭감 약속방식을 사용할 것을 주장하였고, 모든품목을 대상으로 하여야 하며 단위당 수출보조 계측 방법은 사무국이 제시해 줄것을 요청함.

통상국 2차보 경기원 재무부 농수부 상공부

PAGE 1 91.06.15 09:45 WG

외신 1과 통제관

0120

- 뉴질랜드는 수출개도국에 대해서는 개도국 우대를 적용할 수없으며, 수출보조가 없는 나라에대해 균형 유지를 이유로 수출보조를 허용할 수없다고 주장한데 대하여 일본, 태국, 인도는 수출보조 없는 국가의 경우도 수출보조가 가능하다는점을강조함.

- '볼터' 농업국장은 수출보조 감축 방법의 효과에 대하여 아래와 같이 설명함.

0 예산지출 기준만을 사용할때는 국내보조와 수출보조가 동률로 삭감할 경우 수입국국내시장에서 수입생산물과 국내 농산물의 단위당 가격차가 줄어들지 않는다는 주장이 이론적으로 타당함.

0 예산 기준과 물량기준을 혼용할 경우는 수입국시장에서 수입 농산물과 국내 농산물의 가격차가 줄어드는 효과를 가져 올 것이므로 단위당 수출보조 삭각 약속 방법과 비슷할 것이나, 국제 시장가격변동의 영향을 받을 것임.

- 호주는 볼터 국장 설명에 대하여 감축효과면에서 확실성을 보장하기 위해서는 단위당삭감 약속방식을 사용해야 한다고 주장하였음.

0 볼터 구장은 기술적 문제 때문에 단위당 삭감약속이 어려우며 차선책으로 예산지출 방법이나 혼합 방법을 사용할 수 있을 것이라고 답변함.

0 알젠틴, 뉴질랜드도 호주 입장을 지지하였고, 이씨는 기술적 어려움을 들어 반대입장을 표명하였으며, 북구는 예산지출액 삭감 방식을 지지함.

2. 식량원조 및 양허 판매

- 케언즈그룹은 순수한 식량원조는 삭감대상에서 제의 하되 총액 기준으로 감시할 필요는 있다고 하고, 3년 이상의 양허판매 (CONCESSIONAL SALE) 는 수출보조로 봐야 한다고 주장함.

- 미국은 20년 이상의 양허 판매를 포함한 식량원조는 삭감약속에서 제외시키고, 수출신용은 OECD 에서 별도로 다룰것을 주장함.

- 이씨는 수출 신용과 양허판매가 수출보조의 일종으로 취급되는 것에는 이의가 없으나 수입개도국에 대한 영향을 충분히 고려해야 한다고함.

- 이집트, 모로코등 순수입 개도국은 농업개혁과정에서 직면하게 되는 부정적 효과를 충분히 고려해 주도록 요청함.

3. 수출 보조 관련 갓트 규범

- 케언즈그룹은 수출보조금 감축효과 확보를 위해 보조금 상계관세 그룹의 분쟁해결 절차 적용을 주장하였음.

- 이씨, 북구, 오지리는 수출보조의 개념을 세분화하는 것은 가능할 것이나 갓트

16조와 관련 지위볼때 갓트 6조의 상계관세를 적용하는 것은 곤란하다는 입장을표명함.

끝

(대사 박수길-국장)

원 본

외 무 부

종 별 :

번 호 : ECW-0503 일 시 : 91 0614 1730

수 신 : 장 관 (통기, 농림수산부)

발 신 : 주 EC 대사

제 목 : UR 농산물 협상 동향

대: WEC-0329

1. 대호관련, 이관용 농무관은 미국대표부 PHILHOWER 농무관및 일본대표부 HARAGUCHI 농무관과 접촉하였는바, 양인은 7월초 브랏셀에서 표제협상 관련한 주요국의 차관급 비공식협의 개최에 대한 정보는 전혀 들은바 없다고 말함. 한편 6.14. HARAGUCHI 농무관은 당관에 전화를 하여 도쿄에 확인한 결과 차관급 비공식 협의 개최 보도는 사실무근임을 확인한바 있다고 말함

2. 한편, EC 집행위 관계관들은 제네바 협상회의등 참석관계로 현재로서는 확인불가능한 상태인바 추보하겠음. 끝

(대사 권동만-국장)

통상국 농수부

PAGE 1

91.06.15 06:36 FN

외신 1과 통제관

0123

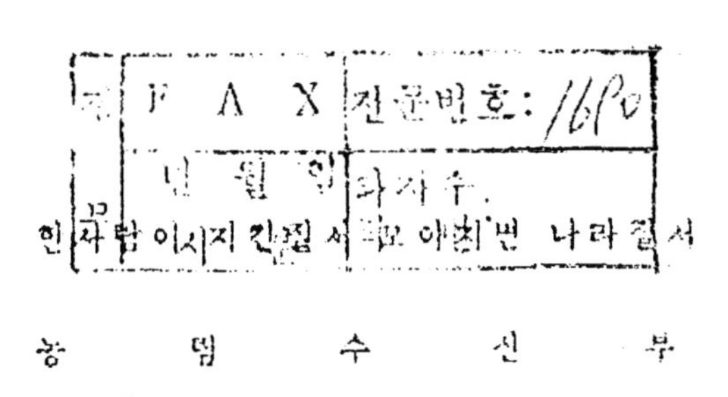
FAX 전문번호: 1692
발 신 인 | 주 관 과
외무부장관 | 통상기구과
발신장관 | 통상국장
한자합 이시지 간결 서 | 괴 야간 변 나 라 걸 서

농 림 수 산 부

국협 20844-139 (503-7229) 1991.06.14.

수 신 외무부장관

참 조 통상국장

제 목 UR농산물협상대표 출장기간연장 승인

1. 주제네바대표부 GVW-1082('91.6.11)호와 관련입니다

2. 주제네바대표부가 건의한 UR농산물협상 주요국비공식회의의 당부 대표단의 파견기간 연장요청에 대하여 아래와 같이 승인코자 하오니 조치하여 주시기 바랍니다.

- 아 래 -

소 속	직 위	성 명	파견기간	연장기간	사 유
농림수산부	농업협력통상관	조일호	'91.6.8-17	'91.6.8-21	6.18일개최
농경연	부원장(자문관)	최양부	"	"	되는 UR농산물
농림수산부	행정주사	최대휴	"	"	협상 전체
					회의 참가

※ 소요경비 : 농림수산부 부담(1113-213).

접수일 1991. 6. 15 농림수산부

농 림 수 산 부

0124

관리번호 91-416

원 본

외 무 부

종 별 : 지 급

번 호 : GVW-1112 일 시 : 91 0614 1900

수 신 : 장관(통기,경기원,재무부,상공부,농림수산부)

발 신 : 주 제네바대사

제 목 : UR/농산물(식량안보 서면제안)

대: WGV-0769

대호 식량안보 관련 아국 서면제안을 별첨 FAX 와 같이 제출할 예정임.

첨부: 식량안보 서면제안 1 부

(GVW(F)-0206). 끝

(대사 박수길-국장)

예고 : 1991. 12. 31. 일반

검 토 필(1991.6.30.)

일반문서로 재분류(1991 .12. 31.)

통상국	2차보	분석관	청와대	안기부	경기원	재무부	농수부	상공부

PAGE 1

91.06.15 05:14

외신 2과 통제관 DO

0125

GVW(F)-0206 10614 1800 "첨부"

17 June 1991
Korea

Food Security and Other "Non-Trade" Concerns

1. As Mr. Dunkel himself recognized in his "Chairman's Report on Informal Consultations", on 11 June (1991), food security and other non-trade concerns are important for all participating countries, particularly for importing countries. These concepts were also clearly recognized in the 1989 Mid-Term Review Agreement. In this context, a basic question is how food security and other non-trade concerns are ~~being~~ taken into account in the negotiations. More specifically, what measures to deal with those concerns are ~~being~~ considered in the negotiations?

We believe that the trade liberalizing aims of the negotiation should be balanced by accommodating the interests of both importing and exporting countries. Therefore, an appropriate accommodation in the negotiation of the concepts of food security and other non-trade concerns will accelerate the process of the negotiations.

During the discussions of technical issues on internal supports, we saw several positive signs that ways are ~~being~~ found to accommodate food security and other non-trade concerns. These measures, though, do need further clarification and development.

2. In relation to market access, we have to carefully examine the ways to accommodate the concepts of food security and other non-trade concerns in the context of tariffication. Some critical points on the concept of tariffication should be clearly understood.

First, the idea of tariffication (the replacement of non-tariff measures with tariffs and its progressive reduction), is based on the assumption that the tariff ~~equivalents (the difference between domestic and world~~
equivalents (the difference between domestic and world

4-1

0126

prices) represents the value of the non-tariff measures, and that all non-tariff measures are quantifiable.

However, in reality, qualitative concepts such as food security and other non-trade concerns, can be extremely difficult to quantify in monetary terms. In other words, for certain basic foodstuffs, which are more than a simple commercial commodity, food security and other non-trade concerns could not be quantified by the difference between domestic and world prices. This is one of the reasons why Korea views tariffication of basic food stuffs required for food security as highly difficult, although it accepts the concept ~~principle~~ of tariffication.

Secondly, history has taught us the importance of securing basic foodstuffs. During this century, Korea has experienced several food shortages. Natural disasters and other emergency situations are not the sole causes of shortages. When we faced these food shortages, the world market very often turned against us. This is one of the reasons why many food importing countries are struggling to secure a domestic supply of basic food stuffs.

3. The following is the idea Korea has developed to deal with food security and other non-trade concerns based on a forward-looking position Korea set forth at the January 15 (1991) TNC meeting. Korea believes that the ~~its~~ idea duly accommodates the objectives of the negotiations in the sense that it attempts to minimize distortion in world trade. The idea also acknowledges that there should be rules and disciplines in the GATT which would ensure food security and other non trade concerns of importing countries.

   a) Product coverage for special measures to ensure food security should be limited to participants' basic foodstuffs. In the case of Korea, the number of basic

4-2

foodstuff _s only a few, including [illegible].

b) Participants which have substantially low overall food self-sufficiency ratios should be allowed to take necessary border protection measures to the extent that food security of basic foodstuffs and other non-trade concerns could be ensured. Basic foodstuffs for food security must be treated differently from other agricultural products, and would not be subject to tariffication. Import market access will be allowed for those basic foodstuffs in the form of minimum market access. However, certain basic foodstuff which plays a very critical role for food security should not be subject to minimum market access commitments.

c) To minimize distortion in world trade, basic foodstuffs chosen for border protection measures should not be exported, except for limited cases of humanitarian food aid.

d) Internal support for basic foodstuffs will be subject to reduction commitments in accordance with the principles and criteria to be agreed upon in the negotiations. However, internal support necessary to secure the maintenance of the domestic production base of certain basic foodstuff critical for food security should be permitted.

e) The implementation of the above-mentioned measures should be subject to multilateral surveillance, including notification, monitoring and consultation with interested countries.

4. In conclusion, the appropriate treatment of food security and other non-trade concerns is an integral part of the successful conclusion of the negotiations. We believe that the aforementioned ideas would provide a feasible and

4-3

4

balanced solution to this important issue. It is our firm view that the results of the future negotiations must reflect this idea.

0129

4-4

	분류번호	보존기간

발 신 전 보

번 호 : WGV-0782 910615 1202 CT 종별 :

수 신 : 주 제네바 대사. 총영사

발 신 : 장 관 (통 기)

제 목 : UR/농산물 협상

대 : GVW-1082

표제회의에 참가중인 대호 본부대표단의 출장기간을 6.21(금)까지 연장함.

끝. (통상국장 대리 최 혁)

보 안 통 제	

앙 고 재	91년 6월 15일	통상기구과	기안자 성명	과 장		국 장		차 관	장 관

외신과통제

0130

UR/농산물 협상 비공식 협의 결과에 대한 Dunkel 사무총장 현황 보고서 요지

1991. 6.17.
통상기구과

1. 개 요

ㅇ 91.3.-6.간 논의된 기술적 사항 협의 결과중 국내보조, 시장접근 분야에 대한 협의 결과를 Non-paper 형식으로 6.12. UR/농산물 협상 전체회의에 제출

- 개도국 우대, 순수입 개도국 및 식량안보 고려 문제와 관련, 전체 합의 결과의 맥락에서 동 문제를 해결하기 위한 기술적 가능성에 대한 인식을 제고한 것으로 평가

2. 국내보조

가. 허용대상 정책

ㅇ 광범위한 합의가 존재하는 허용 대상 정책

- 일반서비스, 재난구호용 국내 식량원조, 자원전환 및 은퇴 (resource diversion and retirement), 식량안보용 공공 비축, 환경보전

ㅇ 필요성은 인정되나 합의도출을 위해 추가 논의가 필요한 허용대상 정책

- 지역개발, 소득지지, 구조 조정 정책

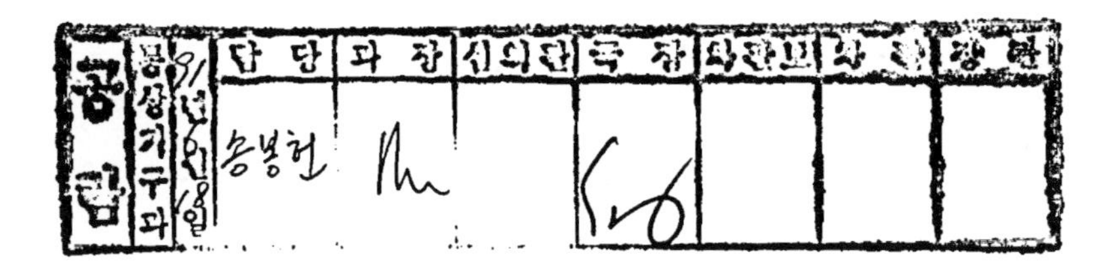

공람	통상기구과	91년 6월 18일	담당	과장	심의관	국장	차관보	차관	장관
			송봉헌						

0131

나. 국내보조 지원 총액 Ceiling 설정 문제

o 대부분의 참가국이 국내보조(Amber 및 Green) Ceiling 설정에 반대
- 단, 무역왜곡적 국내보조금으로 전환 방지를 위한 기준 설정 문제등 추가 논의 필요

다. AMS 정의

o AMS에 대한 기술적 정의에 상당한 진전
- 단, 국경조치 효과 포함 여부등 정치적 결정 필요사항 존재

o 생산통제 대상품목에 대한 Credit 부여 여부
- 일부국가가 지지하고 있으나, 이행 수단 및 원칙에 대한 합의 부재

라. 추가 논의 필요 여타 쟁점

o AMS 산출이 불가능한 품목의 감축 수단

o 인플레 반영문제, 갓트 규범 재정립 문제등

3. 시장접근

가. 관 세 화

o 기본개념 정립에 상당한 진전

나. 현존 시장접근 보장문제

o 관세할당을 통한 현존 시장접근 보장원칙에는 대체적 의견 수렴

다. 새로운 최소 시장접근 보장문제

o 품목별 보장 방안등 기술적 사항 추가 논의 필오

라. 특별 세이프가드 제도

o 관세화 수용을 위해 특별 세이프가드제도 도입이 필요하다는 데에 광범위한 의견 일치

o Corrective factor 반영문제는 정치적 결정 필요사항이나, 기술적 사항도 추가 논의 필요

마. 기존 관세 처리 문제

o 이견 지속

바. 갓트 규범 재정립 문제

o 11조2항 C 개정 문제, 식량안보 관련 규범 제정 문제등에 대한 기본적 이견 지속

사. 기 타

o 개도국 우대 관련 기술적 논의 계속 필요

4. 위생 및 검역 규제

o 미결쟁점은 대부분이 정치적 결정 필요사항이므로 현단계에서 추가 논의 불요. 끝.

원 본

외 무 부

종 별 :

번 호 : GVW-1121 일 시 : 91 0617 1830

수 신 : 장관(통기,경기원,재무부,농림수산부,상공부)

발 신 : 주제네바대사

제 목 : UR/ 농산물 주요국 비공식 회의(3)

6.17(월) 속개된 표제 주요국 비공식 회의에서는 개도국 우대 방안에 대하여 논의한바 요지 하기보고함.

1. 개도국 비공식 협의

- 던켈총장은 주요국 비공식 회의 개최에 앞서인도, 이집트,태국,브라질,알젠틴,멕시코, 아국등17개국을 참석대상으로 한 개도국 비공식 회의를 소집하여 시장접근분야의 개도국 우대방안을 협의하였음.

- 알젠틴은 케언즈그룹이 제안을 소개하면서 삭감폭은 선진국의 45 퍼센트로 하고, 이행기간은 선진국보다 5년 더 부여토록 하자고 제시함.

- 콜롬비아 및 브라질은 케언즈 제안에 대한 지지발언을 하고 선진국이 개도국관심품목(열대산품등)에 대하여 TE 및 TQ설정시 특별 우대함으로서 개도국이 농산물수입을 늘려 주어야 한다고 주장함.

- 이집트, 멕시코,페루,이스라엘등은 개도국수출 관심품목은 선진국의 시장접근을 확대시키고, 또한 개도국의 일부품목은 관세화에서 제외될 수 있도록 인정해줘야한다고 발언함.

- 필리핀은 일시에 관세화 하는 대신 단계적으로 관세화 할 수 있도록 하는 방안, TQ 설정시 고려해주는 방안, 특별한 안전 장치 마련등이 고려되야 한다고 주장함.

- 인도는 농촌소득 유지필요상 관세화 및 최소시장접근을 수용하기 곤란하며, 안전장치가 마련되야 한다고 주장함.

- 아국은 모든 품목을 관세화 하는것은 곤란하므로 기초식량에 대한 예외가 필요하며,수입국과 수출국의 이해가 조화되는 방향에서 삭감폭, 삭감기간 약속시 고려되어야 한다고발언함.

- 던켈총장은 관세화 원칙하에 어떠한 우대방안을 강구할 것인가가 중요하다고 하

통상국 2차보 경기원 재무부 농수부 상공부

PAGE 1

91.06.18 06:14 DN

외신 1과 통제관

0134

면서 관세화를 수용하지 않거나 예외를 인정하는 문제는 선진국과의 균형 측면에서신중히 검토되야 한다고 하였음. 또한 장기간 이행기간부여 및 삭감폭을 줄이는 방안, 개도국의 농산물협상 약속 이행에 필요한 기술적 지원문제, 개도국의 구조조정정책 인정등 문제가 종합적으로 검토되어야 할 것이라고 언급함.

2. 주요국 비공식 회의

가. 개도국 우대 내용(사무국의 개도국 우대토의자료 3-6항)

- 미국,이씨,일본,호주,알젠틴,브라질,인도등 대부분의 국가가 허용정책 확대방안(3. A) 과삭감대상정책 예외인정(3. B) 방안중 후자쪽을 지지 하였음.

- 태국은 두번째 대안을 약간 변형시켜서 아래 내용의 세번째 대안을 제시하였음

0 허용정책은 원칙적으로 선진국,개도국 공히 적용되도록 설정

0 개도국의 개발을 위한 정책은 별도 정책군으로 분류하고, 삭감대상 정책에서 예외로인정

0 삭감폭을 줄여주고, 이행기간을 연장시켜줌

- 호주,카나다,알젠틴,북구등이 태국제안에 관심을 표명하고 구체적으로 발전시킬 것을요청함.

- 그밖에 멕시코,페루,인도등은 DE MINIMIS 개념 필요성을 주장하였고, 페루,호주등 다수국가가 마약퇴치 정책 필요성을 인정하였음

- 아국은 UR 협상결과 선개도국간 격차를 확대시키키거나, 개도국의 농업개발 가능성을 제약해서는 곤란하다고 하면서, 개도국에 대해서는 허용정책 분류기준(CRITERIA) 적용에 있어 융통성을 부여해야 하고, 삭감기간 및 삭감폭이 완화되어야 한다고발언함.

나. 개도국 우대 적용 대상(7,8항)

- 콜롬비아,멕시코,나이제리아,브라질등은 개도국를 정의하는 것이 매우 어려운문제이므로 현재의 갓트 관행대로 두는것이 좋을 것이라고 주장하였음(PRAGMATIC APPROACH)

- 미국,이씨,일본,스위스,호주등 대부분의 선진국은 어려운 문제라는 점을 인정하면서도 개도국간에도 발전 정도 소득수준, 농산물 수출입측면에서 많은 차이가 있는 것이 사실이므로 차별화 필요성이 있다는 점을 강조하였음

- 아국은 개도국의 개념 정의 또는 차별화에 반대입장을 표명하고, UR 협상결과중 양적인면은 발전수준에 상응한 약속을 할수 있으나 질적인 면에서는 모두

수용하기어려운 점이 있다고 발언함.

다. 식량안보에 관한 서면제안- 아국은 식량안보에 관한 서면제안을 배포하고 그 내용을 아래요지로 설명하였음.

0 식량안보 및 비교역적 관심사항(NTC) 은 중간평가 합의 사항등에서 그정당성이 인정되었음

0 식량안보를 위한 비관세 조치는 계량화하기 어렵다는 점에서 기초식량에 대한관세화 수용 어려움

0 전체적으로 식량자급도가 낮은 국가가 제한된 숫자의 기초식량에 대하여 식량안보를 확보하기 위한 국경조치가 인정되어야 함

0 수입국의 무역왜곡 현상을 최소화 하기 위해 국경조치 대상품목의 수출을 제한토록 하고, 다자간 감시체제하에 두도록 함

라. 차기회의

- 던켈 총장은 차기회의 일정 확정 및 실질협상 개시 방안협의를 위하여 6.19 전체공식회의 직전에 표제 주요국 비공식 회의를 속개키로 함.끝

(대사 박수길-국장)

PAGE 3

0136

관리 번호	91/418

분류번호	보존기간

발 신 전 보

번 호 : WUS-2750 910618 1108 CT 종별 :

WJA -2760 WEC -0340

수 신 : 주 미, 일, EC 대사. 총영사

발 신 : 장 관 (통 기)

제 목 : UR/농산물 협상 (식량안보 제안)

검 토 필 (1991. 6. 30.)

1. 91.2. UR 협상이 재개됨에 따라 농산물 협상은 91.3. 이후 국내보조, 시장접근, 수출경쟁등 주요 협상요소별 기술적 사항에 대한 주요국(아국등 34개국) 비공식 협의를 진행해 오고 있으며, 동 협의 결과등을 바탕으로 Dunkel 갓트 사무총장이 6월말 또는 7월초경 option paper를 제시할 것으로 예상됨.

일반문서로 재분류 (1991. 12. 31.)

2. 이에따라 UR/농산물 협상 관련 아국 입장 반영을 위해 1.9.자 대외협력위원회 결정사항을 기초로 식량안보에 대한 아국 서면 제안을 6.17.(월) 농산물 협상 비공식 협의시 제출 하였는 바, 주요 요지는 아래와 같으니 참고바람.

   o 관세화에서 제외되는 기초식량이라도 최소 시장접근을 통해 시장접근을 허용하되, 식량안보를 위해 매우 결정적인 역할을 하는 품목(쌀을 의미)은 최소 시장접근의 대상이 되지 않음.

   o 식량안보를 위해 매우 결정적인 역할을 하는 품목을 제외한 여타 기초식량에 대해서는 향후 협상에서 합의될 원칙과 기준에 따라 국내보조를 감축함.

   o 식량안보 관련 조치는 다자간 감시와 협의 대상이 됨.

3. 상기 서면 제안 전문을 FAX편 송부함. 끝.

(통상국장 김 삼 훈)

앙 고 재	91년 6월 18일	통기과	기안자		과 장		국 장		차 관	장 관
			송봉헌		(서명)		전결			(서명)

보안통제	외신과통제

0137

WGV(F) - 10618　　　　DATE : 15:05

WUS(F) - 4?0 , WEC(F) - 20
WJA(F) - 87

수신 : 주 미 , 일 , EC대사

발신 : 장　관 (통　기)

보 안 통 제	

제목 : UR/농산물 협상 (식량안보)

UR/농산물 협상 식량안보에 관한 아국 서면 제안을 별첨 송부함.

첨 부 : 동 서면제안.　　　끝.

(통상기구과장 홍 종기)

(총 5 매)

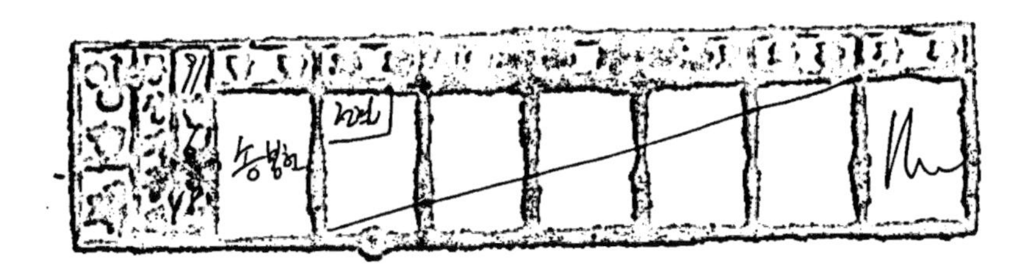

0138

GVW(下)-0206 10614 1800 "첨부"

17 June 1991
Korea

Food Security and Other "Non-Trade" Concerns

1. As Mr. Dunkel himself recognized in his "Chairman's Report on Informal Consultations", on 11 June (1991), food security and other non-trade concerns are important for all participating countries, particularly for importing countries. These concepts were also clearly recognized in the 1989 Mid-Term Review Agreement. In this context, a basic question is how food security and other non-trade concerns are ~~being~~ taken into account in the negotiations. More specifically, what measures to deal with those concerns are ~~being~~ considered in the negotiations?

We believe that the trade liberalizing aims of the negotiation should be balanced by accommodating the interests of both importing and exporting countries. Therefore, an appropriate accommodation in the negotiation of the concepts of food security and other non-trade concerns will accelerate the process of the negotiations.

During the discussions of technical issues on internal supports, we saw several positive signs that ways are ~~being~~ found to accommodate food security and other non-trade concerns. These measures, though, do need further clarification and development.

2. In relation to market access, we have to carefully examine the ways to accommodate the concepts of food security and other non-trade concerns in the context of tariffication. Some critical points on the concept of tariffication should be clearly understood.

First, the idea of tariffication (the replacement of non-tariff measures with tariffs and its progressive reduction), is based on the assumption that the tariff ~~equivalents (the difference between domestic and world~~
equivalents (the difference between domestic and world

4-1

0139

prices) represent the value of the non-tariff measures, and that all non-tariff measures are quantifiable.

However, in reality, qualitative concepts such as food security and other non-trade concerns, can be extremely difficult to quantify in monetary terms. In other words, for certain basic foodstuffs, which are more than a simple commercial commodity, food security and other non-trade concerns could not be quantified by the difference between domestic and world prices. This is one of the reasons why Korea views tariffication of basic food stuffs required for food security as highly difficult, although it accepts the concept ~~principle~~ of tariffication.

Secondly, history has taught us the importance of securing basic foodstuffs. During this century, Korea has experienced several food shortages. Natural disasters and other emergency situations are not the sole causes of shortages. When we faced these food shortages, the world market very often turned against us. This is one of the reasons why many food importing countries are struggling to secure a domestic supply of basic food stuffs.

3. The following is the idea Korea has developed to deal with food security and other non-trade concerns based on a forward-looking position Korea set forth at the January 15 (1991) TNC meeting. Korea believes that the ~~its~~ idea duly accommodates the objectives of the negotiations in the sense that it attempts to minimize distortion in world trade. The idea also acknowledges that there should be rules and disciplines in the GATT which would ensure food security and other non trade concerns of importing countries.

a) Product coverage for special measures to ensure food security should be limited to participants' basic foodstuffs. In the case of Korea, the number of basic

4-2

0140

foodstuffs ▌▌ only a few, including ri —

b) Participants which have substantially low overall food self-sufficiency ratios should be allowed to take necessary border protection measures to the extent that food security of basic foodstuffs and other non-trade concerns could be ensured. Basic foodstuffs for food security must be treated differently from other agricultural products, and would not be subject to tariffication. Import market access will be allowed for those basic foodstuffs in the form of minimum market access. However, certain basic foodstuff which plays a very critical role for food security should not be subject to minimum market access commitments.

c) To minimize distortion in world trade, basic foodstuffs chosen for border protection measures should not be exported, except for limited cases of humanitarian food aid.

d) Internal support for basic foodstuffs will be subject to reduction commitments in accordance with the principles and criteria to be agreed upon in the negotiations. However, internal support necessary to secure the maintenance of the domestic production base of certain basic foodstuff critical for food security should be permitted.

e) The implementation of the above-mentioned measures should be subject to multilateral surveillance, including notification, monitoring and consultation with interested countries.

4. In conclusion, the appropriate treatment of food security and other non-trade concerns is an integral part of the successful conclusion of the negotiations. We believe that the aforementioned ideas would provide a feasible and

4-3

0141

4

balanced solution to this important issue. It is our firm view that the results of the future negotiations must reflect this idea.

4-4

0142

관리 번호 91/431

원본

외 무 부

종 별 :

번 호 : GVW-1127 일 시 : 91 0618 1740

수 신 : 장관(통기, 경기원, 재무부, 농림수산부, 상공부)

발 신 : 주 제네바대사

제 목 : UR/농산물 전체 공식회의

6.18(화) 개최된 공식회의에서는 수출보조 및 개도국 우대에 관한 주요국 비공식 협의 결과에 대한 던켈총장의 보고와 향후 협상 일정에 관한 논의가 있었는바 요지하기 보고함.

1. 던켈총장의 주요국 비공식 협의 결과 보고 요지(보고서 별첨 FAX 송부)

가. 수출보조 분야

검 토 필(1991. 6.30.)

일반문서로 재분류(1991 . 12. 31 .)

- 수출보조금의 범위

- 드쥬의장 합의 초안에 제시된 수출보조 리스트를 기초로 논의하자는데 대체적인 공감이 형성되고 있음.

0 동 리스트에 PIK 보조금을 포함시키는 문제, 가공품 제외문제, 결손지불(DEFICIENCY PAYMENT) 제외문제 등이 제기 되었음.

0 국내보조, 국경조치등 여타 분야와의 상호 관련성을 염두에 둘 필요가 있음

- 삭감 약속 방안

0 재정 지출 삭감 약속방안, 물량 기준약속 방안, 단위당 보조금 삭감 약속방안의 장단점이 논의되었는바 이들 방안을 결합하여 사용하는 방안에 대체적으로 공감이 형성되고 있음

0 실제 운용측면과, 협상의 효율적 진행관점에서 보다 논의가 필요한 분야임

- CIRCUMVENTION

0 수출 보조금을 우회 지급하지 못하도록 하는 방안이 마련되야 한다는데 공통된 입장을 보였음.

0 구체적으로 상업적 판매와 식량안보를 명확히 구분하고, 수출신용 및 신용보증의 규율을 강화 하는 방안등이 제기 되었음.

- 갓트 규범

통상국 장관 차관 1차보 2차보 분석관 청와대 안기부 경기원
재무부 농수부 상공부

PAGE 1

91.06.19 06:02
외신 2과 통제관 BS

0143

0 수출보조 및 국내보조 삭감약속을 갓트 규범과 합치시키는 문제에 관하여는 보조금에 대한 일반적 규정을 적용할 것인지의 문제, 갓트 16 조 3 항과의 연계문제, 국내보조 및 수출보조를 상계조치와 연계시키는 문제등이 제기되었음

0 보조금 상계관세 그룹의 합의 초안을 농산물에 적용하는 문제를 검토해볼필요가 있음

나. 개도국 우대(국내보조 분야 관련)

- 허용 정책의 범위를 확대하거나 허용조건(CRITERIA)을 완화하는 대신, 삭감 대상 정책중 일부 개발관련 정책을 개도국에 대해서는 특별 취급하는 방안에 합의가 형성되고 있음.

- 구체적인 방안으로서는 삭감대상 정책(AMBER BOX) 중 일정한 정책을 삭감대상에서 제외시키고 기타 삭감대상 정책은 선진국 보다 삭감폭을 줄여 주고 이행기간을 늘려 주는 방안이 제기되었는바 보다 발전 시킬 필요가 있음.

- 개도국 우대 적용대상을 별도로 정의하거나 차별화 하는 문제는 반대 입장이 많아 합의 단계에 이르지 못하였음. 다만 최저 개발국에 대해여는 삭감대상에서 제외해 주자는데 합의가 있음.

(GVW-1128 로 계속됨)

관리 번호 91/122

원본

외 무 부

종 별 :

번 호 : GVW-1128　　　　　　　　일 시 : 91 0618 1800

수 신 : 장 관(통기,경기원,재무부,농림수산부,상공부)

발 신 : 주 제네바 대사

제 목 : GVW-1127 호의 계속

2. 향후 협상 일정

가. 던켈 총장은 전체 공식회의에 앞서 개최된 주요국 비공식 회의에서 향후 협상 일정에 대하여 다음 요지로 언급

- 협상의 보다 원활한 진행을 위한 대안문서(OPTIONS-PAPER)는 참가국의 사전 검토가 가능하도록 6.24 경 배포할 예정임.

0 동 대안문서에 대하여 참가국이 사무국과 접촉하여 입장을 전달하는 것은자제해주기 바람.

- 동 문서에 대한 1 차 의견 수렴을 위하여 7.2-3 기간중 주요국 비공식 회의를 개최할 예정임. 또한 동 회의 기간중 보조금 상계관세 그룹의 합의 초안을 농산물 협상 그룹에 적용할 수 있는지 여부 (RECONCILIATION)와 가능한 대안을 검토할 계획임.

- 7.3-21 기간중에는 던켈 총장 자신이 직접 개별국가 또는 몇몇 국가와 협상 대안에 관한 비공식 협의를 가질 예정임.

- 7.22 주간에는 주요국 회의를 개최하여, 7.29 예정인 TNC 회의때 제출할 향후 협상의 골격(FRAMEWORK) 초안(OUTLINE)작성을 위한 협의를 할 예정임.

나. 던켈 총장의 작업 계획에 대한 각국 반응은 아래와 같음.

- 이씨는 7.29 예정인 TNC 회의에 협상 골격 초안(OUTLINE OF FRAMEWORK)을제시하는 것이 농산물 협상 전체 SCHEDULE 에 비추어 적절한 것인지 의문을 제기함.

0 던켈 총장은 동문제에 대하여 7.22 주간 주요국 비공식 회의를 개최하여 협상 골격 초안을 TNC 에 제출할수 있는지 그 가능성을 점검할 것이라 함.

- 호주는 7.2-3 주요국 비공식회의시 협상 진행 대안 문서 작성 배경을 설명해 줄것을 요청함.

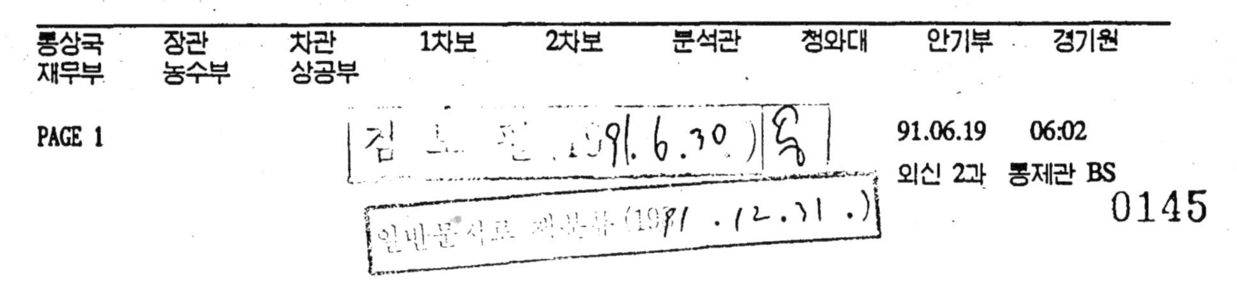

통상국 장관 차관 1차보 2차보 분석관 청와대 안기부 경기원
재무부 농수부 상공부

PAGE 1　　　검 토 필 (1991. 6. 30.)　　　91.06.19 06:02
외신 2과 통제관 BS

일반문서로 재분류(1991 .12. 31 .)

0145

- 카나다는 7.2-3 주요국 비공식 회의시 협상 진행 대안문서 작성 배경을 설명해 줄 것을 요청함.

- 카나다는 7.2-3 기간중 보조금 상계관세 그룹의 합의 초안을 논의할 경우시간이 충분치 못할 것이라는 문제는 제기함.

- 던켈 총장은 이에 대하여 협상 진행 대안 문서가 불완전 할 것이기 때문에 이를 보충하는 성격이라고 설명함.

- 브라질은 협상의 3 대 요소(국내 보조, 시장접근, 수출 경쟁)가 모두 포괄될수 있도록 협상 진행 대안 문서를 작성해 줄것을 요청함.

3. 평가

가. 던켈 총장의 수출 보조 분야 보고서

- 그동안 민감성 때문에 심도있게 논의되지 못한 수출 보조 부문에 대하여 처음으로 본격적인 논의를 갖게된 점에 의의가 있음.

- 그러나 내용에 있어서는 문제 제기단계에 머물고 있으며, 대다수 국가가 공감할수 있는 해결책을 제시하지 못하고 있는바 추가적인 협의가 필요할 것으로보임.

나. 향후 협상 일정

- 던켈 총장은 협상 그룹의장의 입장에서 최대한 협상을 진행시켜야 한다는점을 염두에 두고, 지금까지 논의해온 사무국의 토의 자료(CHECK LIST)에서 한 단계 발전시켜 협상 진행 대안 문서(OPTIONS-PAPER)를 준비하고, 7 월 말까지 협상 진행 대안 문서에서 협상 골격 초안(OUTLINE OF FRAMEWORK)로 발전시키는 과정을 진행시키고자 함.

- 그러나 대안 문서 및 협상 골격초안의 내용에 대해서는 이씨등의 협상일정과 관련해서 어려운 문제가 있음을 인식하고 있으며, 따라서 실제 상기와 같은일정의 진행은 협상 참가국들의 노력에 달려 있다고 언급하고 있음.

- 대안 문서는 주요국 비공식회의 논의 결과가 기초가 될것이나 동회의에서제기된 문제를 모두 포괄할 것으로 보이지는 않으며, 다만 추후 협상 골격 초안을 마련하는데 목적을 두고 있는 것으로 보임.

첨부: 던켈 총장 보고서 1 부. 끝 (GVW(F)-211)

(대사 박수길-차관)

예고 91.12.31. 까지

GVW-1178의 첨부.
GVW(F)-0211 10618 1140

15 June 1991

"첨부"

Uruguay Round

Negotiating Group on Agriculture

Meeting on Tuesday, 18 June 1991

Chairman's Report on Further Informal Consultations

1. When I reported to you last week on the consultations in the areas of domestic support and market access, I indicated that I would report at the earliest opportunity on the consultations then in progress in the area of export competition, and concerning the implementation of special and differential treatment for developing countries in respect of domestic support.

2. I do not intend to repeat on this occasion the preliminary observations which I made when presenting my report last week and which appear in paragraphs 1 to 6 of the non-paper made available to participants. These observations concerning the purpose of the informal consultations and the nature of my report to-day apply, mutatis mutandis, to the preliminary views that I would like to share with you here about my further consultations.

I. EXPORT COMPETITION

3. As regards export competition, I take it as a positive sign that, as a number of participants indicated to me, this was the first occasion that there has been a fully fledged discussion at the technical level of a subject which is central to the negotiations on agriculture as a whole. This is an encouraging development and one which, with the co-operation and active involvement of delegations and officials from capitals, will hopefully lead to worthwhile progress being made in this area.

0147

4. I will limit my comments to a few key areas: the definition of export subsidies to be subject to the final agreement; the modalities of specific commitments; the question of circumvention; and rules and disciplines.

(i) Definition of Export Subsidies

5. Concerning a definition of export subsidies, both the very broad Article XVI:3 definition of subsidies which operate to increase exports and the definition of subsidies contingent upon export performance, which appears in Article 3 of the text under discussion in the general subsidies negotiations (TNC/W/35/Rev.1, pages 83-134), were considered in some detail in their respective contexts as well as in relation to the list of agricultural export subsidy or assistance practices contained in paragraph 20 of MTN.GNG/NG5/W/170.

6. I believe that there is a general willingness to use the NG5/W/170 listing as a practical basis for examining what might be called the policy coverage of specific commitments to reduce export assistance as well as for examining the scope and applicability of generic definitions in relation to specific agricultural export subsidy practices.

7. A number of suggestions were made regarding the inclusion of certain practices on this list, such as payment-in-kind export subsidies, or regarding the way in which certain export subsidy practices are defined or described. Needless to say, there were also suggestions that certain practices should be excluded from the listing, such as subsidies on agricultural commodities incorporated in exports of processed products, deficiency payments on products which are also exported, and general export promotion or marketing activities.

8. How deficiency payments should be dealt with is a matter which has assumed a certain prominence in terms of the balance of commitments in the area of export competition. The impression which I have gained is that a willingness may be emerging to approach this issue also from a somewhat broader perspective. As I see it this is just one example of the

0148

7-2

inter-relationship of specific commitments in the different areas of the negotiation that will need to be borne in mind.

9. The foregoing points are by no means exhaustive of the issues raised in the consultations. Subsidized export credits and the line between normal commercial and other so called concessional transactions were also examined.

(ii) Modalities of Commitments

10. In my view an encouraging start was made to the process of exploring the technical aspects of the modalities proposed for reducing export subsidization. In line with the checklist, a wide range of issues were touched on. These included the question of special and differential treatment for developing countries and the need for comprehensiveness in terms of product coverage under whatever approach might ultimately be adopted.

11. It is fair to say that a large part of the discussion was devoted to the relative merits, from the technical and operational points of view, of commitments based on budgetary outlays, on quantities and on per unit export subsidization. Approaches based on a combination of these commitments figured prominently in the discussions not only as methods for reducing export subsidization as such but also as a means of limiting or reducing the scope for targeted export subsidy practices.

12. I believe it has been helpful to all participants involved to go through this exercise and to begin to have a better appreciation of how in theory these approaches would operate independently of each other as well as in combination.

13. How these approaches would operate in practice would depend on the nature of the border measures applied, as well as on the base period selected, the rates of reduction negotiated and the conditions or

7-3

1991-06-18 18:49 KOREAN MISSION GENEVA 2 022 791 0525 P.04

sub-commitments that would govern the way in which commitments would be implemented in relation to, as well as between, particular products or groups of products.

14. I would also add that in reviewing what I felt was a very interesting discussion, I was left with the strong impression that the efficiency of the approach to be followed, both in terms of the negotiating process itself and the subsequent implementation of commitments and their verification, is a consideration of some importance, to say the least.

(iii) <u>Circumvention</u>

15. As regards the question of circumvention, the consultations I have undertaken would suggest that there is fairly wide recognition of the need for improved disciplines or for effective arrangements to circumscribe the scope for circumvention of commitments through subsidized or tied credit transactions. This is a subject, however, on which there are differing perceptions about the extent to which action on the substantive issues involved should be pursued in the GATT negotiations on export competition. Thus there were suggestions that contracting parties should agree to refrain from resorting to subsidized transactions in an area delimited by clear definitions of what constitutes a normal commercial transaction on the one hand and <u>bona fide</u> food aid on the other. Another suggested approach was that credits and credit guarantees should be dealt with under provisions corresponding to paragraphs (j) and (k) of the Illustrative List on the understanding that substantive negotiations in this area would be taken up as appropriate once meaningful disciplines on export subsidies had been negotiated in the Uruguay Round.

16. My impression is that somewhat similar perceptions prevail in relation to the question of food aid. Namely, that while there should be a substantive rôle for the contracting parties in the prevention of circumvention of the commitments negotiated, existing arrangements in the area of food aid, including the FAO/CSD disciplines, should be maintained.

0150

AG912 AG24-PS

7-4

1991-06-18 18:50 KOREAN MISSION GENEVA 2 022 791 0525 P.05

17. In all this there was a very broad measure of support for the view that, whatever arrangements are negotiated in this area, there should be no curtailment of the availability of basic foodstuffs as food-aid or on appropriate concessional terms to the least developed and net food importing developing countries. In addition, a number of specific and practical suggestions were put forward in the course of the consultations for dealing with the possible negative effects of reforms in this area, and it would be my intention to ensure that these suggestions are further explored.

(iv) Rules and Disciplines

18. In the area of rules and disciplines, while participants stated their respective positions in very clear terms, they did so in a manner which suggests that they are still, so to speak, feeling their way amongst the issues involved in how specific binding commitments on export assistance and on domestic subsidies might be incorporated into the rules and disciplines. These issues included: the applicability of generic definitions and related definitions under the Illustrative List; the relationship of specific commitments to the existing Article XVI:3 framework; the applicability of serious prejudice disciplines; the general issue as to whether, and if so to what extent, export and domestic subsidization, as well as subsidies in the green box, should be actionable or countervailable; and special and differential treatment.

19. One result of the consultations in this area was in effect to undertake a preliminary or ad hoc technical exploration of the pros and cons of the applicability to agriculture of the conceptual framework of the text under discussion in the general subsidies negotiations (TNC/W/35/Rev.1, pages 83-134). In none of the views expressed was it suggested that this framework could be extended to agriculture without amendment. My own impression is that there is a fairly general willingness, even need, to take this exploration a stage further notwithstanding certain reservations, or indeed misgivings, about the

1-5

0151

relevance or applicability of the general subsidies framework to agricultural subsidization.

20. Finally, I should mention that a number of suggestions were made regarding disciplines or commitments under which there would be a cease-fire or prohibition on extending export subsidies to products and markets in respect of which such subsidies are not currently applied. It is noteworthy that this idea met with some resistance from those participants who believe that the right to acquire an equitable share of world export trade under the Notes to Article XVI:3 should be retained unless substantive reduction and other commitments were negotiated in order to eliminate the adverse effects of export subsidization in the markets of importing countries.

II. SPECIAL AND DIFFERENTIAL TREATMENT FOR DEVELOPING COUNTRIES IN THE AREA OF DOMESTIC SUPPORT

21. I have also undertaken consultations concerning the implementation of special and differential treatment for developing countries in respect of domestic support. Again I am pleased to be able to report that these consultations were approached in a constructive and focused way by all participants. The principle of special and differential treatment has been part of the Round from its beginning; but we now have a clearer idea of the technical options for putting it into practice in this area.

22. The precise nature, scope and duration of special and differential treatment remain to be agreed. However, it is clear that for many participants the existing proposals for the "green box" of policies to be exempt from reduction commitments do not adequately take account of the special position of developing countries. Among these participants, there seems to be an emerging consensus that, rather than expand this exempt category to include forms of support which do not conform to the criteria, or weaken the criteria, it may be preferable to treat some support in the "amber" category differently when it is used by developing countries.

0152

7-6

23. One suggestion is that some types of "amber" support should be exempt from reduction when used by developing countries. Other "amber" support would then remain subject to reduction, but at a lower rate and/or over a longer period than for developed countries. These suggestions appear to be considered worthy of further exploration, which would need to include inter alia the conditions under which the proposed exemptions might operate.

24. So far, a number of technical possibilities have been discussed concerning these conditions. Some are effect-oriented, others are quantitative, others relate to the type or objective of a particular policy. In the latter case the importance of policies designed to promote diversion away from the cultivation of illicit narcotics has been widely endorsed.

25. There seems to be some reluctance to tamper with established GATT practice as far as the definition of a developing country is concerned. As to whether or not any differentiation should be made among developing countries in respect of the extent of special and differential treatment they receive, a consensus could not yet be claimed. However, there is, I believe, an effective consensus that the least-developed countries should be exempt from reduction commitments.

26. These consultations, then, have pointed to a number of technical questions which remain to be answered, in addition to some basic political ones concerning the extent of special and differential treatment in the context of the decisions to be taken concerning the reform programme in this area. But I regard them as an encouraging step towards giving practical meaning to a concept whose importance is recognized by all. I should add, finally, that there is a wide appreciation of the benefits to the agricultural economies of developing countries that reform of trade in agriculture should bring.

0153

7-7

관리번호 91-425

분류번호 | 보존기간

발 신 전 보

번 호 : WGV-0797 910619 1637 ED 종별 :

수 신 : 주 제네바 대사. 총영사

발 신 : 장 관 (통 기)

제 목 : UR/농산물 협상

대 : GVW-1127

대호 농산물 협상 일정 및 향후 논의사항등을 감안한 대책 수립에 참고코자 하니 하기 사항에 대한 귀관 의견 보고바람.

1. 7.2-29간 집중적인 비공식 협의가 있음에 비추어 농수산부 관계국장등 본부대표의 장기 파견 필요성

2. 보조금/상계관세 그룹의 합의 초안을 농산물 협상 그룹에 적용할 수 있는지를 논의키로 한 배경 및 의미

3. 보조금/상계관세 협상 그룹 합의 초안을 농산물 협상 그룹에 적용할 경우 아국 입장에서 본 문제점 및 대책. 끝. (통상국장 김 삼 훈)

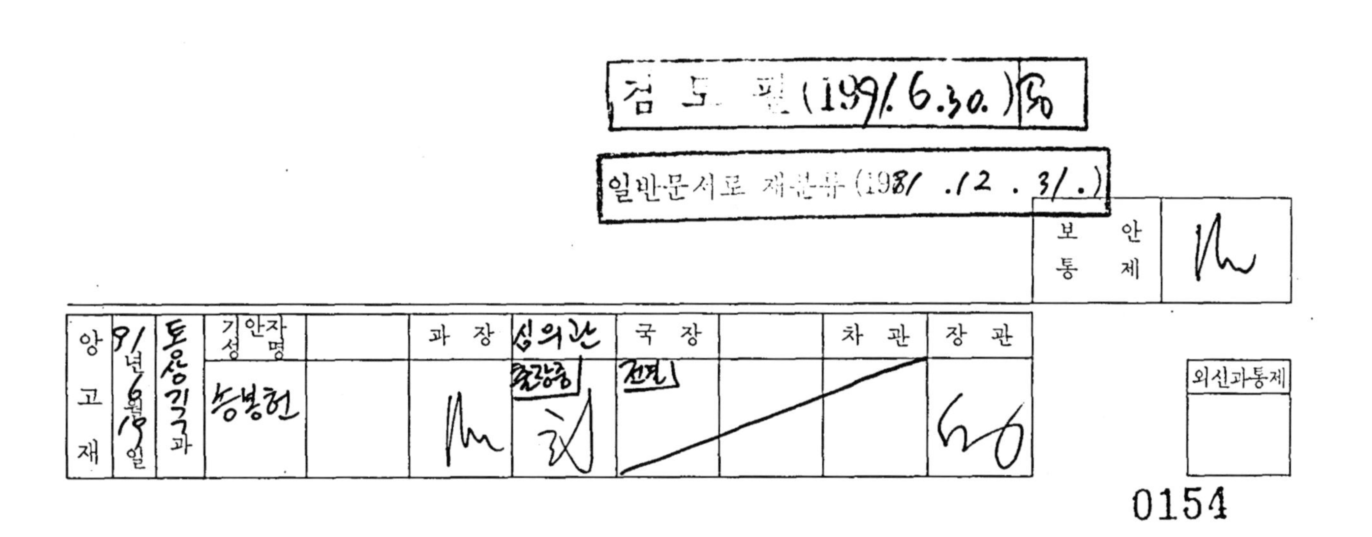

0154

원 본

외 무 부

종 별 :

번 호 : USW-3061 일 시 : 91 0619 1755

수 신 : 장관(통기,통이, 농림수산부)

발 신 : 주미대사

제 목 : UR/ 농산물 협상 동향

대: WUS-0761

1. 당관 이영래 농무관은 농무부 해외 농업처다자협력과장 JAMES GRUEFF 및 관련국(일본, EC, 호주등) 주재 농무관과 접촉, 대호 관련사항을 문의한바, 7월초 워싱톤에서의 개최 계획은 없으며, 6월말경 DUNKEL 사무총장의 UR/농산물 협상 초안 발표후 이를 토대로 7월 초순 부터 제네바에서 양자 또는 다자간 협상이 활발히 전개될 것이라고 함.

2. CAIRNS GROUP 의 장관급 회의는 7.8-9 브라질에서 개최되어 UR / 농산물 문제등을 협의할 예정이라고함.

(대사 현홍주- 국장)

통상국 2차보 통상국 농수부

PAGE 1

91.06.20 07:36 DF
외신 1과 통제관

0155

報 告 畢

長官報告事項

1991. 6. 19.
通 商 局
通 商 機 構 課(30)

題 目 : 向後 UR/農産物 協商 計劃

6.18(火) 開催된 UR/農産物 協商 公式 會議에서 Dunkel 갓트 事務總長은 6.24경 option paper 配布, 7.22 週間 主要國 非公式 會議 開催, 7.29. TNC 會議에 農産物 協商 Framework 草案 提出等 向後 協商 計劃을 밝힌 바, 同 內容 및 評價를 아래와 같이 報告 드립니다.

1. 向後 協商 計劃

o 6.24경 option paper 配布

- option paper는 그간 進行된 主要國 非公式 協議 論議 結果를 基礎로 作成될 展望

o 7.2-3 主要國 非公式 會議 開催

- 同 option paper에 대한 意見 수렴
- 補助金/相計關稅 協商 그룹의 合意 草案을 農産物 協商에 適用할 수 있는지 與否 및 가능한 代案 檢討

o 7.3-21 던켈 事務總長의 個別國 또는 몇몇 國家와의 非公式 協議

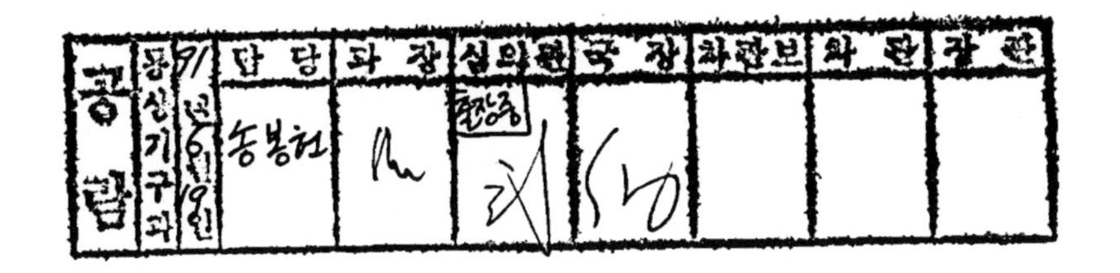

공람	통상기구과	91. 6. 19. 인	담 당	과 장	심의관	국 장	차관보	차 관	장 관
			송봉헌						

0156

o 7.22 週間 主要國 非公式 會議 開催

- 7.29 TNC 會議에 提出할 協商 Framework 草案 作成을 위한 協議 및 提出 可能 與否 檢討

o 7.29 TNC 會議 開催

2. 評 價

o 上記 協商 日程은 今年內 UR 協商 終結을 위해 7月中 實質的 進展을 이루어 보려는 努力의 一環

- 6.4-5 OECD 閣僚 理事會時 可能하면 今年內 UR 協商 終結 合議

o 7.15-17 런던 G7 頂上會談 및 7.29. TNC 會議가 UR 協商의 今年內 終結 可能 與否를 가늠할 중요한 契機가 될 것으로 展望

- 主要國, 특히 EC의 立場이 主要 變數로 作用 展望

. EC, 7.29 TNC 會議에 Framework 草案을 提出하는 것이 適切한지 疑問 表明. 끝.

0157

報 告 畢
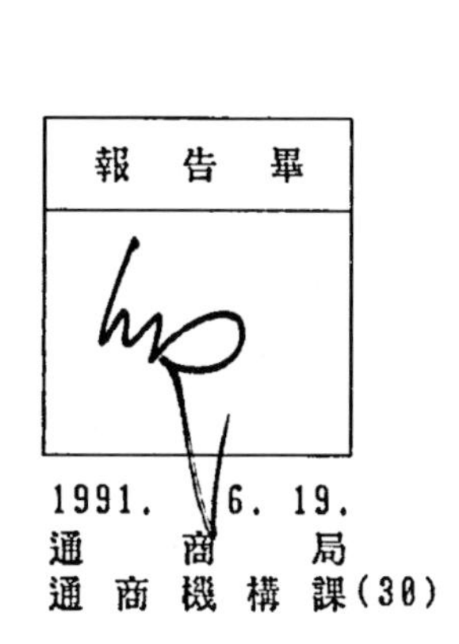

1991. 6. 19.
通 商 局
通 商 機 構 課(30)

長 官 報 告 事 項

題 目 : 向後 UR/農産物 協商 計劃

6.18(火) 開催된 UR/農産物 協商 公式 會議에서 Dunkel 갓트 事務總長은 6.24경 option paper 配布, 7.22 週間 主要國 非公式 會議 開催, 7.29. TNC 會議에 農産物 協商 Framework 草案 提出等 向後 協商 計劃을 밝힌 바, 同 內容 및 評價를 아래와 같이 報告 드립니다.

1. 向後 協商 計劃

o 6.24경 option paper 配布

- option paper는 그간 進行된 主要國 非公式 協議 論議 結果를 基礎로 作成될 展望

o 7.2-3 主要國 非公式 會議 開催

- 同 option paper에 대한 意見 수렴
- 補助金/相計關稅 協商 그룹의 合意 草案을 農産物 協商에 適用할 수 있는지 與否 및 가능한 代案 檢討

o 7.3-21 던켈 事務總長의 個別國 또는 몇몇 國家와의 非公式 協議

o 7.22 週間 主要國 非公式 會議 開催

- 7.29 TNC 會議에 提出할 協商 Framework 草案 作成을 위한 協議 및 提出 可能 與否 檢討

o 7.29 TNC 會議 開催

2. 評 價

o 上記 協商 日程은 今年內 UR 協商 終結을 위해 7月中 實質的 進展을 이루어 보려는 努力의 一環

- 6.4-5 OECD 閣僚 理事會時 可能하면 今年內 UR 協商 終結 合議

o 7.15-17 런던 G7 頂上會談 및 7.29. TNC 會議가 UR 協商의 今年內 終結 可能 與否를 가늠할 중요한 契機가 될 것으로 展望

- 主要國, 특히 EC의 立場이 主要 變數로 作用 展望

. EC, 7.29 TNC 會議에 Framework 草案을 提出하는 것이 適切한지 疑問 表明. 끝.

희생정신 이어받아 통일번영 이룩하자

농 림 수 산 부

양정20334-763 503-7291 1991. 6. 19.

수신 외무부장관

참조 국제기구과장

제목 식량국제회의 참석결과 보고서 제출

1. 관련 : 국기 20334 - 18758 (91. 4. 26)

국기 20345 - 24969 (91. 5. 31)

2. 제5차 FAO 아.태지역 식량안보위원회 (APCFS)및 제17차 세계 식량이사회(WFC)회의 참석결과 보고서를 별첨과 같이 제출합니다.

첨부 : 회의 보고서 각1부.

농 림 수 산 부 장

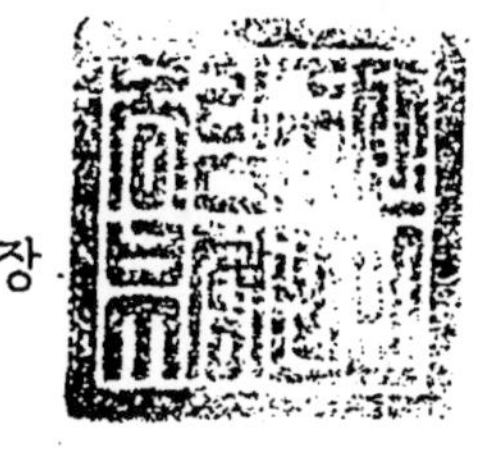

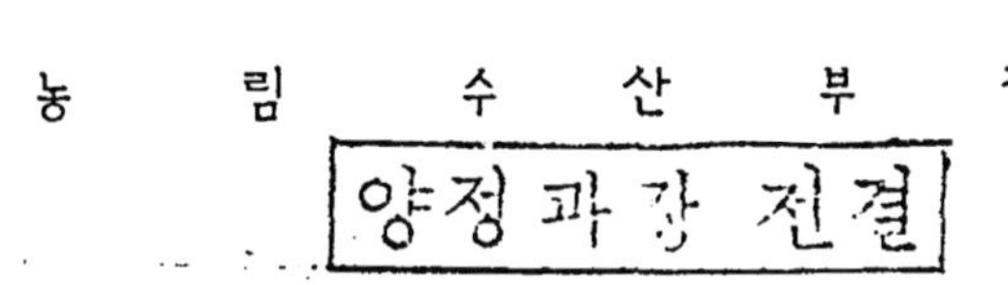

6.21

기 18723

0160

第17次 世界食糧理事會(WFC) 參席 結果報告

'91. 6

農林水産部
(糧 政 局)

0161

1. 出張概要

가. 出張者

- o 糧 政 局 長 朴 相 禹
- o 國際協力擔當官 崔 龍 圭

나. 出張期間 : 91. 6. 3-6. 11.

다. 會議場所 : 덴마크 헬싱거 마리엔리스트 호텔.

라. 主要議題

(1) 世界饑餓와 營養失調 狀況
(2) 變化하는 政治·經濟 環境속에서의 饑餓克服
(3) 開途國의 食糧增産 課題에 對한 對應
(4) WFC의 向後計劃 및 其他事業
(5) 決議案 및 勸告案 作成採擇

마. 主要日程

(1) 91.6. 3 서울 出發
(2) 91.6. 5 開會式 (덴마크 Margrethe 2世女王 臨席)
主要國 首席代表 演說
(3) 91.6. 6 主要國 首席代表 演說
(4) 91.6. 7 덴마크 農場訪問등 現地視察
(5) 91.6. 8 決議案 및 勸告案 採擇
(6) 91.6.10 네덜란드 農務省訪問 UR協議
(7) 91.6.11 歸國

0162

2. 會議內容

가. 開會式 (91. 6. 5, 10:45 - 12:00)

(1) 參加國 및 人員

o 會員國 : 36個國 135 名 (長官參席國 : 방글라데쉬 · 사이프러스 · 덴마크 · 이란 · 日本 · 케냐 · 시리아 · 美國 · 짐바브웨의 9個國)

o 옵서버國 : 21個國 44名 (長官參席國 ; 요르단 · 나이제리아 · 우간다 · 잠비아)

o 其他國際機構 : FAO, IFAD, IMF, ILO, UNHCR, ADB, WFP등 19名

* 北韓 : 이종혁 駐 FAO大使外 하신국 주덴마크 大使館 3等書記官 參席 (北韓은 처음 參席)

(2) 議長

o 前會議 開催國 議長인 이집트 農業長官 Wally 가 病席中으로 사이프러스의 A. Gavrielides 農業長官이 會議 進行

(3) 開會式後 女王主催 리셉션 開催

o 各國 首席代表 參席

0163

나. 第1次會議(90. 6. 5, 14:30 - 18:00)

(1) 主要 會員國 및 옵서버國 長官級 首席代表(11名)의 演說(Country Statement)

o 美國 Madigan 農務長官

- UR協商에서 國內補助, 市場開放, 輸出補助에 對한 새로운 貿易秩序 確立必要
- UR이 開途國에 도움이 됨
- 世界貿易을 變化시키는 合議導出 必要性 強調

o 日本 곤도 모토지 農林水産大臣

- 한 國家가 基礎食糧을 自給해야 하는것은 必須的
- 輸入依存 國家들은 國內生産의 安定的 供給이 必要
- 食糧輸出 開途國들도 모든 品目이 競爭力이 있는 것이 아님을 警告

o 其他·蘇聯·中國代表

- 經濟改革 過程에서 農業發展과 食糧生産에 對한 自國의 成果說明
- 食糧安保의 重要性 強調

0164

다. 第2次 會議(6.6, 10:30 - 13:00)및 第3次會議(14:30-20:30)

o 28個會員·非會員國家 및 國際機構 代表演說

o 호주·알젠틴등 Cairns 國 代表

- UR에서 國境措置가 除去되어야 食糧安保 達成可能
- 東歐國家들이 食糧輸出國으로 浮上하는 것을 警戒

o 開途國 代表

- 開途國의 饑餓와 貧困狀態가 繼續惡化
- 食糧增産을 通한 食糧安保의 重要性 強調
- 先進國·國際機構가 開途國에 對하여 보다 많은 支援을 하여 줄것을 要請

o 獨逸·프랑스등 EC國家 代表

- 開途國에서 饑餓, 貧困狀態의 人口가 繼續 增加함을 憂慮

- UR 協商으로 補助金이 減縮되면 農産物價格 上昇으로 連繫되어 輸入開途國의 負擔이 加重됨으로 오히려 食糧安保가 威脅받을 것임을 指摘

0165

라. 덴마크 農場訪問 (91. 6. 7, 08:00 - 16:00)

o 덴마크 西南쪽 Ore 섬의 農業地帶 (穀物, 乳牛, 油菜등) 와 穀物·畜産兼業農家 訪問

o 報告書 基礎委員 (Drafting Committee) 을 構成報告 및 勸告案 作成

마. 第5次 會議(91. 6. 8, 10:30 - 12:30)

(1) 最終報告 및 勸告案 採擇

o 90 年代의 主要課題는 食糧과 饑餓로써 다음 世代들에게 食糧安保에 對한 重要性을 認識시킴

o 蘇聯과 東유럽 國家의 當面한 어려움을 認識하고 이들에게 繼續的이고 全幅的인 支援擴大

o 先進國들은 開途國의 饑餓와 貧困을 輕減시키는 持續的 支援을 위한 分明한 約束

o 世界의 饑餓와 營養失調 狀態가 繼續 惡化되는 것을 우려 (4千5 百萬名, 그중 아프리카의 3 千萬名이 饑餓 狀態)

0166

o 現行 農業保護 貿易은 世界經濟를 歪曲시킨 原因이 되고 開途國의 實質經濟 潛在力을 實現시키는데 障碍

o 理事會는 農産物交易의 自由化가 長期的으로 食糧安保 強化에 도움됨을 強調

o UR이 成功的인 結論을 얻도록 協商代表들에게 Message를 보냄

o 科學技術 發展에 의한 "第2次 綠色革命"이 必要함

o 人口移動과 環境惡化가 食糧安保에 미치는 影響을 憂慮

o Rome에 있는 食糧關聯 機構와 協調強化

(2) 世界食糧理事會의 長官들이 UR多者間協商代表들에게 보내는 Message 採擇

o UN WFC 에 參席한 長官들은 現在 UR協商이 成功的인 結果를 가져오도록 하는데 最優先을 둘것을 強調

o 世界農産物 交易自由化에 對한 協定은 必須的

o UR協商이 5年동안 結論을 내지 못함으로 世界經濟 특히, 開途國 經濟에 深刻한 影響을 미쳤음

o 必要로 하는 農業改革이 너무 遲延되고 있어 自由貿易을 指向하는 綜合的인 合議가 必要함

o 따라서, UR의 迅速하고 成功的인 結論을 促求함.

0167

3. 其他活動 事項

가. 곤도 일본 農林大臣과 UR問題意見 交換

o 6.5, 12:00 開會式 直後 女王主催 리셉션에서 만나 同日저녁 豫定인 美·日 農務長官 非公式會談과 쌀 問題에 對한 意見交換

- 마디간長官이 쌀問題를 擧論하면 斷乎히 拒絶할 것임

- 日本의 쌀市場 開放問題는 美國의 Waiver, EC의 Levy, 輸出補助金등과 함께 UR에서 論議 해야함.

- 日本國內에서의 쌀關聯 言論報道는 美國과의 貿易摩擦 問題로 301 條의 報復을 憂慮하는 一部 財界·政界의 主張일 뿐 日本政府의 變化는 없음

- 6.8 EC 의 맥쉐리 農業擔當執行委員과 만나 UR問題를 協議할 것임

* 水産物 協議關係로 韓國을 訪問하고 싶음

0168

나. 美國·日本農務長官 會談結果

o 6.5 저녁 21:00-24:00 까지 가진 非公式 會談結果를 6日午前 兩側 實務者를 通하여 確認 하였으나, 差異가 있었음

o 日本側 說明 (미야께 日本農林水産省 國際協力課長)

- UR에 대하여는 짧은 時間關係로 兩側의 基本立場만 얘기한 셈이며, 大部分의 時間을 兩長官間의 個人的 經驗 (兩長官 모두 議員이 되기전에 택시會社 運營) 을 交換하는데 보냈음

- 먼저 마디간 長官이 『農産物交易自由化는 關稅化 (Tarrification) 에 의하여 하여야만 하며 美國도 自國의 保護品目(Waiver)을 모두 關稅化의 對象으로 할 用意가 있음』을 表明한데 대하여

- 곤도 日本長官은 『生産調節을 하고 있는 品目 (酪農製品, 땅콩. 澱粉등을 指稱) 과 基礎食糧 (쌀) 은 國境措置로 數量制限이 반드시 必要하며, 關稅化의 對象이 될 수 없음』을 分明히 하였다고 함.

0169

o 美國側 說明 (슈리터 美農務省 海外農業處 貿易政策 擔當 副處長)

- 마디간 長官이 日本의 쌀市場開放에 대한 Market Access를 要請하는데 대하여

- 곤도長官은 國內 政治的으로 어려움이 있다고 하고 앞으로 外務省과 協議 G 7頂上會談 (7月初 London 開催豫程) 에서 얘기할 것이라고 말함

o 美國側 說明과의 差異를 日側에 問議한 바 事實과 다르다고 하며 UR에서 같은 立場인 韓國과 日本의 사이를 멀게 하려는 目的일 것이라고 함

o 兩長官은 6 日午前 OECD會議 (마디간) 와 日本·EC 農業擔當 막쉐리 執行委員과의 會談을 위하여 出發

다. 北韓代表와 接觸

o 6.6 第3次會議의 休息時間中 我國代表에 찾아와 이야기를 나누었으며, 6.7. Field Trip 時 같은 Table 에서 점심을 나누었음

- 北韓의 UR加入에 대한 우리의 反應을 물었으며
- 우리의 쌀 生産餘力, 在庫등에 關心을 表示하고
- 北韓의 車輛不足, 交通網不實, 낮은 農業生産力등을 認定
- 감자등 北韓農産物 搬入, 北韓 TV內容을 放送하고 있는 點에 대한 놀라움을 表示

0170

라. 네덜란드 農務省 擔當者와 UR問題 協議

o 6.10午前 네덜란드 農務省을 訪問 E. Pierhagen 國際農業課長과 UR問題 協議

- 네덜란드로서는 UR이 早期 妥結되기를 希望

- 補助金이 削減되드라도 화훼·돼지고기·酪農·種子·채소등으로 特化되어 있어 다른 EC國家에 比하여 打擊이 적음

o 午後에는 Marketing Board의 Boersma, 穀物去來 會社인 RICHCO 로테르담 所在) Heimink 등 關係者와 面談

- UR이 妥結되면 國際農産物 價格은 上昇할 것으로 보며 輸出國들이 競爭보다는 生産調節등 協力을 通하여 높은 價格을 維持하여 輸入國들에게는 不利하게 될 可能性이 있음을 言及

0171

4. 評價 및 建議

가. 美國·日本등 主要國 長官이 參席하므로 過去보다 會議 比重이 커졌으나, 元來의 會議 目的보다는 UR에서의 自國의 利害와 連繫하여 活動

- o 美國등 輸出國들의 UR 早期 妥結을 위한 勸告文 및 Message 採擇을 誘導하여 UR에서의 立場强化
- o 開途國(LDC)들은 自國의 饑餓와 貧困問題 解決을 위한 先進國들의 援助擴大 支援要請 機會로 活用
- o 日本은 美國과 不便한 兩國關係를 會議를 通하여 자연스럽게 解消함과 同時에 日本國內에서 쌀 問題에 대하여 農林水産省이 主導權을 掌握하려함.
- o EC國家들은 輸出補助金 削減이 純輸入 開途國에게 負擔을 加重하게 할 것임을 主張하여 輸出補助金 削減에 消極的인 EC立場을 强化하려고 努力

나. 美·日 農務長官 非公式 會談結果 日本은 多少 守勢的 立場으로 變化

- o 美國이 그동안 留保해오던 Waiver品目(酪農製品·땅콩·綿花등)을 關稅化 할 것을 分明히 함으로 그동안 日本이 쌀 問題를 美國 Waiver와 連繫시켜 主張하던 立地가 弱化

다. 國際情勢에 따른 會議의 흐름과 主要國의 動向 및 立場 變化를 把握하는데 큰 도움이 되었음

라. 向後 農業關聯 모든 會議(UR과 連繫시킴)에 積極 參與하는 것이 바람직함.

0172

DRAFT

CONCLUSIONS AND RECOMMENDATIONS OF THE WORLD FOOD COUNCIL AT ITS SEVENTEENTH MINISTERIAL SESSION

1. We, the ministers and plenipotentiaries of the World Food Council, met for our seventeenth session in Helsingør, Denmark, from 5 to 8 June 1991, under the Chairmanship of Mr. Andreas Gavrielides, Minister of Agriculture and Natural Resources of Cyprus, and Vice–President of the Council, in the absence of the President, Dr. Youssef Amin Wally, Deputy Prime Minister and Minister of Agriculture and Land Reclamation of Egypt. Meeting at a time of great political, economic and social changes in many parts of the world, we considered the likely consequences of these changes for the poor and hungry and necessary remedial action. We also considered important longer–term issues concerning the food security of future generations. But above all, we met to re–affirm, in these rapidly changing and difficult times, the primacy of food and hunger issues on the global agenda for the 1990s.

2. Meeting in Europe, we have been especially aware of the difficulties confronting the countries of Eastern Europe and the USSR. We express our full solidarity and continued support with their courageous efforts to bring about political and economic reform. At the same time, developed–country members confirm their unequivocal commitment and continued support to the developing countries' efforts towards more equitable development firmly based on hunger– and poverty alleviation.

Translating consensus into action

3. We are deeply concerned about the deteriorating situation of hunger and malnutrition in the world. Some 45 million people – 30 million of them in Africa – are threatened by famine, many of them refugees displaced by war and civil strife. Rarely has there been such an extensive combination of man–made and natural disasters as we are experiencing this year. Among the millions of people afflicted by natural disasters are the survivors of the deadly cyclones which struck the people of Bangladesh in recent weeks. To them and all others facing the scourge of famine, we pledge our support.

4. The plight of the millions of people affected by disasters is a forceful reminder of the need for strengthening early warning systems and disaster preparedness, where possible, and for improving the efficiency of humanitarian assistance. The Council will continue working towards more effective measures to ensure the safe passage of emergency food aid to people affected by civil strife.

5. Less visible, but no less tragic is the continuing crisis of chronic hunger and malnutrition affecting a growing number of men, women and children around the world. In developing countries, one out of three children under the age of five is malnourished. Malnutrition and common, preventable diseases kill 40,000 of them each day. The lives of millions of people are impaired by such easily treatable nutritional deficiency diseases as vitamin-A deficiency, iodine deficiency disorders and iron-deficiency anaemia. Given prospective economic developments, it would appear that without special efforts a substantial increase in the number of hungry and malnourished people in Sub-Saharan Africa would be inevitable in the 1990s. In Latin America and the Caribbean, even a small reduction in the number of hungry people may be difficult to achieve during this decade. In Asia, a reduction of hunger will, to a large extent, depend on developments in South Asia, where the economic outlook is full of uncertainty. These prospects are together an affront to humanity and we must not allow them to become a reality.

6. In Cairo two years ago, we agreed on four global goals to address the problems of famines, chronic hunger, malnutrition and nutritional deficiency diseases in the 1990s. We are encouraged by the adoption by all member states of the United Nations of these goals as an integral part of the International Development Strategy for this decade, adopted at the forty-fifth session of the General Assembly of the United Nations.

7. Our Bangkok session last year demonstrated that there is broad consensus on the action required to meet these goals. We must now focus our energies on mobilizing the political determination - as well as the financial and, particularly, human resources - to translate consensus into effective policies and programmes. To set an example for the rest of the world, as we agreed to do in Cairo, we must begin at home. Member countries of the Council with significant hunger and malnutrition problems agreed to set feasible targets for themselves, formulate supporting policies and programmes and monitor progress, with the support of all those in a position to do so.

Challenges and opportunities emerging from a rapidly changing political and economic environment

8. We are concerned that the current and prospective medium-term economic situation does not support the developing countries' efforts to fight hunger. The world economic outlook for the early 1990s is less encouraging than a year ago. In Africa and Latin America, the longer-term trend of declining incomes per person continues. Even in Asia, the world's fastest growing region, average economic growth was only moderate compared to average growth rates in the 1980s. Many developing countries are caught up in the struggle with the chronic difficulties of heavy indebtedness, high inflation, deteriorating terms of trade and low food-production growth. At least 40 low- and middle-income developing countries are still struggling to recover from the severe losses incurred as a result of the war in the

0174

Persian Gulf. We urge donor countries to continue their extensive economic aid to adversely affected nations.

9. There are fears that the developments in Europe could have negative consequences for developing countries, by diverting resources, including development assistance and food aid. But developed countries emphasized the positive effects of stronger economies in Europe on developing countries and re-affirmed that resource flows to Eastern Europe are additional to those directed to the developing countries and would not limit the financial resources allocated for assistance programmes provided for the developing countries. In this connection, we emphasize that the unprecedented efforts of the developed countries in support of Eastern European reforms demonstrate the possibilities of international co-operation driven by strong political determination. It is most urgent for the developed countries to deploy an effort of similar intensity for the benefit of the world's hungry people, paying special attention to the improvement of infrastructures, human resources and policy reforms.

10. Given the unprecedented demands on international economic assistance, the developed-country Council members commit themselves to maintain official development assistance (ODA) and to consider the possibility of increasing ODA flows to the developing countries.

11. At the same time, external assistance as well as domestic resources must be utilized more effectively. Significant progress can be achieved when both developing countries and donors give greater priority to meeting specific hunger-alleviation goals and targets, within the framework of generally more equity-oriented development. We request the secretariat to work with multilateral and bilateral aid institutions, the Development Assistance Committee (DAC) and Non-Governmental Organizations (NGOs) on practical ways of doing so, and report to us at the next session. We also call on the International Fund for Agricultural Development (IFAD) and the World Bank to submit to our next session reports on their experience with hunger- and poverty focused activities, especially those directed at realizing the potential contribution to development by small farmers and women.

12. Many developing countries are also concerned that they may be "left out" in terms of access to developed-country markets as Eastern European countries will increasingly compete in export markets for manufactures, raw materials and temperate-zone agricultural products. However, trade and co-operation opportunities for developing countries arising from the reform process and the strengthening of Eastern European economies should not be forgotten. A special effort is needed to promote co-operation between the countries of the East and the South and to facilitate developing countries' access to growing Eastern European markets. As the Council's contribution to this effort, we will seek to foster dialogue and co-operation on food-security related policy reforms between developing countries and

Eastern European countries, complementary to our long-standing efforts in support of South-South co-operation.

The importance of achieving a successful conclusion of the Uruguay Round

13. Last year, we instructed the secretariat to prepare a report for our current session on the food-security implications of the outcome of the multilateral agricultural trade negotiations in the Uruguay Round. These negotiations have yet to be concluded. There is no doubt that the current agricultural trade protectionism is the cause of great economic inefficiency and prevents developing countries from realizing their true economic potential. The Council has always emphasized that agricultural trade liberalization is in the long-term interest of all countries as it contributes to more efficient and stronger economies and helps strengthen food security in the long run. But there may be short-term negative effects, which could hurt low-income food-deficit countries. Proposals for addressing these potential negative effects, including proposals for a post-Uruguay Round food aid regime, particularly strengthening the developmental role of food aid, have been discussed and should further be pursued in the course of the negotiations. It is urgent that negotiations be resumed as soon as possible at the political level and brought to an early successful conclusion. We will send a message to this effect to the trade negotiators of the Uruguay Round.

Addressing the immediate needs of the poor people

14. The larger part of the 1990s could well become a period of transition for many countries -- especially those in Sub-Saharan Africa and others in the group of the least developed countries - during which development conditions could become worse before they turn better towards the end of the decade, when the effects of stronger economies in Eastern Europe and a strengthened integrated Western European economy and of a successful outcome of the Uruguay Round would, together with other factors, contribute to improvements in the global economic situation.

15. Hungry people in the affected countries and elsewhere cannot wait for an upturn in the global economic fortunes. They have to eat now if they are to share in the benefits of improved economic growth and development in the future. A special effort is needed now.

Meeting the food-security challenges of developing countries in the 1990s and beyond

16. We have emphasized that food security is achieved by both adequate food supplies and access to them by all people. These two integral elements form the core of the Council's continuing agenda.

0176

17. Within this framework, we called - last year - for an assessment of the need for "a renewal of the Green Revolution", to achieve major advances in the development, transfer and application of productivity-enhancing agricultural technology in developing countries, to meet the food needs of their growing populations in the 1990s and the early twenty-first century. Recognizing that decisions on the direction of research and investment to achieve it have to be made now in order to produce timely results to meet future needs, our President convened an expert consultation on this topic prior in Cairo in April 1991.

18. The consultation considered the need for a new Green Revolution within a framework different from that of the first one. Based on advances in science and technology, it would firmly anchor in national development strategies and explicitly support specific food-security objectives. It would require a better integration of technological research with socio-economic and policy research; it would include a broader coverage of plant - and animal foods of importance to the world's hungry people; it would be based on more integrated technology systems linking research, extension and on-farm application and joining the efforts of public-sector institutions, farmers' organizations, universities and the private sector, and would make full use of traditional technologies, as well as the tools of modern biotechnology, and give emphasis to natural-resource management research. It should give attention to involving users in the development of research activities and the integration of sustainable agricultural considerations. There is a particular need for significantly greater emphasis on research and technology development for agriculture in arid areas.

19. To respond to the challenges of the future, agriculture must be supported by effective and efficient agricultural research. A growing world population, necessary further betterment in the level of nutrition, especially of the underprivileged, and widespread expectations for lasting improvements in the standard of living, depend on continued rise in agriculture's outputs and on increases of its productivity in the developing countries which need it. Progress in these areas must be accompanied by adequate natural resource conservation and management, and by widespread protection of the environment.

20. Governments, donors and international research institutions are called on to support programmes to provide resources to strengthen on a sustainable basis agricultural research, especially in the developing countries. Specifically, we call on multilateral financial and development institutions and bilateral donors to provide increased and long-term support to agricultural research and technology, with commitments for periods of some 15-20 years replacing current projects of much shorter duration. We also request the secretariat to follow-up on other important recommendations of the Consultation.

21. We emphasize that in many countries the reduction of hunger is linked to progress in economic growth and the resultant alleviation of poverty. Recent United Nations studies suggest that the population of poor countries is growing faster than economic growth resulting in declining incomes per capita. Efforts to reduce hunger and poverty will be of

limited effect unless this economic growth occurs and national governments deal decisively with the population problem.

22. In this connection, we had a preliminary examination of the possible consequences of major migration movements of people for the food-security of developing countries and decided to place this item on the future agenda of the Council as an issue of increasing importance in the 1990s.

23. We are deeply concerned about the increasing deterioration of our natural resource base which is jeopardizing the food security of future generations. The deterioration of the environment is linked to unsustainable development patterns in many countries, particularly in the developed ones. We also emphasize the interrelationship between efforts to address environmental problems and those directed at a more equitable international economic order.

Co-ordination among the Rome-based food agencies and strengthening the Council

24. In the context of our deliberations on the need for more effective co-ordination among United Nations agencies and programmes in the field of food security, we reiterate our support for the creation of an informal inter-secretariat consultative mechanism among the four Rome-based organizations, as stated in Bangkok last year, and we welcome the continuing efforts of the Executive Director in this regard.

25. The Council decided to consider further a number of suggestions which were made concerning the strengthening and improved effectiveness of the World Food Council.

the Part V

26. The Council decided that the President would convene a consultation between regional representatives of member States on the issues contained in ...., and other issues which might arise, in order to enhance the effectiveness of the functioning of the Council and to report to its eighteenth ministerial session.

~~message from the Ministerial Meeting of WFC to multilateral negotiation GATT UR.~~

0178

MESSAGE FROM

THE MINISTERS OF THE UNITED NATIONS WORLD FOOD COUNCIL

TO THE

MULTILATERAL TRADE NEGOTIATORS OF THE URUGUAY ROUND

The Ministers of the United Nations World Food Council stress the high priority they attach to early progress in achieving a satisfactory outcome to the current Uruguay Round of multilateral trade negotiations.

If hunger and malnutrition are to be addressed effectively, the international community and individual nations must create conditions that foster economic growth for rich and poor nations alike. To obtain this, an agreement to liberalize world agricultural trade within an overall GATT solution is crucial.

The lack of a conclusion in the Uruguay Round after five years of negotiations has a severe impact on world trade, especially the trade situation of the developing countries. The most disturbing aspect is the effect this has on poverty and food security in those countries.

The necessary agricultural reforms have been delayed too long – the 1980s were a troubling and difficult decade for the poor nations of the world. At the outset of the 1990s it is imperative that they be given a fair opportunity to realize their full economic potential.

What is needed, therefore, is a comprehensive agreement which addresses the specific situation and needs of the developing world and which will ensure an international trade system which is open, just and equitable.

We urge you to come to a speedy and successful conclusion of the Uruguay Round of negotiations of the GATT.

0179

제5차 식량안보위원회 회의참석 결과보고

1991. 5

농림수산부 (양정국)

0180

제5차 식량안보관계 회의참석 결과보고

1. 회의개요

o 회의기간 : '91.5.7~5.10(출장기간 : 5.6~5.11)

o 장 소 : FAO 아.태지역사무소(태국, 방콕)

o 회의참석 : - 회 원 국 : 한국, 미국, 호주, 일본등 13개국(총회원국 18개국)

- 국제기구 : ESCAP, UNDP, ADB, WFP

- 옵저버국 : 미얀마, 베트남

o 아국대표 : - 주태국 한국대사관 문하용 서기관

- 농림수산부 이준영 사무관

2. 회의내용 및 결론

위원회는 회원국들의 식량안보 수준을 향상시키기 위하여 FAO에 대하여 다음사항을 건의키로 함.

o 식량 저장기술 향상을 위한 각종 계획 개발

o 회원국들의 식량안보 이행계획의 계속 지원

0181

o 과일, 채소등 상품의 포장, 수송, 저장, 유통, 분배등에 관한 관리및 기술비법(knowhow)의 교환 촉진

o 기술증진을 위한 정보와 경험 교환을 위한 워크샵 개최 강화

o 제6차회의는 1993년 5월에 방콕에서 개최

3. 세부내용

가. 회의일정

o 5. 7 09:00~12:00 : . 의장선출, 회의일정 채택
. 제4차 회의 ('89년) 이행결과 보고

13:30~17:00 : . 아.태지역 식량안보 현황

o 5. 8 09:00~12:00 : . 아.태지역 식품 시장발전
. 아.태지역 시장자유화와 자유화의 문제점과 이행방안

12:00~17:00 : . 아.태지역에 있어서 식량정보와 조기경보체계 강화
. 제6차회의, 일정및 장소

o 5. 9 09:00~17:00 : . 보고서 초안 작성 및 채택

0182

나. 의제별 주요내용과 아국 발언요지

의 제 명	주 요 내 용	발 언 요 지
o 제4차 회의결과 이행사항 보고(APCFS/91/2)	o 생산제한 요소제거를 위한 정보와 경험교환 o 영양실태 파악 o 식량보관관리 훈련 o 적정재고 수준 연구	o 한국은 적극적으로 참여했고, 앞으로도 계속 참여할 계획임.
o 아.태지역 식량안보사항 (APCFS/91/3)	o 회원국들의 주요농산물 생산 및 수출입동향	o 우리나라 농산물 생산현황 소개
o 식량시장 개발 (APCFS/91/4)	o 시장개발 전략과 계획 o 시장에서의 공공기관, 조합, 민간분야의 역할	o 국내시장에서의 정부부담 축소를 위한 rice center 설립 추진등
o 시장 자유화와 사유화 (APCFS/91/5)	o 식품시장 자유화를 위하여 정부기능을 축소하고, 민간기능을 증대	o 시장자유화는 국내농업여건에 맞게 점진적으로 추진 o 국내시장에서의 정부개입을 줄이기 위한 노력 계속
o 식량정보와 조기경보체제 강화(APCFS/91/5)	o 식량생산,저장,유통등에 관한 정보및 조기경보체제 확립	

0183

Statement by Korea
Regional Commission on Food Security for
Asia and Pacific

Fith Session

Bangkok, Thailand, 7～10 May 1991

0184

Thank you, Mr. Chairman,

o [First of all, my delegation would like to congratulate you on your election to the chairmanship of this important meeting]

o My delegation [also] wishes to compliment the FAO secretariat who has made an excellent presentation of this high quality and detailed document APCFS/91/2 [APCFS/91/3, APCFS/91/4, APCFS/91/5]

【 On document APCFS/91/2 】

o My delegation would like to comment on document APCFS/91/2 with appreciation of completing seven among 11 which were taken on the recommenduations of the fourth session of the APCFS.

o Korea, here fully supported and cooperated to accomplish the recommendations in the field of irrigation management and foodgrain marketing by organization a workshop and exchange of experience and informations.

o In the future, Korea will activily participate to follow-up the recommendations.

0185

[On document APCFS/91/3]

o Mr. Chairman, My delegation would like to take this opportunity to introduce you on the recent agricultural production situation in Korea.

o Agriculture in Korea is characterized by its heavy emphasis on crop, especially rice, production rather than wheat, soybean, corn, forage crops and pasture use.
Because rice, as a staple food, has long been a basic foodstuff in Korea.

o Rice production accounted for 84.1 percnet of the total production of cereal grains, which reached 7,013 metric tons in 1990, the area planted with rice accounted for only 59.0 percent of the total area of land under cultivation.

o In this respect, the Korea Gov't has put on emphasis on developing agricultural infrastructure including development of HYVs, irrigation, farm land rearrangement and mechanization for rice crop.
Consequently, rice is becoming more important than any other crop in Korea.

o All of the grains which are produced are use for human consumption, but they are still not sufficient to cover the domestic demand for agricultural products.
The self-sufficiency ratio for domestic production was as high as 43.0% in 1990.

0186

At present domestic production of rice, barely, potatos and vegetables covers most of the consumption needs as a whole.

However, more imports, particularly of wheat, corn and soybeans, will be reguired due to increase in population and income in future years.

o In this sense, it is inevitable for my government to take a very firm position of keeping self-sufficiency of rice, which is the basic policy to keep the food security.

【 On document APCFS/91/4 】

o As mentioned before, various governmental programmes have been directed at incresing agriculturalk production. These efforts have led to considerable increase in yields. Farm income, however, is relatively lower than that of wager workers. To combat this, the government has recently introduced new measures to improve the marketing of farm products.

o The government believes that a more efficient marketing system will both ensure the food security and increase farm income.

So, improvement in the performance of marketing functions, including storage, processing and transpartation for agricultural products, is recognized as matter of general concern.

0187

Related matter, for reducing the government role in domestic food market sector the government is going to build the rice market complex which will operate the consolidated works such as purchasing, storage, processing and marketing by private.

Also, foodgrain management system, will be changed into the free market system reducing the gov't regulations, which has been inevitable in the past to regulate price, supply and demand.

Thank you.

0188

관리번호	91/431

원본

외 무 부

종 별 :

번 호 : GVW-1157 일 시 : 91 0621 1700

수 신 : 장관(통기, 경기원, 재무부, 농림수산부, 상공부)

발 신 : 주 제네바대사

제 목 : UR/농산물 협상

대: WGV-797

연: GVW-716,1082,

1. 대호 1 항 본부대표 장기 파견 필요성관련, 7.2-3 예정인 협상진행 대안문서(OPTIONS-PAPER)논의를 위한 주요국 비공식회의와 7.22 주간 예정인 협상골격초안 마련을 위한 회의에는 본부 대표의 파견이 필요할 것으로 사료되나, 7.4-21비공식 협의는 7.3 이후 동향을 간중 예상되는 던켈총장의 보아가면서 융통성 있게 대처함이 좋을 것으로 사료되며, 현재로서는 본부대표가 당지에 체재할 필요가 있다고는 보여지지 않음.

2. 대호 2,3 항 보조금 상계관세 그룹 합의 초안에 대하여는 연호 보고와같이 기술적 쟁점사항에 대한 주요국 비공식회의에서 국내보조 및 수출보조 삭감 약속과 갓트 규범을 합치시키는 문제와 관련해서 제기된바, 특히 분쟁해결 및 상계관세등이 주 논의 대상이었음. 특히 수출보조금에 관한 기술적 쟁점에 대하여 그간 UR 농산물 협상 진행과정중 최근 개최된 농산물 주요국 비공식회의에서 처음으로 집중논의 되는 과정에서 제기되었음.

- 미국, 케언즈그룹등은 보조금 상계관세 그룹의 보조금 정의, 분쟁해결 절차의 적용을 주장하고 있고, 이씨는 기존 갓트 16 조 체제하에서 별도 협정으로 하는 방안을 선호하고 있으며 그밖에 대다수 국가가 현 보조금 상계관세 그룹의 합의 초안을 농산물 분야에 그대로 적용하는데는 문제가 있다는 입장임..

- 7.23. 기간 예정인 협상진행 대안문서 논의시 보조금 상계관세 그룹의 합의초안을 논의키로한 배경에 대하여는 동 대안문서가 모든 문제를 포괄하지 못하게 될것이라는 점 특히 삭감약속과 갓트 규범과의 합치문제에 대한 논의가 충분치못한 상황에서 대안문서에 포함시킬 가능성이 적은점에 비추어 이를 보완하는 성격이

통상국 2차보 경기원 재무부 농수부 상공부

PAGE 1

검토필(1991.6.30.)

일반문서로 재분류(1991.12.31.)

91.06.22 05:14

외신 2과 통제관 CA

0189

있는것으로 사료됨.

- 현재로서는 보조금 상계관세 그룹 합의 초안을 농산물에 수정없이 그대로적용할 가능성은 높지 않은 것으로 보임.

0 동 합의 초안을 농산물에 그대로 적용할 경우는 기존 갓트 16 조 체제와 관련해서 문제가 있음.

0 아국의 경우는 동문제가 양면성을 갖고 있을 것으로 사료되는바 국내보조의 경우 정책운영의 융통성확보, 일부품목에 대한 가격지지등 보조정책 유지 불가피성등을 고려할때에는 엄격한 보조금 상계관세 그룹 합의 초안이 적용될 경우어려움이 예상되나, 또 한면으로는 수입국 입장에서 보조금이 지급된 값싼 농산물이 대량 수입될 경우 국내 산업보호 차원에서 대응조치가 필요하다는 점에서규율이 필요할 것임.

0 특히 수출보조 관행과 관련해서는 엄격한 규율을 주장함으로서 미.이씨등수출보조를 많이 지급하고 있는 국가에 대한 협상일정을 강화시키고, 수입국으로서 국내 농산물 시장을 보호하게 되는 효과도 염두에 두고 대책이 마련되야 할것임.끝

(대사 박수길-국장)

예고:91.12.31. 까지

관리번호	91-435

외 무 부

원 본

종 별 :

번 호 : GVW-1169 일 시 : 91 0621 2000

수 신 : 장 관(통기)

발 신 : 주 제네바 대사

제 목 : UR 협상 관련 방미 참고 자료

1. UR 협상은 금년 5 월 미의회가 신속처리 절차 권한을 연장하고, EC 농업장관들이 EC 농산물 개입 가격을 동결 또는 인하키로 합의함으로써, 앞으로의 UR 협상에 긍정적인 기대를 갖게하여 본격적인 재협상의 계기가 마련되었음.

2. 6.7 개최된 TNC 회의에서는 금년 하기 휴가전까지의 각 분야별 협상 일정을 확정, 각 그룹별 회의가 개최되고 있는바, 특히 협상 타결의 관건이 되고 있는 농산물 분야에 대한 기술적인 협의가 집중적으로 진행되어 6 월 말경에는 던켈 사무총장의 농산물에 관한 OPTION PAPER 가 제시될 예정임.

3. 이를 계기로 케언즈 그룹은 7 월초 브라질에서 각료급 회의를 개최할 예정으로 있으며, 미국, EC 는 제네바에서의 공식회의와는 별도로, 고위관리, 전문가등 여러차원에서의 비공식 접촉을 통하여 타협점을 모색하고 있는 것으로 알려지고 있는바, 미국, EC, 양측이 다같이 농산물 보조로 인한 재정적 부담 경감의 필요성에 대해 공통된 이해를 가지고 있으므로 미국이 자국의 목표를 재조정하여서라도 년내 UR 협상을 타결시킬 가능성이 있다는 견해가 종전보다 증대되고 있음.

4. 이에 따라 금번 대통령 방미시 UR 협상에서의 한. 미 간 협조 문제 논의가 예상됨에 비추어 농산물 분야를 포함, 정치적 결단을 요하는 주요 분야에 대한 당지에서의 협상 현황, 미측 관심사항 및 이에 대한 아국 입장을 별첨 보고하니 자료 작성에 참고 바람. 끝

첨부: FAX 1 부 (GVW(F)-215)

(대사 박수길-장관)

예고 91.12.31. 까지

검 토 필(1991.6.30.)

일반문서로 재분류(1991.12.31.)

통상국 장관 차관 2차보 미주국 청와대 안기부

PAGE 1

91.06.22 10:32

외신 2과 통제관 BS

0191

GVW(G)-215 10621 1P00
전보.

UR 협상 주요분야별 현황

1. 농산물 협상

가. 협상현황

- 브뤼셀 각료회의 실패이후 협상 실무자급에서 주로 기술적 사항을 협의 중임

- 금년말 타결을 목표로하여 각국이 정치적 결정을 내리는데 용이하도록 Dunkel 총장이 선택 대안(Option Paper) 을 마련

0 7월중 선택대안에 대한 협의를 진행, 가급적 7월말까지 협상골격(Framework) 초안 마련 계획

나. 주요쟁점

- 미.이시간 협상접근 방법, 삭감폭, 삭감기간, 기준년도 등에 대한 기본적인 견해차

0 미국: 국내보조, 시장개방, 수출보조에 대하여 각각 구체적인 삭감약속을 함(향후 10년간 75 - 90% 삭감)

0 이씨: 국내보조, 시장개방, 수출보조를 포괄하여 전체적으로 삭감(86년을 기준으로 96년까지 30% 삭감)

0192

- 미.일간 쌀시장 개방에 대한 견해차:일본은 Minimum Market access를 고려하는 듯한 인상을 주고 있으나 미국은 Tarrification 을 통한 완전개방을 요구

- 아국은 기본적으로 미국의 접근방법을 지지하되, 농업의 특수성, 아국농업의 구조적 취약성을 이유로 쌀등 기초 식량에 대한 특별한 취급과 삭감폭 완화 및 삭감 기간 연장을 주장

다. 한.미간 쟁점사항

- 미측 입장 : 모든품목의 예외없는 관세화(현행 수입제한 조치를 철폐하고 그대신 고율의 관세를 부과)

- 아국입장 : 관세화 원칙을 수용하지만 식량안보를 위한 기초 식량은 관세화 또는 최저시장개방의 대상에서 제외

마. 전망

- 7월말까지 협상골격 초안이 마련되면 년내타결이 가능시됨

  0 미.이씨간 다각적인 타협을 시도하고 있는바, 미국이 협상목표를 낮추고, 이씨가 공동농업정책을 마련하면 협상이 급속히 전개될 전망

2. 서비스

가. 협상현황

- 3개 협상과제(서비스 일반협정, 분야별 부속서, 국가별시장개방 계획)중 시장개방 계획 작성에 관한 기술적인 협의가 진행중임

- 서비스 분야별 MFN 적용여부가 최대 정치적 쟁점이 되고 있음. 특히

5-2

0193

항공,해운,기본통신 분야에서 MFN 적용을 배제하려는 미국의 입장이 최대 장애요소가 되고 있음

0 또한 선진국들은 금융분야에 서비스 일반 협정보다 강화된 시장개방 의무를 규정하려고 하는 반면, 개도국들은 서비스공급과 관련된 노동력의 광범위한 이동을 요구하고 있음

- 동 정치적 쟁점들은 UR 전체협상(특히 농산물)진전과 맞물려 '91하반기에나 정치적 타결 기대 가능함.

0 미국의 항공,해운 기본통신분야에 MFN 배제입장은 UR 협상타결을 위해서는 결국 철회가 불가피 하나 농산물 협상에서의 EC 의 양보와 연계관계에 있음

나. 미국의 관심사항

- 금융분야에 대한 아측의 협조 기대

0 선.개도국간 대치상태에 있기 때문에 아국 및 동남아 국가의 향배가 관건이 되고 있음

다. 아국입장

- 특정서비스 분야에 시장개방의무가 강화되어서는 안되며 분야간 균형을 이루어야 한다는 입장임.

5-3

0194

3. 시장접근 (Market Access)

가. 협상현황

- 미국과 이씨간의 심각한 입장 차이 및 농산물협상과의 연계등 으로 협상의 진전이 부진함

 0 미국은 Request/Offer 에 의한 협상진행 및 특정 분야별 주요교역국의 무관세화 주장 : 자국산업의 관심이익 반영

 0 이씨는 공식인하(소위 Formula approach)에 의한 각료합의 사항 (평균 관세율의 1/3 인하) 이행 및 미국 섬유제품등의 고관세 인하 주장(관세 조화) : 이씨 회원국간 이해의 불균형 및 갈등이 야기될 협상결과 우려

- 금년말 협상 종결을 위하여는 10월 이전에 미국, 이씨간의 의견접근이 이루어져야 하며 양국간 협의가 활발히 진행되고 있으나 현재로서는 전망이 불투명함

나. 미국 관심사항

- 미국이 분야별 무세화를 제안하고 있는 9개 분야 거의 대부분에 아국의 전면적 또는 부분적 참여 요청

- 아측이 90.12 브랏셀 각료회의에서 긍정적 검토를 언급한바 있으므로 조속히 분야별 아국 입장제시 요망

- 아국은 현재 미국 주도하의 대부분의 분야 협상에 참석중

다. 아국입장

국내 산업의 경쟁력등을 감안할때 분야별 무관세 제안의 전면적 참여는 곤란하나 협상과정에 참여하여 분야별 무관세 협상에 참여한 국가들의 이익이 균형적으로 도모될수 있는 협상결과 도출에 노력

5-4

0195

TOTAL P.05

4. 섬유 협상

가. 협상현황

- UR 협상이 연기됨에 따라 금년 7월 말로 끝나게 되어 있는 MFA IV 처리문제가 현안 과제임

0 연장기간

. 대부분의 국가가 92, 말까지의 17개월 연장선호(단 비국은 공식적으로는 29개월 주장)

0 연장조건

. 수출개도국(ITCB 국가들)은 새로운 규제조치의 금지(인도, 파키스탄), 쿼타방 삭감 조치의 금지(한국, 홍콩), 품목별 규제의 총량규제, 지역별 규제등 폐지등 3가지 조건을 제시

. 미국, EC 등 모든 수입국들은 상기 조건에 강력 반대

- MFA 연장문제 7월말에 임박하여 타결될 전망이며 3가지 조건은 법적 기속력 없는 정치적 선언정도의 타결이 예상됨

나. 미국 관심사항

- 3가지 조건 철회시 연장기간 문제에는 신축성이 있음을 암시하고 있음

다. UR/섬유협상과의 관계 및 아국입장

- 섬유협상은 MFA 처리문제가 해결될때 까지는 본격적인 협상은 곤란

- 섬유협상에 있어서는 현 의장초안이 협상의 좋은 기초가 될수 있으며 신축적 자세로 임함

- 섬유협상의 이익은 가능한 모든 수출국에 고루 분배되어야 함. 끝.

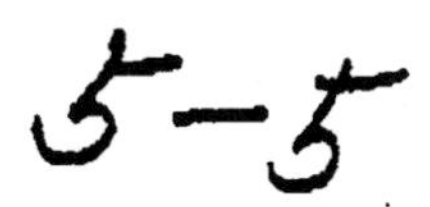

0196

관리번호 91-439

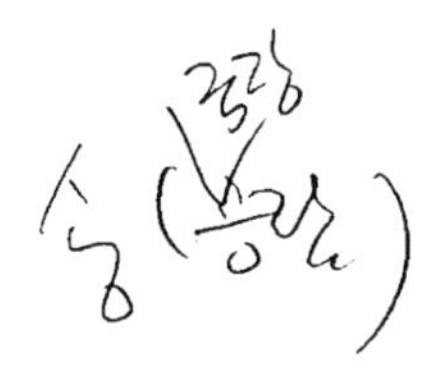

주 제 네 바 대 표 부

제네(경) 20644-27　　　　　　　　　　　　1991. 6. 21

수 신 : 외무부장관

참 조 : 통상국장, 농림수산부장관(통상관)

제 목 : UR/농산물 협상

연 : GVW - 1000

본직이 향후 농산물협상에의 적극 참여를 위한 관심표명의 일환으로 표재협상 그룹의장인 던켈 총장에게 보낸 서한에 대하여, 아래 요지의 답신이 송부되 온바 송부합니다.

- 농산물협상의 전과정에 걸쳐 아국관심 사항을 깊이 염두에 두고 있음
- 표재 협상에 아국이 적극적으로 참여하고 있는 점을 평가함.

첨부 : 던켈 총장 서신 1부. 끝.

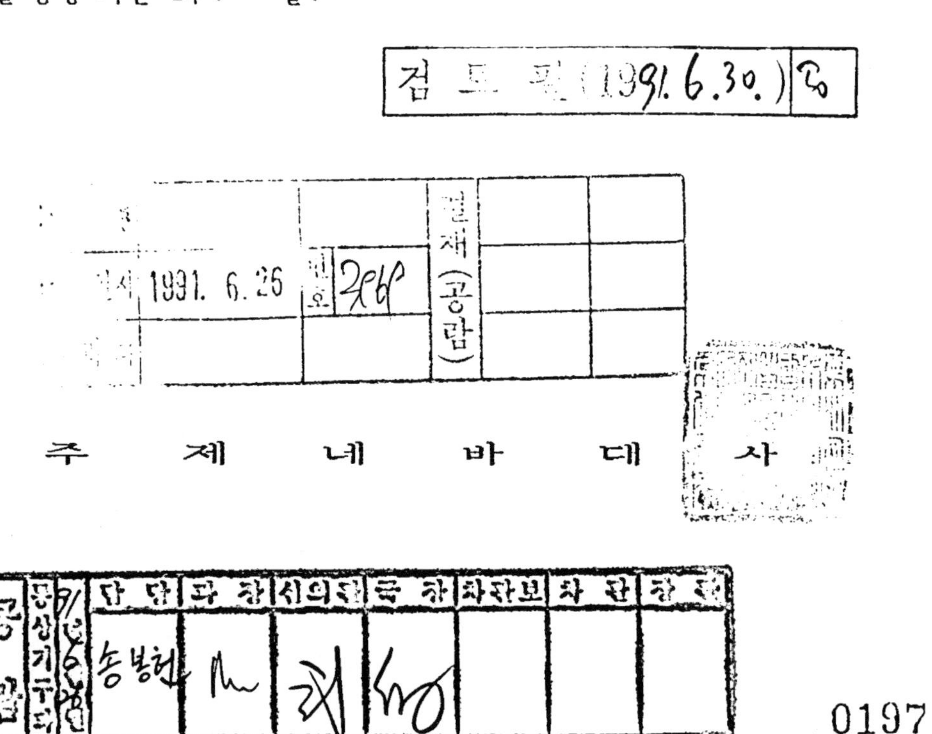

검토필(1991.6.30.)

1991. 6. 26

주 제 네 바 대 사

0197

GENERAL AGREEMENT ON TARIFFS AND TRADE

The Director General

GENEVA, 17 June 1991

Dear Mr. Ambassador,

Thank you very much for your letter of 29 May 1991. I have noted the points you have made. In reply I wish to say that, it is my firm intention to keep Korea's interests, like those of all other participants, in mind at all stages of the negotiating process in agriculture.

Let me take this opportunity to express my appreciation for the active rôle Korea has been playing in the negotiations on agriculture as well as in the Uruguay Round at large.

I remain, dear Mr. Ambassador,

Yours sincerely,

Arthur Dunkel

H.E. Mr. Park Soo Gil
Ambassador
Permanent Mission of the Republic
of Korea to the International
Organizations in Geneva
Route de Pré-Bois 20
1216 Cointrin

0198

원 본

외 무 부

종 별 :

번 호 : GVW-1174 일 시 : 91 0624 1530

수 신 : 장 관(통기,경기원,재무부,농림수산부,상공부)

발 신 : 주 제네바대사

제 목 : UR/ 협상(농산물,시장접근,서비스)

1. 6.24(월) 배포된 UR/ 농산물 관련 대안문서(OPTIONS-PAPER) 와 시장접근 및 서비스분야 협상 진행보고서를 별첨 FAX 송부함

2. 이상 세가지 분야 그룹의장이 TNC 의장에게 보고하는 형식의 별첨문서는 6-7월 UR 협상을 실질적인 합의내용을 도출키 위한 노력으로 평가되고 있음.

첨부: UR/ 농산물 협상 진행 대안문서 및 시장접근 서비스분야 협상진행 보고서 1부.(GVW(F)-0217). 끝

(대사 박수길-국장)

통상국 2차보 경기원 재무부 농수부 상공부

PAGE 1 91.06.25 08:45 WH

외신 1과 통제관

0199

- 6-24 15:02 ... 2 2 2 .6

GV (F)-0217 16 1530

// GVW-1174첨부 //

MULTILATERAL TRADE
NEGOTIATIONS
THE URUGUAY ROUND

RESTRICTED
MTN.TNC/W/85
24 June 1991
Special distribution

Trade Negotiations Committee

COMMUNICATION FROM THE CHAIRMAN OF THE
TRADE NEGOTIATIONS COMMITTEE

Please find attached the letters which I have received for distribution to all participants from the Chairman of the Group of Negotiations on Services (MTN.GNS/W/117), the Chairman of the Negotiating Group on Agriculture (MTN.GNG/AG/W/1), and the Chairman of the Negotiating Group on Market Access (MTN.GNG/MA/W/1).

GATT SECRETARIAT
UR-91-0060

0200

20-1

MTN.TNC/W/85
Page 2/3

RESTRICTED

MTN.GNS/W/117
24 June 1991

Special Distribution

Original: English

Dear Mr. Dunkel,

As you requested, I am setting out below the present situation in the Group of Negotiations on Services and stating how the negotiations might be significantly advanced between now and the end of July. This assessment is in accordance with my concluding remarks at the last meeting of the Group.

Negotiations on trade in services are proceeding on the basis of a draft text sent to Ministers in Brussels and on the assumption that they should be concluded by the end of 1991. This objective requires completing negotiations on three elements: the text of the "General Agreement on Trade in Services", sectoral annexes and initial commitments.

The time remaining for negotiations can be divided into two major parts, from now until the end of July, and from September till the end of 1991. This letter addresses the first period.

There is a general view among participating countries that to conclude the negotiations by the end of 1991 the following issues need to be advanced, and wherever possible resolved, by the end of July 1991:

1. The scheduling of specific commitments. Informal consultations are continuing on the basis of a secretariat paper setting forth options for different approaches. Settling matters relating to the scheduling of commitments is essential for an intensive exchange of offers and requests and the completion of negotiations on initial commitments.

2. The application of the MFN provision in the Agreement. It is important to resolve outstanding matters relating to MFN and agree on an approach that meets concerns of individual participants

./.

Mr. A. Dunkel
Chairman of the
Trade Negotiations Committee

0201

20-2

without resorting to widespread derogations from this important principle. Matters relating to both horizontal arrangements (e.g. bilateral investment treaties and friendship commerce and navigation treaties) and techniques for dealing with sectoral considerations need to be addressed. The secretariat will prepare a paper on horizontal agreements once information requested of delegations is provided.

3. Labour mobility. The text of a proposed labour mobility annex has not been agreed. Resolving labour mobility issues is particularly important for the process of negotiations on initial commitments.

4. Guidelines for negotiations on initial commitments. There are draft texts for substantive and procedural guidelines. An agreement on these texts would facilitate the intensification of the negotiations on initial commitments.

5. Sectoral annexes. There is a need to address, prior to 31 July, any special arrangements that need to be put in place for those sectors for which participants consider annexes are needed. Such sectors include telecommunications and financial services.

6. Negotiations on initial commitments. While the discussion on offers is underway, participants have yet to engage in intensive and structured negotiations within the GNS. Those negotiations should begin in July.

At the request of the GNS, the secretariat is making available notes on dispute settlement, definition of terms and the evaluation of offers and concessions. These notes will serve to advance discussions within the GNS. Also, the final version of the classification list of services will be made available by the secretariat by the end of June. In addition, work will procced on other issues with a view to completing Parts I to IV of the Agreement before the end of July.

I would be thankful if you could circulate this letter to participants.

Yours sincerely,

Felipe Jaramillo
Chairman of the Negotiating
Group on Services

7 0-1

0202

ACCORD GENERAL
SUR LES TARIFS DOUANIERS
ET LE COMMERCE

GENERAL AGREEMENT
ON TARIFFS AND TRADE

ACUERDO GENERAL SOBRE ARANCELES
ADUANEROS Y COMERCIO

Téléphone: (022) 739 51 11
Ligne directe: (022) 739 ....
Télégrammes: GATT, GENEVE
Télex: 412324 GATT CH
Téléfax: (022) 731 42 06

Centre William Rappard
Rue de Lausanne 154
Case postale.
CH - 1211 Genève 21

Référence:

Mr. Chairman,

Herewith I am sending you a paper on Options in the Agriculture Negotiations which is closely related to the technical consultations which have been undertaken since February 1991. I would be thankful if you could ensure its distribution to participants.

Chairman of the Negotiating
Group on Agriculture

Mr. Arthur Dunkel
Chairman of the Trade Negotiations
Committee
GATT
Geneva

0203

20-4

RESTRICTED
MTN.GNG/AG/W/1
24 June 1991
Special Distribution
Original: English

Negotiating Group on Agriculture

OPTIONS IN THE AGRICULTURE NEGOTIATIONS

NOTE BY THE CHAIRMAN

INTRODUCTION

1. This note has been prepared having in mind:

- the Punta del Este Declaration, adopted 20 September 1986 (MIN.DEC);
- the Mid-Term Review Agreements, adopted 21 April 1989, according to which it has been agreed that "the long-term objective of the agricultural negotiations is to establish a fair and market-oriented agricultural trading system and that a reform process should be initiated through the negotiation of commitments on support and protection and through the establishment of strengthened and more operationally effective GATT rules and disciplines" (MTN.TNC/11); and
- the statement made at the meeting of the Trade Negotiating Committee on 26 February 1991 according to which "participants agree to conduct negotiations to achieve specific binding commitments on each of the following areas: domestic support; market access; export competition; and to reach an agreement on sanitary and phytosanitary issues" (MTN.TNC/W/69).

Its purpose is to set out options on the basis of which these commitments could be negotiated.

2. The options presented in this note will have to be seen in the light of their contribution to the long-term objectives of the agriculture negotiations. It needs also to be kept in mind that decisions in individual areas of the agriculture negotiations (i.e., domestic support; market access; export competition) should be mutually supportive. The internal coherence of the agriculture negotiations must be considered, along with the need to integrate agriculture more closely into the global trading system. The note is based on the assumption that all agricultural products will be covered in the negotiations.

3. The note also raises some options relating to the transitional measures which may be needed during the implementation period to facilitate the achievement of the long-term objectives. Non-trade concerns will also have to be considered.

0204

20-5

4. At a later stage it may be necessary to develop procedures which may be needed for monitoring and review of the commitments taken in each of the specific areas of the negotiations. The existence of an effective monitoring system may facilitate decisions on the modalities for reform, by reducing the possibility of circumvention of intended disciplines and providing a means of coping with unexpected situations.

5. The note is put forward by the Chairman on his own responsibility. It is not designed to be exhaustive, and it is without prejudice to participants' positions on these and other issues. Most of the options set out below are closely related to the technical consultations which have been undertaken since February 1991.

I. DOMESTIC SUPPORT

6. Given the basic commitment to substantial and progressive reduction, the negotiations on domestic support essentially concern the policy coverage of that commitment, the means by which it is to be expressed and implemented, and its amount, duration and base year.

7. Key issues for early decisions are reflected in the options set out below. They include the basis for exemptions from the reduction commitment; means of expressing and implementing reduction commitments; the development of strengthened and more operationally effective rules and disciplines; and the application of special and differential treatment to commitments by developing countries.

(A) Policies Exempt from Reduction ("Green Box")

8. The underlying principle of exempting policies from reduction is usually seen to be either no, or minimal, trade distortion or effect on production. Domestic support policies responding to these principles would not be subject to the reduction commitment. Establishing the scope of the policies to be exempted (the "green box") is a key issue for decision in the domestic support chapter since it is relevant in practically any possible scenario concerning the nature of the basic commitment, and since it will provide guidelines for the development of national agricultural policies consistent with the reform commitment. It remains to be settled whether exempt policies should be subject to any ceiling commitment, e.g. as part of an overall ceiling on domestic support.

(1) Definition: amber or green?

9. The first option is whether it is the "green" (exempt) category or the "amber" category (subject to reduction) which should be defined: if the green box is defined, the residual is amber, and vice versa. The basic issues are similar in each case. The following paragraphs are written from the approach of defining the green box.

0205

20-6

(2) Green box: list and/or criteria?

10. The basic options are to list exempt policies or to establish criteria governing admission to the green box, or a combination of these approaches. Given the limitations which have become apparent in an exclusive reliance on either list or criteria, a combination of illustrative list and criteria appears to be most appropriate from an operational point of view.

11. The illustrative list would show the policy objectives and programmes which are seen as candidates for exemption, subject to their satisfying the criteria. Some progress has already been achieved in drawing up such an illustrative list.

12. The main approaches to the formulation of criteria are:

(a) To develop one generally applicable set of criteria which would permit inclusion in the green box of all the desired policies as shown in the illustrative list yet ensure they operate in a minimally production or trade-distorting way.

(b) To sub-divide the list of prospective green policies and apply specific criteria - quantitative, qualitative or both - to each sub-category. A possible basis for such sub-division is to distinguish between policies where government expenditure is on programmes which confer some non-monetary benefit on the producer, e.g. research or pest eradication, and direct payments to producers.

(c) To combine the two approaches above and agree on a number of basic criteria which would have to be met by all prospective green policies, plus specific conditions applying to certain policies, particularly direct payments.

(3) Monitoring and review

13. The question here is what specific arrangements are needed to monitor and review compliance with the green box criteria, and assist in determining the treatment of possible future policies in the light of the criteria. A decision in principle to establish such arrangements may help in reaching agreement on criteria, since they should provide an added layer of security against circumvention of the reduction commitment.

(B) Expressing and Implementing the Reduction Commitment ("Amber Box")

14. Whatever the means of defining the policies to be subject to the reduction commitment and the magnitude of the reduction, options exist regarding the instruments by which the reform commitments will be expressed and implemented. The key options are: to make commitments on specific policies; to make commitments on an Aggregate Measurement of Support (AMS); or a combination of these approaches.

0206

20-7

15. In considering these options it needs to be decided whether policies at both the national and sub-national level should be included, and whether policies directed at agricultural processors should be either included in full or the portion of the benefits retained by processors excluded from commitments. An option also exists concerning the possibility of adjusting the commitments to allow governments of particular countries to compensate producers for some of the effects of excessive rates of inflation under the general provisions to be developed for the monitoring and review of commitments.

(1) Specific commitments

16. Specific commitments would entail detailed schedules of all policies to be reduced and the key parameters of each policy. Such parameters could include administered prices, government outlays and revenue foregone on price support, input subsidies, and any other non-exempt policies.

(2) The AMS

17. This approach would involve taking specific commitments to reduce a form of AMS to be agreed upon. Such a commitment could be defined as a total monetary value at the level either of commodities or commodity sectors. Support which is generally available across a number of commodities could either be allocated to the commodities concerned or be totalled into one non-commodity specific AMS.

18. The AMS includes the effects of policies in three broad groups which are market price support, non-exempt direct payments and other non-exempt policies. In each of these groups options exist:

(a) Market price support: policies could be measured using a price gap between the internal price and a fixed external reference price. An option exists as to whether or not the effects of border measures, including export subsidies, should be included in the AMS.

(b) Non-exempt direct payments: those payments dependent on the difference between the world price and the internal price, e.g. deficiency payments, could either be measured using budgetary outlays, or a price difference between the internal price and a fixed external reference price.

(c) Other non-exempt policies, including policies that reduce the costs of agricultural inputs, could be measured using government budget outlays or revenue foregone.

19. An option exists as to whether or not adjustments should be made in either the AMS or the reduction commitment for those products for which effective supply controls are in operation.

20. If the AMS approach is to be taken, there is also a need to agree on the form of equivalent commitments for those products for which the calculation of an AMS is not practicable. The options retained in the

0207

20-8

definition of the AMS will affect the extent to which this issue arises. Commitments taken should be aligned as closely as possible to the commitments taken via the AMS. The policy instruments used could include those outlined under "specific commitments" above.

(3) A combination of specific commitments and the AMS approach

21. Such an approach could entail the use of an AMS to set a target for the reforms taken during the implementation period, but the commitments themselves would be taken on either the specific policies making up the AMS, or sub-components of the AMS as outlined above.

(C) Rules and Disciplines

22. Agreement on strengthened and more operationally effective rules and disciplines is an outstanding issue in domestic support as in other areas. Defining options in a precise manner will only be possible when the nature of the reform commitment becomes clearer.

(D) Special and Differential Treatment

23. With respect to special and differential treatment, developing countries could be allowed lesser reduction commitments and/or a longer reform period than developed countries. A further option is total or partial exemption from the reduction commitment for developing country support. In this case, the question arises whether the general "green box" is sufficient to meet the needs of developing countries. If it is not, various options exist for defining additional grounds for exemption, including effect-related, quantitative and qualitative criteria.

II. MARKET ACCESS

24. Given the basic commitment to the substantial and progressive reduction of protection, negotiations leading to specific binding commitments on market access concern the treatment of two broad types of policies: border measures other than normal customs duties; and normal customs duties. The negotiations therefore require a clear definition of the modalities of specific commitments in relation to each category and of the way in which these commitments shall be implemented.

25. Key questions related to these issues are reflected in the options set out below. They include the modalities for dealing with products subject to border measures other than normal customs duties, including special safeguard provisions and current and minimum access opportunities; the modalities for dealing with products subject to normal customs duties only; rules and disciplines; and special and differential treatment for developing countries.

26. Other outstanding issues on which decisions are required at an appropriate time are the amount and duration of the reduction commitment; the amount and duration of the expansion of market access opportunities;

0208

20-8

the period on which the conversion of border measures other than normal customs duties into tariff equivalents may be based; the base period for commencing the reduction commitments; the length of the reform period; and the possibility of binding all tariffs and tariff equivalents at each stage of the reform process.

(A) Tariffication

27. For products subject to border measures other than normal customs duties, the approach which has been developed involves the conversion of such measures into ad valorem or specific tariffs (i.e. tariffication).

28. Options exist regarding the modalities of such a conversion:

(1) Tariff equivalents are established so that, for each product, they reflect no more than the gap between the domestic market price and the world price.

(2) Alternatively, tariff equivalents are established in a way that would result in higher initial levels of protection.

29. The tariffication approach requires that the policy coverage of tariffication be clearly defined. Among the measures to be included would be: quantitative import restrictions, variable import levies, minimum import prices, non-automatic licensing, non-tariff measures maintained through State trading enterprises, voluntary export restraints and similar schemes, whether or not these measures are maintained under country specific derogations from obligations provided for by rules and disciplines.

30. Further:

(1) Tariffication of border measures other than normal customs duties could be applied in all circumstances.

(2) Alternatively, there could be scope allowed for individual countries to exempt specific products from tariffication. The exempted products would be subject to generally applicable strengthened and more operationally effective rules and disciplines on the measures maintained on these products, including those measures that may be necessary to deal more explicitly with the enforcement of effective production controls or for other non-trade concerns such as food security. In this case,

(a) Any exemption of products from tariffication in specific circumstances could be permitted only as a transitional measure, with an agreed mechanism for their eventual tariffication.

(b) Alternatively, such products could be exempted from tariffication on a permanent basis.

0209

20-10

(B) Special Safeguard Provisions

31. To facilitate the process of reform, a special mechanism could be established to provide for emergency action, which would not require compensation, on imports of particular agricultural products subject to tariffication. Consideration should be given to the necessity of such provisions where conversion into specific tariffs is chosen.

32. Options exist as to the form of such a special safeguard:

(1) The special safeguard could be quantity-based and operate only in times of a significant surge in imports.

(2) The special safeguard could be quantity- or price-based and operate in times of a significant surge in imports and/or in the case of a significant decline in world market prices.

(3) The special safeguard could operate systematically to reduce the effects on domestic prices of world market price fluctuations, and could also provide special features such as full adjustment for exchange rate fluctuations.

33. Whatever option is finally retained, a decision should also be taken on whether the special safeguard:

(1) Should operate only during the transition period.

(2) Alternatively, whether it should operate on a permanent basis.

(C) Current and Minimum Access Opportunities

34. An option to maintain current access opportunities on terms at least equivalent to those existing would be to use tariff rate quotas, which subsequently could be expanded.

35. In addition, the commitment to improve market access may require the establishment of new minimum access opportunities on an m.f.n. basis where no significant levels of imports existed previously. Such new minimum access opportunities, which could also be provided through the use of tariff rate quotas:

(1) Could be applicable at a specific level in all such circumstances.

(2) Alternatively, the level of new access opportunities could depend on:

(a) Whether a tariff equivalent resulting from the conversion of border measures other than normal customs duties is at a prohibitive level;

0210

20-11

(b) The form of measure maintained at the border where tariffication is not used.

(D) Products Subject to Existing Tariffs Only

36. Regarding those products which are currently subject to tariff-only protection, different approaches still exist with respect to the modalities for their liberalisation:

(1) One approach may be that these products will be negotiated using the same modalities which will be applied to the tariff negotiations.

(2) Alternatively, specific modalities for agricultural products could be established. These modalities may include a linear reduction, request/offer negotiations, harmonization or a combination of these approaches.

(E) Rules and Disciplines

37. In light of the options retained above, decisions are required on ways and means to strengthen and make more operationally effective rules and disciplines on market access:

(1) One option is to delete the specific provisions in the General Agreement for agricultural products, notably the provisions of Article XI:2(c).

(2) Another option is to clarify and reinforce the provisions of Article XI:2(c).

(3) A further option relates to whether or not food security, and other non-trade concerns, should be reflected more explicitly in existing rules and disciplines, or whether they require new rules and disciplines.

38. Once rules and disciplines are clarified and reinforced an additional point for decision is whether any such rules and disciplines:

(1) Should be of temporary application i.e. during the reform period; or

(2) Alternatively, operate on a permanent basis.

(F) Special and Differential Treatment for Developing Countries

39. The applicability of the options outlined above to developing countries remains to be decided, including consideration of a longer reform period, lesser reduction commitments and expansion of market access commitments than developed countries.

40. Furthermore, a decision is needed as to whether or not developed countries should be required to undertake greater commitments on products of particular export interest to developing countries, in addition to the commitments already taken for tropical products.

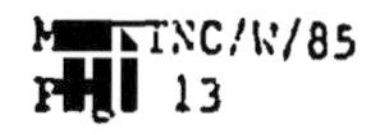

III. EXPORT COMPETITION

41. Given that export assistance, along with other forms of support and protection, should be subject to substantial progressive reductions based on specific binding commitments, early decisions on a number of key issues are needed to delimit the parameters within which specific reduction commitments and related disciplines could be negotiated.

42. The key issues on which options are set out below involve the forms of export assistance subject to reduction; the methods or modalities to achieve reductions and express commitments; circumvention; rules and disciplines; and special and differential treatment for developing countries.

43. Major policy decisions are also needed at the appropriate stage in respect of the depth and pace of export assistance reduction commitments and the extent to which the use of agricultural export subsidies would be subject to the general rules and disciplines in the longer term.

(A) Policy Coverage of Reduction Commitments

44. The policy coverage of reduction commitments would depend on the definitional criteria to be employed. This has implications for a broader issue, namely, how export subsidies are to be defined for the purposes of the general rules and disciplines that would eventually apply to trade in agriculture.

45. In these circumstances there would appear to be two basic options:

(1) To narrow down the very broad Article XVI:3 definition to a list of export subsidy practices that would be subject to reduction;

(2) To use, as a working hypothesis, the definition of export subsidies in Article 3 and the Illustrative List annexed thereto in the draft text under discussion in the general subsidies negotiations, subject to the possible inclusion of other relevant agricultural export assistance measures for the purpose of reduction commitments.

46. In either case, a decision is needed on whether, in addition to mainly direct export subsidies, certain other forms of export assistance presently covered by the very broad Article XVI:3 definition are to be subject to reduction commitments in the export competition context.

47. One of the main issues here is whether payments to producers as opposed to exporters, such as deficiency payments and comparable practices, which are not specifically export performance related but which can in practice operate to maintain or increase exports and to insulate producers from world price movements, should be treated as export subsidies for the purpose of reduction commitments. A consideration to be taken into account is that such payments would, in principle, be subject to reduction commitments in the context of internal support.

20-13

0212

48. Other key issues on which at least in principle decisions are needed are whether subsidised export credits and related practices, as well as producer-financed export subsidies, would be subject to reduction commitments. An option for dealing with such forms of export assistance would be to provide that such subsidies or subsidised transactions should be subject to appropriate reduction commitments unless they meet appropriate criteria to be established in terms of the rules that would govern export competition.

(B) Basis for Reduction Commitments

49. Commitments to reduce export assistance can be made on the basis of: budgetary outlays (and revenue foregone); on quantities exported with such assistance; on per unit export subsidization; or on some combination of these approaches.

50. A number of general considerations would be relevant in deciding which of these approaches is to be followed. In practice the effects which individual approaches, or combinations thereof, would have on world markets would depend on the extent to which the domestic markets of subsidised exporters are in future protected through tariffs or other border measures. Further, the scope for achieving greater long-term market orientation through the approaches under consideration is particularly relevant, including the extent to which the approach to be followed would operate in a counter-cyclical manner in response to trends in world market prices.

51. Some other considerations would include the scope for negotiating commitments on a sector-wide and/or product-related basis, as well as the efficiency of the respective approaches or combinations thereof from the point of view of the negotiating process and the subsequent implementation and verification of commitments.

(C) Circumvention

52. Most aspects of this question would be for consideration once a clearer idea emerges as to the nature of the commitments to be negotiated. Issues to be considered may include disciplines on the form in which bona fide food aid should be provided, tied aid practices, and transactions in the grey area between bona fide food aid, on the one hand, and commercial transactions on the other.

(D) Rules and Disciplines

53. Some of the main issues to be dealt with under strengthened and more operationally effective rules and disciplines include practices such as targeting, price undercutting, producer financed export subsidies, and the subsidisation of agricultural commodities incorporated in exports of processed products. Pending a decision at a later stage on whether a new or the existing framework should govern export competition in agriculture, an option would be to conduct negotiations in these areas taking into account the negotiations on generally applicable rules and disciplines on subsidies.

(E) Special and Differential Treatment for Developing Countries

54. The applicability of the options outlined above to developing countries remains to be considered.

55. Measures to deal with the possible negative effects of the reform programme on the least developed and net food-importing developing countries is a matter on which a greater focus will become necessary once decisions on the basic options have been taken. One of the options in this regard would be a decision to begin negotiations on guidelines under which the availability of basic foodstuffs to these countries would be assured.

IV. SANITARY AND PHYTOSANITARY MEASURES

56. In line with the overall objectives of the negotiations on agriculture, it was agreed from the outset that rules and disciplines would also be necessary to minimize the adverse effects that sanitary and phytosanitary measures can have on trade in agriculture, and to ensure that these are not used as unjustified barriers to trade. The negotiation of clear and specific disciplines on sanitary and phytosanitary measures has been an integral part of the agriculture negotiations.

57. Substantial progress has been made in negotiating a detailed text on sanitary and phytosanitary measures (MTN.TNC/W/35/Rev.1, pp. 163-181). It includes specific provisions on, for example, the requirement of a scientific basis for sanitary and phytosanitary measures; the objective of harmonization using internationally developed standards; the recognition of equivalency of different measures; the use of risk assessment; recognition of pest- or disease-free areas; specific notification procedures; and use of GATT dispute settlement procedures. The negotiations on sanitary and phytosanitary measures are at a stage where a text has been prepared in legal language. This draft includes specific provisions for monitoring and review of sanitary and phytosanitary measures.

58. The draft text identifies options on a few issues, such as on the scope of the agreement, disciplines on national approval systems, the conditions under which the use of measures more stringent than international standards can be justified, and disciplines with respect to sub-national obligations.

0214

20-15

RESTRICTED

MTN.GNG/MA/W/1
24 June 1991

Special Distribution

Original: English

Dear Mr. Dunkel,

As you requested, I am setting out below the present situation in the Group of Negotiations on Market Access and stating how the negotiations might be significantly advanced between now and the end of July.

Market access negotiations are proceeding on the assumption that they should be concluded by the end of 1991. This objective requires significant progress on a number of issues, outlined below, prior to the end of July.

I. **Present situation**

1. Since the Ministerial Meeting in December 1990, there has been no substantial progress in the negotiations on market access. Participants had difficulties reaching consensus on a common approach on the reduction, harmonization or elimination of tariffs and NTMs; they also had different priorities regarding the results of the negotiations. While certain negotiating procedures were agreed, the interests of each participant concerning the specific product areas and market barriers to be covered in the liberalization effort have continued to differ considerably.

2. So far over fifty participants have submitted proposals and offers aimed at the reduction of tariffs and NTMs in various product groups in the market access area. These proposals and offers constitute an initial basis for bilateral and plurilateral negotiations. There are now indications from both developed and developing countries of their desire for a collective effort to intensify considerably these bilateral and plurilateral negotiations to arrive at a mutually acceptable balance of reductions of tariffs and non-tariff barriers. The fact that some major participants are now engaging in more serious good faith negotiations with a view to responding to each other's basic national interests provides a positive input into the negotiating process.

Mr. A. Dunkel
Chairman of the
Trade Negotiations Committee

0215

20-16

II. Major problems

3. A number of serious obstacles need to be overcome in order to achieve early progress which relate to the matters set out below:

- The scope of the market access negotiations: agricultural products, tropical products and NRBPs have so far been left largely outside the tariff offers of certain major participants, which have argued that these products should not be dealt with in the market access negotiations because they were covered in other multilateral negotiating groups. In addition, a number of industrial product areas have not been included in the tariff offers.

- Tropical products: developing countries insist on continued priority for tropical products and on the full implementation of the Montreal undertaking to eliminate or substantially reduce duties and non-tariff measures. The main problems in some major markets are relatively high tariffs, selective and high internal taxes, production subsidies on non-tropical substitutable products, quantitative restrictions and a general absence of offers on NTMs. In addition, there are only a few specific offers on a range of tropical products because they are seen by participants concerned as closely tied to the agriculture negotiations.

- NRBPs: Differences of views which existed prior to the December 1990 Ministerial Meeting with regard to the product coverage have remained; while fishery and forestry products and non-ferrous metals were accepted as part of the NRBP negotiations, no agreement was reached on the inclusion of paper and paper pulp, hides and skins, and energy products. Although offers and proposals have been multilaterally examined in the light of the emphasis in the agreed negotiating objectives on reduction or elimination of tariffs and tariff escalation, a number of offers on fishery and forestry products are still lacking; this is partly because some participants regard such products as part of the agriculture negotiations. Other problems relate to export restrictions, export taxes, dual pricing practices, subsidies, voluntary export restraints and state trading.

- Sectoral negotiations: while there are proposals which are aimed at the mutual elimination of all tariffs in certain industrial sectors (e.g. pharmaceuticals, pulp and paper, steel, construction and farm equipment, electronics, films), there are different views about how such negotiations should be combined with other techniques to reduce barriers in products of interest to other participants. For a number of participants, the sectoral proposals do not cover product groups of particular interest to them.

0216

20-17

- High tariffs and tariff peaks: in some product groups the tariff offers of some participants have not adequately addressed the reduction and harmonization proposals of other participants (e.g., high tariffs on textiles and clothing in both developed and developing countries, on footwear and leather products, and on petrochemicals).

- NTMs: there is no substantial progress in the negotiations with respect to product specific, non-tariff measures not dealt with in other negotiating groups. This adversely affects the prospects of achieving a balanced market access package for many participants. The main problems concern QRs on footwear, textiles and clothing; QRs based on Article XVIII:B; restrictive standards and health regulations applied for example to tropical products; and restrictions related to state trading. Many participants are concerned that there has been no response in bilateral negotiations to a number of specific requests for non-tariff concessions in particular product areas. The situation in the agricultural negotiations appears to be one major reason for the lack of response. Moreover, there are no agreed techniques to evaluate and quantify NTM offers. Further, there is the question of how best to legally reflect the commitments agreed in the NTM negotiations to ensure concessions against future erosion.

- Tariff bindings: the scope of tariff bindings on offer and the tariff level at which such bindings are on offer, do not yet provide a sufficient basis for completing the negotiations on bindings. While there is acceptance of the principle that, in line with GATT practice, credit should be given for bindings, there is no common understanding on how to evaluate bindings and apply credit for them. Moreover, there is no general understanding as to the recognition for autonomous trade liberalization measures. While developing countries insist that their liberalization efforts should be appropriately taken into account, certain developed countries continue to be reluctant to pursue this idea unless there are offers to bind trade related liberalization measures.

III. How to overcome the existing obstacles in the negotiating process

4. There was agreement from the outset that the negotiations should be a comprehensive undertaking. There is therefore a need that all areas of the negotiations move forward in a balanced way in order to satisfy the interests of all participants. Strong efforts and genuine flexibility on the part of all participants are necessary to ensure that the agreed negotiating procedures and the various approaches advanced lead to early substantive progress in order to meet the objectives agreed by Ministers at Montreal, both overall for tariff and non-tariff measures as well as for specific product areas.

20-18

5. On the scope of the market access negotiations, there are now indications that the procedural differences regarding the appropriate negotiating forum for certain product groups will not impede progress in the market access negotiations. It is generally recognized that the results of the market access negotiations will have to be part of an overall balanced package in the Uruguay Round. In order to avoid delaying the full scale market access negotiations until major decisions in the agricultural negotiations are taken later in the Round, all participants should be prepared to discuss all product specific market access interests pursued by other participants in bilateral negotiations.

6. There is no general agreement on possible approaches and negotiating techniques for tariff reductions. It has become apparent that neither a single formula nor a sectoral approach nor any other approach advanced so far can meet the interests of all participants. To attain sufficient flexibility and to address the principal, specific concerns of all participants, all the approaches and negotiating techniques proposed for the reduction, harmonization or elimination of tariffs and NTMs will have to be employed with a view to reaching a substantial and a mutually satisfactory package of concessions. This should allow participants to deal in their bilateral negotiations with specific access problems in any product group. This will help participants to continue seeking ways to bridge the substantive gaps between their existing offers and proposals in respect of both liberalization and bindings through improvements in concessions at an early date.

7. On sectoral negotiations, participants should engage in their bilateral and plurilateral negotiations in a good faith effort to respond to specific market access interests so as to achieve an overall substantial package of mutual reductions of trade barriers. Product sectors of interest to a wide number of participants which wish to reduce, harmonize or eliminate barriers in these sectors should also be given adequate consideration. Any resulting concessions should be extended to all participants on an MFN basis. Furthermore, efforts to harmonize tariffs and to bring down high tariffs and tariff peaks on certain products should be undertaken to the greatest extent possible by both developed and developing participants.

8. On NTMs, participants should be prepared to address, under the agreed request/offer procedure, all product specific NTMs in the market access negotiating group. More specifically, those participants which have so far not responded to specific requests in particular product areas should be ready to come forward with offers.

9. On the question of tariff bindings, all participants to the extent politically possible should significantly improve the scope of bindings on offer and establish the level of such bindings at rates which are commercially meaningful. Such bindings should be qualitatively taken fully into account by participants in their respective bilateral and plurilateral negotiations. The situation of developing countries which have fully bound their tariffs in GATT should be recognized by other negotiating partners in the bilateral negotiations.

20-1P

0218

IV. **Process and timing**

10. On the basis of the agreed procedures, participants should continue as a matter of urgency their bilateral and plurilateral negotiations with a view to reaching understandings for the reduction or elimination of tariffs and NTMs.

11. It will be necessary throughout the summer and fall to hold formal and informal plurilateral meetings to ensure transparency about the negotiating process and the results that may emerge from that process.

12. During late July a series of formal and informal meetings will be held to assess the progress made in the market access negotiations. At that time participants should decide whether they are satisfied with the overall results of the negotiations to date and also decide what changes, if any, are necessary in negotiating techniques in order to ensure a substantial and balanced outcome that meets the Montreal target for the various market access areas.

I would be thankful if you could circulate this letter to participants.

Yours sincerely,

Germain Denis
Chairman of the Negotiating
Group on Market Access

0219

20-20

TOTAL P.20

외 무 부

원 본

종 별 :

번 호 : JAW-3831 일 시 : 91 0626 1859

수 신 : 장관(통기,아일,통일,농수산부)

발 신 : 주 일 대사(경제)

제 목 : UR/농산물 협상

대:WJA-2667

당관 조태영 서기관은 6.26. 외무성 국제기관 1 과 모타이 전문관을 면담, 대호건 및 6.24. 배포된 덩켈 사무총장 초안에 대한 일측 1 차적 반응을 문의하였는바, 결과 다음 보고함.

1. 7 월초 소수 주요국 차관급 회의

0 이러한 회의는 예정된바 없으며, 대신, 7.2. 부터 한. 일등 35 개국이 참가하는 회합 개최 예정

2. 금번 덩켈 사무총장 초안에 대한 일측 평가

가. 전반적 평가

0 기본적으로 "관세화"를 전제로 하고 있기는 하나, 식량안전보장등 일본의 관심사항들도 병기되어 있는 점에서 토의 기초로서의 균형성을 어느정도 갖추었다고 평가

- 식량안보론이 돌출된 형태로 취급되어 있지는 않다는 점에서, 식량안보론의 이질성이 어느정도 선명하게 되었으나, 이문제는 초안에 어떠한 형태로 취급되어 있는가 보다는, 향후 교섭을 어떻게 해 가느냐가 더 중요하다고 봄.

나. 분야별 평가

1)국내보호

0 일본이 농산물 최대 수입국으로서, 전체 소비 농산물중 수입품의 비율이 높다는 점이 언급되어 있지 않음으로써 일본의 AMS 계산시 높은 수치가 나오게 되지 않을까 우려

0 또한, 일본은 AMS 계산등에 있어 85 년 이후 국내 쌀가격을 인하시켜온 실적(CREDIT)에 대한 적절한 배려가 필요하다고 주장하여 왔으나, 이러한 CREDIT

통상국 장관 차관 1차보 2차보 아주국 통상국 분석관 청와대
안기부 농수부

91.06.27 03:23
외신 2과 통제관 DO

0220

문제에 대한 언급이 없는 점이 아쉬움.

2) 시장 접근(국경조치)

0 식량안보론이 언급된 것은 기본적으로 평가

3) 수출보조금

0 일본의 해당이 없는 분야이기는 하나, 농업보호책 삭감이라는 금번 교섭의 취지에서 볼때 수출보조금 삭감면에서도 좀더 엄격한 단속 및 규제가 언급되어야 한다고 봄.끝.

(공사 이한춘-국장)

농업 교섭 총괄 문서 요지

1991. 6.25.
닛게이 신문

o 기본 견해

- 농업교섭의 장기적 목적에 기여
- 각분야에 대한 결정은 상호 지지

o 시장 Access

- 관세화 : NTB를 관세로 전환하는 Approach
  . 관세화를 전상황에 적용
  . 각국에서 특정품목에 대하여 관세화 시행
  (생산제한 및 식량안전 보장과 같은 비무역적 관심사항도 포함)

o 특별 Safeguards 분류

- 수입가격 Safeguard
- 수입 수량 Safeguard
- 시장가격 Safeguard
- 환율변동에 의한 영향 조화 Safeguard

o GATT 규칙 적용

- GATT 11조 2항(C) C i)에 관한 Option
  . 삭 제
  . 명확화
  . 강 화
- 식량안전보장 및 비무역적 관심사항에 대한 현행 규율내 명확히 반영 여부 및 새로운 규율 필요 여부

0222

o 수출보조

- 보조금 분류 Option (삭감 약속 금액 분류)

  . 재정 지출액

  . 수출보조 대상 수량

  . 단위당 수출보조액

  . 상기 편성

- 생산자에 대한 지불 포함 여부

※ Option Paper에 대한 당사 Comment : 팔방미인.　　　끝.

0223

報 告 畢

長 官 報 告 事 項

1991. 6. 26.
通 商 局
通 商 機 構 課(32)

題 目 : UR/農産物 協商 Option Paper

> 6.24(月) 農産物 協商그룹 議長(Dunkel 事務總長)은 農産物 協商에 대한 代案文書를 提示한 바, 同 要旨 및 展望等을 아래와 같이 報告 드립니다.

1. 代案 文書의 特徵 및 要旨

o 農産物 協商그룹 議長이 TNC 議長에게 報告하는 形式

- 91.2月以後 進行된 技術的 事項에 대한 非公式 協議 結果를 考慮, 議長 責任下에 作成

o 向後 決定을 要하는 事項과 主要 爭點別 各國 立場을 폭넓게 反映

- 減縮幅, 減縮期間等에 대한 數量~~的 代案~~은 未提示
- 主要 協商 要素別 決定事項은 相互 依存的이라고 規定, global approach를 主張해 온 EC 立場도 감안

o 要 旨

- 別添 參照

2. 我國 關心事項 反映 程度

o 序論 部分에서 NTC 考慮 言及

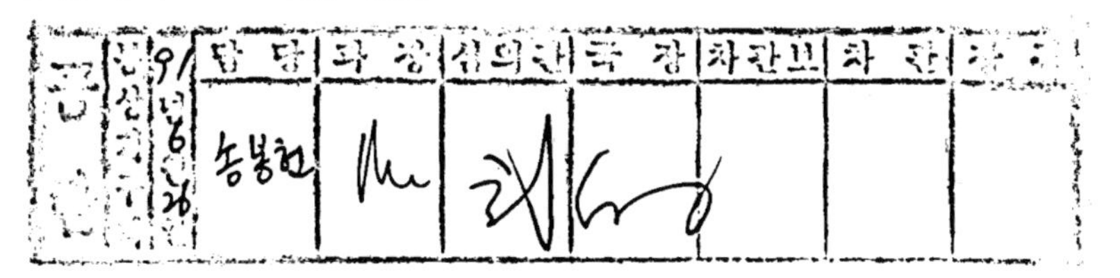

공람	담 당	과 장	심의관	국 장	차관보	차 관	장 관
91.6.26	송봉헌	(서명)	(서명)	(서명)			

0224

o 關稅化에 대한 例外

- 生産統制 對象品目 및 食糧安保 關聯 品目等을 關稅化 例外로 하는 方案~~을 代案으로 提示~~

o 最小 市場接近

- 關稅化 例外品目에 대한 最小 市場接近 保障을 提示

. 食糧安保 關聯 品目에 대한 最小 市場接近 例外는 不言及

o 갓트 規範 改正

- 갓트 11조 2항 C의 明瞭化 및 食糧安保 關聯事項의 갓트 規範 反映 與否~~를 代案으로 提示~~

o 開途國 優待

- 減縮幅, 減縮期間 等에서의 優待 言及

※ 食糧安保 品目에 대한 國內補助 許容 問題에는 不言及

- 今番 代案文書에서는 許容 補助 list 및 基準을 提示치 않았으므로 向後 協商 過程에서 論議될 展望

3. 評價 및 展望

o 劃期的인 進展은 없으나, 向後 協商의 基本資料로서 有用

- 市場接近 分野, 특히 關稅化에 대한 代案을 보다 明確히 提示

o 向後 協商 方向 提示에는 다소 未洽

- 爭點에 대한 各國의 關心事項을 거의 모두 代案으로 提示

o 7月中 公式.非公式 協議를 통해 代案에 대한 취사 選擇 協商이 進行될 것으로 展望

- 同 結果 7月末까지 農産物 協商 骨格(framework)이 마련되는 境遇, 年內 UR 協商 妥結 可能.

添 附 : 上記 代案文書 要旨. 끝.

0225

Dunkel 농산물 협상그룹 의장의 협상 대안에 관한 의견서 요지

1991. 6.26.
통상기구과

1. 국내보조

가. 감축대상에서 제외되는 정책

(1) 감축/허용 대상 정책의 정의

o 대안 1 : 감축 대상을 먼저 정하는 방식

o 대안 2 : 허용 대상을 먼저 정하는 방식

(2) 허용대상 정책의 결정

o 허용대상 정책의 결정 방식

- 대안 1 : 예시표 사용
- 대안 2 : 허용 기준의 설정
- 대안 3 : 상기 2개 대안의 혼합

o 허용대상 정책의 기준 설정

- 대안 1 : 모든 정책에 일반적으로 적용되는 공통 기준을 설정
- 대안 2 : 허용 정책별로 별도 기준을 사용
- 대안 3 : 공통 기준을 설정하되, 특정 정책별로 별도 기준을 추가로 설정

(3) 허용정책에 대한 점검과 감시

o 허용 요건에 합치되는가를 점검, 감시할 수 있는 장치를 마련할 필요가 있는지 여부

1

0226

나. 감축 약속 이행 수단

(1) 감축 약속의 이행방법

o 대안 1 : 특정 정책별로 지지가격, 예산지출등을 기준으로 약속

o 대안 2 : 품목별 또는 품목군별로 총 AMS를 기준으로 약속

o 대안 3 : AMS는 이행기간 동안의 개혁 목표만 제시하되, AMS를 구성하는 특정 정책별 또는 특정 정책군별로 약속

(2) 기 타

o 지방정부 보조 및 가공업자에 대한 보조 포함 여부

o 인플레 반영문제등

다. 규범 제정

o 감축 약속방법이 보다 명확히 결정된 후 규범을 논의

라. 개도국 우대

o 대안 : 감축율, 이행기간에서 특별우대

o 추가 대안 : 감축원칙과 약속에 있어 전면적 또는 부분적 예외를 인정

2. 시장접근

가. 관세화 방법

(1) 관세화 대상 정책 범위

o 수량제한, 가변부과금, 최저 수입가격, 수입 추천제, 국영무역, 수출자율 규제 협정, 기타 수입제한 조치등의 포함 여부

(2) 관세화 예외 인정 여부

o 대안 1 : 모든 수입제한 조치를 예외없이 일률적으로 관세화

o 대안 2 : 국가별로 관세화 예외품목을 인정
(단, 생산통제, 식량안보등 NTC 관련 조치들에 대한 규율 강화)

o 관세화 예외가 인정될 경우 인정기간
- 대안 1 : 경과조치 기간만 인정하고, 그후 관세화
- 대안 2 : 항구적으로 인정

(3) 관세상당치(TE) 설정 방식

o 대안 1 : TE를 국내,외 가격차 수준으로 한정

o 대안 2 : 최초 TE 수준을 국내.외 가격차보다 높게 설정

나. 시장접근 보장 수준

(1) 수입이 있는 경우 현행 시장접근 수준 보장

o 현행 수입쿼터 수준을 보장하고 점진적으로 확대

(2) 수입이 없는 경우 최소 시장접근 보장 수준

o 대안 1 : 모든 품목에 일률적으로 부여

o 대안 2 : TE가 수입금지적으로 높은 경우에만 부여

o 대안 3 : 관세화하지 않은 경우 부여

다. 특별 Safeguard 제도

(1) 발동기준

o 대안 1 : 수량기준

o 대안 2 : 수량 또는 가격 기준

o 대안 3 : 국제가격과 환율 변동을 고려하여 조절(Corrective Factor)

(2) 적용기간

o 대안 1 : 관세화의 경과기간 중에만 인정

o 대안 2 : 항구적인 조치로 운영

3

0228

라. 기 자유화 품목의 관세인하 방안

o 대안 1 : 관세 협상그룹에서 합의된 방식을 적용

o 대안 2: 별도 방식을 적용

마. 규범 개정

(1) 11조 2항 C의 개정 및 식량안보의 반영

o 대안 1 : 11조 2항 C의 폐지

o 대안 2 : 11조 2항 C의 명료화 및 개정

o 추가 대안 : 식량안보와 NTC를 현행 규범 또는 새로운 규범에 반영

(2) 새로운 규범의 적용기간

o 대안 1 : 잠정적 조치로서 경과기간중에만 적용

o 대안 2 : 항구적으로 적용

바. 개도국 우대

o 대안 : 감축폭, 감축기간, 시장접근 확대에서 특별우대를 인정

o 추가 대안 : 개도국 수출 관심품목(열대산품 포함)에 대한 선진국의 추가 의무 부담

3. 수출보조 및 위생.검역 규제

o 요지 생략. 끝.

報 告 畢

長官報告事項

1991. 6. 26.
通 商 局
通商機構課(32)

題 目 : UR/農産物 協商 Option Paper

6.24(月) 農産物 協商그룹 議長(Dunkel 事務総長)은 農産物 協商에 대한 代案文書를 提示한 바, 同 要旨 및 展望等을 아래와 같이 報告 드립니다.

1. 代案 文書의 特徴 및 要旨

ㅇ 農産物 協商그룹 議長이 TNC 議長에게 報告하는 形式

- 91.2月以後 進行된 技術的 事項에 대한 非公式 協議 結果를 考慮, 議長 責任下에 作成

ㅇ 向後 決定을 要하는 事項과 主要 爭點別 各國 立場을 폭넓게 反映

- 減縮幅, 減縮期間, 基準年度, 最小 市場接近 水準等에 대한 數値는 未提示
- 主要 協商 要素別 決定事項은 相互 依存的이라고 規定, global approach를 主張해 온 EC 立場도 감안

ㅇ 要 旨

- 別添 參照

2. 我國 關心事項 反映 程度

ㅇ 序論 部分에서 NTC 考慮 言及

o 關稅化에 대한 例外

- 生産統制 對象品目 및 食糧安保 關聯 品目等을 關稅化 例外로 하는 方案

o 最小 市場接近

- 關稅化 例外品目에 대한 最小 市場接近 保障을 提示

. 食糧安保 關聯 品目에 대한 最小 市場接近 例外는 不言及

o 갓트 規範 改正

- 갓트 11조 2항 C의 明瞭化 및 食糧安保 關聯事項의 갓트 規範 反映 與否

o 開途國 優待

- 減縮幅, 減縮期間 等에서의 優待 言及

※ 食糧安保 品目에 대한 國內補助 許容 問題에는 不言及

- 今番 代案文書에서는 許容 補助 list 및 基準을 提示치 않았으므로 向後 協商 過程에서 論議될 展望

3. 評價 및 展望

o 劃期的인 進展은 없으나, 向後 協商의 基本資料로서 有用

- 市場接近 分野, 특히 關稅化에 대한 代案을 보다 明確히 提示

o 向後 協商 方向 提示에는 다소 未洽

- 爭點에 대한 各國의 關心事項을 거의 모두 代案으로 提示

o 7月中 公式.非公式 協議를 통해 代案에 대한 취사 選擇 協商이 進行될 것으로 展望

- 同 結果 7月末까지 農産物 協商 骨格(framework)이 마련되는 境遇, 年內 UR 協商 妥結 可能.

添 附 : 上記 代案文書 要旨. 끝.

0231

주 제 네 바 대 표 부

제네(경) 20644-583 1991. 6.28

수신 : 외무부장관

참조 : 통상국장,농림수산부장관(통상관)

제목 : UR/농산물 대안문서 검토

91.6.28

6.24 배포된 표제협상 대안문서에 대한 당관 검토안을 별첨 송부합니다.

첨부 : UR/농산물 협상 대안 문서 검토(안) 끝.

공람	통상기구과	91년 7월 9일	담 당	과 장	심의관	국 장	차관보	차 관	장 관
			송봉헌						

주 제 네 바 대

선 결			결재(공람)		
접수일시	1991.7. 2.	번호			
처리과	36930				

0232

UR/농산물 협상 대안문서 검토(안)

----

91. 6

주 제 네 바 대 표 부

농 무 관 실

0233

1. 대안문서의 성격

- 농산물 협상그룹 의장이 TNC 의장에게 보고하는 형식임.

0 기본적으로 주요국 비공식 회의 논의 결과를 바탕으로 하고 있으나, 동 회의 결과를 요약한 것이 아니고, 의장책임하에 협상의 촉진을 위해 작성한 농산물 협상 그룹의 정식 문서임.

- 7.29 예정 TNC 회의에 대비하여 6, 7월중 집중적인 협상을 유도하기 위한 문서로 평가되며, 7.29 TNC 회의에는 동 대안문서가 보고되는 것이 아니고 동 대안문서를 기초로 협상한 결과를 협상골격 초안(Outline of Framework) 형식으로 보고할 가능성이 큼

0 협상 골격 초안 마련에 실패할 경우는 단순히 협상진행 상황 보고로 끝날 가능성도 있음.

- 따라서 동 대안문서는 토론의 촛점을 모으는데 기본 목적이 있으므로 그 자체로서는 채택 또는 수락의 대상은 아닌것으로 보임.

- 내용에 있어서, 주요국 비공식 회의때 제기된 문서를 대부분 포괄하고 있고 비교적 중립적인 입장에서 작성하려는 노력이 보임.

0 개도국 우대 문제를 국내보조, 시장접근, 수출 보조분야에서 모두 언급하고 있고, 식량안보등 비교역적 관심 사항도 시장접근분야에서 관세화 범위 및 갓트 규범 문제등과 연계하여 대안에 포함시켜 언급하고 있음.

0 그러나 일단 관세화 원칙을 전제로 작성한 점, 이씨의 재균형화(Rebalancing)에 대한 언급이 없는점, 보정인자(Correct Factor)를 특별 세이프가드의 하나로 취급한 점에 있어서는 다소 논쟁의 소지가 있으며, 또한 91. 2 협상재개 선언시 합의된 분야별 약속 방안을 제기하고 총체적 접근법을 배제시키고 있음.

- 갓트 규범 관련 사항, 개도국 우대 문제등은 다음 단계 결정 사항으로 미루고 현단계에서는 삭감 약속 관련 사항에 논의의 촛점을 맞추려는 의도

  0 2단계로 나누어 접근하는 것이 논의의 효율성 측면에서 긍정적이나 전체협상 결과와 연계시켜 볼때 효과 의문

  0 일단 본격 협상의 장애 요소를 제거하고 협상의 촛점을 모아 단순화 시키려는 의도로 보임

2. 서문

가. 요지

- 협상 진행 대안 문서의 근거로서, PDE 선언, 중간평가 합의사항, 91. 2 협상 재개선언에 기초하고 있음.

- 대안 문서의 기본 목적은 협상의 기초(basis of the negotiations)가 될 대안 제시에 있음.

- 대상 범위에는 모든 농산물을 포함

- 후기 협상단계(협상 골격 합의후)에서는 협상결과 이행 확보 방안 수립 필요성 제기

- 이행기간중 과도적 조치로서 농업 개혁을 용이케 하는 방안 도입 필요성, 비교역적 관심사항(NTC)고려 필요성도 제기

- 대안 문서는 의장자신의 책임으로 작성되었고, 내용을 총망라(exhanstine)한 것은 아니며, 각국의 협상 입장을 예단하지 않고 있음을 명기

나. 검토

- 대안 문서가 협상의 기초 수립을 전제로 한 것임을 명백히 하고 있음.

  0 그러나 협상 대안에 포함되지 않은 문제가 제기될 경우를 대비하여 동 문서의 성격이 완전한 것이 아니고 의장 자신의 책임하에 작성한 것임을 명시

  0 90년 드쥬의장 합의 문안을 무리하게 협상의 기초로 삼으려 하다가 실패한 전철을 회피하려는 의도에서 협상 골격 초안은 참가국의 협상 과정에서 부상되도록 노력할 것으로 전망

- 기본적으로 분야별 접근법을 따르되 EC가 주장하는 Globality에 대해서는 원칙론적으로 염두에 둬야 한다는 정도로 표현

- 시장지향적 교역체계 수립에 목적을 두면서도 비교역적 관심사항(NTC) 고려 필요성을 언급함으로서 일본, 아국, 북구등 수입국 관심사항도 염두에두고 있음을 시사

다. 아국입장

- 던켈 총장의 협상 촉진을 위한 노력 평가

  0 대안 문서를 토의의 기초로 하여 본격적인 협상을 하기 위한 기초를 마련하기를 희망

- 그러나 대안 문서 자체가 완전한 것(Complete)이 아니므로 향후 토의를 제한하는 성격이 되어서는 않됨

- 의장 자신의 책임으로 작성된 것이므로 각국 입장을 예단하는 것이 아님을 강조

0236

- 또한 무리하게 조급히 협상 기초 또는 협상 골격 합의를 시도할 경우 예상되는 위험을 피해야 하며, 충분한 입장 표현과 토론의 기회가 제공되야 함.

- 아국은 대안 문서 토의 및 협상 골격 마련에 적극 참여하고 기여할 용의가 있음.

3. 국내 보조

가. 허용정책(Green Box)

(1) 접근방법

(요지)

- 1안 : 허용정책 우선 정의
- 2안 : 삭감대상 정책 우선 정의

(검토)

- 일본 및 아국이 주장하고 있는 삭감대상 정책 우선 정의 방법 즉 삭감대상 정책을 정의하고 나머지 정책은 모두 허용정책으로 하자는 접근 방법도 대안의 하나로서 제시

- 그러나 대다수 국가가 허용정책 우선정의 접근 방법을 선호하고 있는 상황을 반영, 동 접근법을 기초로 하여 다음 쟁점에 대한 대안을 마련

0237

(아국입장)

- 삭감대상 정책 우선 정의 방법을 견지하되, 허용정책 우선성의 방법에 기초한 논의에도 적극 참여, 허용정책 범위 확대, 조건 완화에 노력

(2) 허용정책 리스트 및 허용조건 설정

(요지)

- 정책 예시 방법과 허용조건 설정 방법 그리고 양자를 혼합한 방법을 대안으로 제시

- 특히 허용조건 설정을 위한 구체적 방안으로서

0 1안 : 허용정책에 공통적으로 적용되는 일반적인 기준설정

0 2안 : 허용정책을 생산자에게 직접 보조되는 정책군과 간접적으로 혜택이 제공되는 정책군으로 구분, 각각에 서로 다른 조건을 부과하는 방안

0 3안 : 양자를 혼합하여, 일반적인 기준을 설정하고, 일부 허용정책에는 특별 기준을 병과하는 방안

(검토)

- 정책 예시 방안과 허용조건 설정 방법을 혼합하여 동시에 부과토록 하는 방안이 실제 운용면에서 적합할 것이라고 평가

0 협의과정에서(주요국 비공식 회의, 8개국 비공식 협의)상당한 진전이 있었다고 하면서, 구체적으로 조건을 부과하는 방식에 대한 대안도 제시

0238

- 5

- 허용정책을 단순히 예시하기만 할 경우 오용할 우려가 있다는 점에서 무역 및 생산에 미치는 영향을 최소화 시키기 위한 안전장치로서 허용조건을 부과해야 한다는 방향으로 논의전개

- 그러나 허용조건을 엄격히 설정할 경우 이를 충족시키기 어려워지고 향후 정책 운용의 융통성이 부당히 제한될 수 있다는 측면에서 접근할 필요

(아국입장)

- 기본적으로 정책예시 방안을 기초로 하되 일부 허용정책 (예컨대 직접 지불 정책, 지역개발정책, 구조조정 정책등)의 경우 무역왜곡 현상을 최소화 하기 위한 허용조건 설정은 긍정적으로 검토할 수 있음.

- 그러나 동 허용조건 설정시, 주요국 비공식 회의때 제기된바 있는 여러가지 현실적 문제점이 충분히 고려 되어야 함.

- 삭감대상 정책을 먼저 정의하고 동 정책에 일탈(derogation)을 인정하는 방법도 대안으로서 고려되야 함.

(3) 점검

(요지)

- 허용정책이 조건에 맞게 운용되는지를 점검하는 방안이 마련되야함

- 동 방안은 허용조건 설정을 용이케 하고, circumvention을 예방하는 효과가 있음.

0239

6

(검토)

- 구체적인 점검 방안 또는 갓트 규범과의 연계성을 제시하지 않고, 단순히 필요성만 제기

  0 동 문제가 상계조치등과 관련 민감성이 있으며, 갓트 규범과의 연계성 때문에 문제를 복잡하게 할 가능성이 있으므로 1차적인 협상 골격 초안 마련에서는 논외로 하고 다음 단계에서 검토 하려는 의도로 보임

- 그러나 동 문제가 어떤 내용이 되는지가 전체 협상 결과에 매우 중요한 부분이 될 것이라는 점에서 우선 허용조건 설정에 촛점을 맞추고 동 문제가 해결된후 추후에 논의토록 하는 것은 문제의 소지가 있다고 보임.

(아국입장)

- 국내보조 삭감약속 이행 확보 방안과 허용정책의 남용 또는 오용의 방지를 위한 장치의 마련이 필요할 것임

  0 동 문제는 이행기간중 또는 그이후 상계조치등 갓트 규범과의 관계에서 매우 중요한 점을 염두에 두고 검토되야함.

- 이 문제가 국내보조 부분 약속과 관련하여 중요한 문제인 만큼 이와 관련시켜 보다 더 논의되어야 할 사항임을 상황에 따라 언급.

나. 삭감대상 정책(Amber Box)

(1) 삭감방식

(요지)

- 국내보조 삭감 방식으로서 3가지 대안 제시

  0 정책별 삭감 약속 방식

  0 AMS에 의한 삭감약속 방식

  0 양자 혼합방식

- 삭감방식 결정시 지방정부 포함문제, 가공업자에 대한 보조 포함 문제, 인플레 영향 고려 문제등도 검토요

(검토)

- AMS에 의한 삭감약속 또는 AMS를 기초로한 정책별 삭감 약속 혼합 방식을 지향하는 대안 제시

  0 논의의 촛점이 AMS를 중심으로 진행된 점을 반영

- 인플레등 관련 문제도 제기하고 있음.

  0 그러나 인플레 효과 반영은 과도한 경우(excessive inflation)만 거론하고 있고, 그 경우에도 약속 이행 점검 방안과 관련시켜 검토함으로서 동 문제의 범위를 한정 짓고 있음.

(아국입장)

- 지방정부 포함 문제, 인플레 영향등은 삭감약속의 본질적인 문제에 해당하므로 우선적으로 검토되야 할 사항임.

- 특히 인플레 문제는 약속의 형평 유지 차원에서 중요하게 다루어 져야 함.

0 인플레를 과도한 경우만 예외적으로 인정하는 것은 형평에 맞지 않음

0 약속 이행점검과 관련하여 특수한 사정이 있는 국가에만 조정을 허용하는 대안만이 제기된 것은 인플레 문제를 충분히 Cover하지 못할 것으로 판단됨.

0 따라서 삭감 약속의 본질적인 문제로서 인플레 효과를 다루어야 하며, 동 효과가 모든 국가에 적용될 수 있는 대안이 포함되어야 할 것임.

(2) AMS

(요지)

- 시장가격 지지정책, 직접지불 정책(허용정책 제외), 기타정책으로 구분

0 시장가격 지지 정책은 국내가격과 외부 참조 가격의 차액으로 측정하되, 국경조치에 의한 효과(수출보조 포함)를 제외할 것인지 여부를 대안으로 제시

0242

0 직접 지불정책은 결손지불(deficiency payment)정책과 관련하여 재정 지출을 기준으로 하는 방안과 국내 가격과 외부참조 가격의 차액을 기준으로 하는 방안을 대안으로 제시

0 투입 비용삭감 보조등 기타 정책에 대하여는 정부의 재정지출을 기준으로 하는 방안 제시

- 품목 또는 품목군별 접근중 어느 방식에 의할 것인지와 일반적으로 활용되는 보조에 대하여 단일 AMS를 적용할 것인지 문제도 대안으로 제시

- 생산통제 정책의 효과를 반영할 것인지 여부도 대안으로 제시

- AMS에 의해 삭감 약속할 경우 AMS가 적용될 수 없는 품목에 대하여 AMS에 상응한 약속을 할 필요성 제기

(검토)

- 시장가격 지지 정책은 가격차 접근 방법만을 대안으로 제시

0 재정지출액을 기준으로 측정하는 방안은 대안으로 나타나 있지 않음.

0 국경조치 효과를 배재시키는 문제는 대안에 포함

- 결손지불 정책은 시장가격지지 정책과 별도로 직접 지불정책에 포함시킴으로서 기본적으로 국내보조의 일부로 취급

0 다만 재정지출액을 기준으로 하는 방안외에 가격차를 기준으로 하는 방안을 대안으로 제시함으로서 후자를 택할 경우 사실상 시장 가격 지지 정책과 유사한 취급

- 투입요소 비용 삭감 보조도 분명히 삭감 대상 정책에 분류시키고 있으나 현재 쟁점인 투자 보조는 언급하고 있지 않음.

  0 동 문제에 대한 미.이씨간 견해차 때문에 논쟁의 소지가 있을 것으로 전망

- 이씨, 일본, 아국등이 주장하는 품목군별 접근을 대안으로 설정하고 있는 반면, 미국이 주장하는 단일 AMS 적용 방안도 대안으로 제기

- 생산통제 효과 반영방안은 대안으로 제시되었으나 수입 비율, 유통비율 감안은 대안으로 제시되지 않음.

(아국입장)

- 시장가격 지지정책을 가격차 접근 방법에 의할 경우 국경조치 효과를 분리시키는대 어려움이 있으므로 가격 지지정책 수행과 관련된 재정 지출액(revenue forgon 포함)을 기준으로 하는 것이 현실적으로 운용가능한 대안이라고 주장하고 재정지출액 기준 방안이 대안의 하나로 검토되야 한다는 점 제기

- 결손지불 정책은 그 효과에 따라 수출보조 성격이 있는 경우 또는 가격지지 성격이 있는 경우가 있으므로 그러할 경우는 각각 수출보조 또는 가격지지 정책으로 봐야 할 것임.

- 직접지불 정책 및 투입요소 비용 삭감 보조의 경우 그 포괄 범위가 불분명하여 지나치게 광의로 해석될 경우 정부의 농업정책 수행에 부정적 효과를 미칠 우려가 있으므로 그 포괄범위를 보다 구체적으로 정의해야 할 것임.

0244

11

0 정책 예시 방안도 그중의 하나가 될 것임.

0 특히 투자보조가 포함되는지 여부가 매우 중요함.

- 수입 비율, 유통비율등의 고려 문제가 주요국 비공식 회의때 제기 되었던점을 상기시킬 필요

(3) 갓트 규범

(요지)

- 농업개혁의 윤곽이 보다 분명해진후에 구체적인 대안 검토

(검토)

- 첫단계에서는 농어 개혁과 관련된 협상 골격 초안 마련에 촛점을 두고 갓트 규범 관련 사항은 협상 골격 합의이후 다음 단계에 논의하려는 의도 표명

- 그러나 상계조치등 갓트 규범과의 관계가 어떻게 정립될 것인지가 협상 골격자체의 협상에 영향을 주는 중요한 요소인점을 고려해야함.

(아국입장)

- 갓트 규범과의 관계는 농업개혁의 이행과 관련 중요한 문제가 제기되므로 동 문제의 윤곽이 불투명할 경우 협상 골격자체 마련에 어려운 점이 있을 것임.

0 따라서 갓트 규범과의 관계는 보다 더 논의가 필요한 사항임.

0 갓트 규범에 관한 사항은 따로 떼어 다음에 논의하는 것이 협상의 효율적 진행측면에서는 긍정적인점이 있을 것이나 협상의 전체적 결과와 연결지어볼때 바람직할 것인지는 알수 없음.

0245

(4) 개도국 우대

(요지)

- 선진국 보다 삭감폭을 줄여주고, 이행기간을 늘려주는 방안 제시

- 추가적으로 삭감 약속의 전체 또는 부분적 면제 방안을 대안으로 제시

  0 이와 관련 적용조건 설정 문제 언급

(검토)

- 공통으로 적용되는 허용정책(green box)외에 삭감약속에 일탈 (derogation)을 인정해 주는 대안을 제시하는 대신 이를 위한 적용 조건을 별도 설정

  0 드쥬 의장 합의초안과 비슷한 접근 방법으로 귀착

  0 적용조건이 어떠한 것이 되는지가 주요 쟁점이 될 가능성

- 개도국의 분류 또는 차별화 문제는 제기되지 않았음.

- de minimis 개념이 명시적으로 거론되지 않았음.

(아국입장)

- 개도국의 농업 개발 수요를 적절히 반영할 수 있는 방안이 강구 되야 함.

0246

- 삭감 약속의 일탈을 인정해 주는 방안이 현실적 운용측면에서 좋을 것이나, 조건을 지나치게 엄격히 설정 함으로서 농업개발 정책을 제약해서는 곤란함.

  0 개도국의 경우도 농업의 발전 정도 및 수출입 정도가 크게 다르다는 점을 감안, 획일적인 수량기준(quantitative criteria)을 설정하는 것은 바람직 하지 못함

4. 시장접근

가. 관세화

(요지)

- 관세화 방법론으로서 국내시장 가격과 세계가격의 차액을 관세 상당액으로 설정하는 방안과 초기 보호수준을 충분히 높게 할 수 있을 정도로 관세상당액을 설정하는 방안 제시

- 관세화 대상정책 범위에는 수량제한, 가변부과금, 최저수입 가격제도, 수입허가제도, 국영무역에 의한 비관세조치, VRA, 기타 갓트 규정에 의해 개별국가에 인정된 예외조치 포함

- 관세화 대상 품목 관련 예외없이 적용하는 방안과, 개별국가별로 특수한 품목에 예외를 인정해 주는 방안을 대안으로 제시

  0 예외를 인정해 주는 경우에도 궁극적인 관세화를 전제로 과도적으로 인정해 주는 방안과 영구히 예외로 인정해 주는 방안을 대안으로 제시

0247

(검토)

- 관세화가 기존 비관세 조치를 가격차액을 기준으로한 관세상당액으로 전환할 경우 동 가치의 보호 효과를 갖는다는 전제에 의문이 제기됨에 따라, 조기 보호수준을 충분히 높게 할 수 있는 정도로 관세 상당액을 설정하는 방안 제시

  0 그러나 구체적인 설정기준은 제시하지 않고 있음.

- 미국의 웨이버, 스위스의 가입의정서, 이씨의 가변부과금등 모든 국경조치를 대상으로 검토

- 갓트 11조 2(C) 및 식량안보등 비교역적 관심사항(NTC)을 이유로한 관세화의 예외 인정도 대안으로 설정

  0 그 경우에도 갓트 규범에 따라야 함을 전제

  0 잠정적인 예외인정 방안을 대안으로 제시

(아국입장)

- 기본 입장에 따라 관세화 원칙을 수용하며, 가격차액을 기준으로 품질의 차이등을 고려하여 관세 상당액을 설정하는 방안을 수용

  0 관세 상당액의 상한 설정이 거론될 경우 반대 입장 적극 표명

- 갓트 11조 2(C) 항의 유지개선 필요성 주장

  0 동 조항을 근거로한 수입 제한 조치는 인정되야 하며, 관세화의 예외로 취급해야 함

  0 갓트 11조 2(C) 적용조건 즉 정부의 생산통제 시책이 존재하는한 동 예외는 인정되야 함

0248

15

- 식량안보등 비교역적 관심 사항을 위한 구체적인 아국입장은 주요국 비공식 회의때 서면으로 기배포

  0 식량 안보를 위한 기초식량은 관세화에 제외(항구적 적용을 주장하되 협상대안으로서 잠정적 적용방안도 내부 검토 요망)

  0 세계무역 왜곡 현상을 최소화 하기 위한 조건(Criteria) 설정

  0 갓트 규범에 반영

나. 특별세이프 가드

(요지)

- 농업개혁을 용이하게 진행시키기 위한 제도로서 특별세이프 가드 필요성을 재기하고, 대안을 제시

  0 물량기준 발동안

  0 물량기준 발동 및 가격 기준 발동안

  0 특별 구제제도라기 보다는 System의 일부로서 국제가의 변동이 국내가에 과도하게 전달되지 않도록 하는 방안과 환율의 변동을 반영토록 하는 방안(Corrective factor)

- 동 세이프가드의 효력과 관련, 이행기간중에만 적용하는 방안과 영구히 적용할 수 있도록 하는 방안을 대안으로 제시

(검토)

- 일단 관세화를 전제로 하여 관세화 하는 품목에만 적용하는 것으로 제시

0249

- 이씨의 보정 요소도 특별 세이프 가드의 대안중에 하나로 흡수

  0 이씨와 미국 및 케언즈그룹간 의견차이가 큰 부분이어서 협상 마지막 단계까지 쉽게 타결되기 어려울 전망

- 특별세이프가드의 발동 내용에 대한 언급이 없음.

- 영구히 적용할 수 있도록 하는 방안도 대안의 하나로 제시

(아국입장)

- 관세화를 전제로 하여 관세화 하는 품목에만 적용하는 것에 대하여는 수용하는 방향으로 입장 정립 검토

  0 아국의 경우 관세화 대상 품목이 많고, 주로 이들 품목에 적용할 필요성이 클 것이란 점과, 모든 품목에 적용하도록 하자고 주장하는 국가가 많지 않은점 고려

- 이씨의 보정요소가 반영될 경우 아국 국내 농산물 시장 안정에 도움이 클 것이나 동 문제에 대한 여타 국가의 강한 발발과 아국의 경우 국내외 가격차가 매우 큰 점을 감안 중립적 입장을 견지하고, 두번째 대안을 지지하는 방향으로 입장 정립

- 발동 내용도 중요한 문제이며, 효과 확보 차원에서 논의가 충분히 전개되야 하고, 단순히 전년도 수준으로 snap-back하는 방식은 효과가 불충분 하다는 점도 상황에 따라 거론 필요

- 관세화 한다는 것이 이행기간에만 적용되는 것이 아니므로 특별세이프가드는 원칙적으로 영구히 인정되야 한다는 점 강조

0250

17

다. 현수준 또는 최저수준의 시장 개방 보장

(요지)

- 현수준의 시장개방 보장 대안으로서 할당관세(Tariff rate quota)제 도입 및 확대 방안을 제시

- 수입이 거의 없는 경우에만 최저 시장접근 인정 필요성을 제기 하면서 구체적인 대안으로서는 할당관세를 도입하는 방안 제시

  0 할당관세를 모든 품목에 일정율 적용하는 방안과 관세상당액이 수입을 금지시킬 정도로 매우 높은 경우에만 적용하는 방안 그리고 관세화의 예외로 인정되어 국경조치가 유지되는 품목에만 적용하도록 하는 경우를 대안으로 제시

(검토)

- 현수준의 시장 개방보장 대안으로서 관세상당액의 상한 설정이 언급되지 않았음

- 최저시장 접근 인정 필요성(may require)을 제기 하면서, 관세화 예외 여부를 떠나 동 개념을 인정하는 방향으로 대안을 재시

  0 최저시장 접근 개념에 대한 예외 인정이 대안으로 제시되지 않았음.

(아국입장)

- 현수준 시장 개방 보장 관련 주요국 비공식 회의시 할당 관세도입에 대한 비판적 견해가 제기된점을 상황에 따라 지적

- 현재 아국 입장은 주곡의 경우 최소시장 접근을 인정할 수 없다는 점에서 확고하므로 동 입장이 대안의 하나로 검토되야 한다는 문제를 제기할 필요성이 있음.

  0 즉 개별국가의 특수품목에 대한 최저시장접근 예외인정 여부도 대안(Option)의 하나로서 검토되야 함

  0 동 문제는 해당국가에게 있어 협상의 가장 핵심적인 관심사항이며 정치적으로 매우 민감한 문제라는 점이 배려되야 함.

라. 관세만 적용되는 품목(자유화 품목)

(요지)

- modality 관련 관세협상 그룹에 적용된 방식을 그대로 원용하는 방안과 그외는 별도로 선형 또는 조화 공식에 의한 삭감 또는 R/O 방식등을 대안으로 제시

(검토)

- 단순히 modality와 관련된 대안만 제시

(아국입장)

- 관세 협상그룹에 적용된 삭감목표, modality등을 참고하되, 기본적으로 R/O 방식에 의함

마. 갓트 규범

(요지)

- 갓트 11조 2(C) 관련 폐지 방안과 명료화 및 강화 시키는 방안을 대안으로 제시

0252

19

- 식량안보등 비교역적 관심사항(NTC)과 관련하여 기존 갓트 규범에 명기하는 방안과 새로운 규범을 도입하는 방안을 대안으로 제시

- 또한 동 갓트 규범의 효력을 이행기간에만 적용할 수 있도록 할 것인지 또는 영구히 적용토록 할 것인지도 대안으로 제시

(검토)

- 갓트 11조 및 식량안보와 관련 수입국이 제기한 문제를 비교적 균형되게 반영

- 한시적 적용 가능성을 대안으로 제시

(아국입장)

- 기존입장에 따라 갓트 11조 2(C)은 운용 가능하도록 개선되야 하고, 식량안보등 비교역적 관심사항 도 : 갓트 규범에 반영되야 하며 항구적으로 적용할 수 있어야 함

  0 구체적으로 식량안보등 비교역적 관심사항을 갓트에 반영하는 방법으로서 기존 갓트 규범을 개정할 것인지 또는 새로운 규범을 도입할 것인지에는 융통성 있는 입장으로 대처하되, 이와 관련 아국의 입장 정리가 필요할 것으로 보임

바. 개도국 우대

(요지)

- 시장개방 및 국경보호 조치 삭감 약속을 선진국 보다 적게 해주고 이행기간을 늘려 주는등의 대안을 포함, 개도국에 시장개방과 관련된 대안을 적용할 것인지 문제를 제기

0253

- 또한 개도국 수출 관심품목에 대하여 선진국이 시장개방을 더 확대 할 것인지의 문제를 제기

(검토)

- 구체적인 대안의 제시 없이 원칙론적인 문제만 제기한 상태

  0 관세화의 적용 여부, 예외인정 여부등에 대한 언급이 없음.

(아국입장)

- 수입 개도국의 농민 소득과 농산물 시장 구조로 취약한 상태이므로 획인적인 관세화 적용은 곤란함. 특히 기초식량과 관련해서는 특별한 취급이 필요할 것임.

- 또한 개도국에게는 장기간의 이행기간과 삭감폭의 완화가 필요

5. 수출 보조

가. 수출 보조금의 범위

(요지)

- 수출 보조금의 정의 방법으로서 현행 갓트 16조 3항 정의에 기초하여 구체적인 수출 보조 관행을 예시하는 방안과 보조금 상계관세 그룹 합의초안 3항의 규정 및 부표에 예시된 정책을 원용하는 방안을 대안으로 제시

- 또한 직접적인 수출 보조금외에 기타 수출과 관련된 보조금도 포함 시킬 것인지의 문제 제기

0254

21

- 특히 결손지불 정책을 수출 보조로 취급할 것인지를 제기하면서, 그대신 동 결손지불 정책은 원칙적으로는 국내 보조의 삭감대상에 들어간다는 점을 고려해야 한다고 지적

- 수출신용 및 생산자들이 직접 수출을 보조하는 경우도 삭감 대상에 포함할 것인지의 문제를 제기하고 대안으로서 일정한 기준(CRITERIA)을 설정하고 동 기준에 합치하는 경우만 지급할 수 있도록 하는 방안 제시

(검토)

- 갓트 규범 특히 보조금 상계관세 그룹 합의 초안과의 연계성을 거론하면서 동 문제는 다음 단계의 결정 사항으로 미루고 있음.

  0 수출 보조금의 정의와 관련 수출 보조관행(practice)을 인급하면서 궁극적으로 갓트 규범에 의한 규율을 전제하고 있음.

- 미국의 결손지불 정책은 원칙적으로 국내 보조로 고려해야 한다고 하면서도 수출에 영향을 주는 점을 지적, 수출 보조금으로 취급하는 방안(이씨등 주장)을 제기

- 미국등의 수출 신용, 호주등의 생산자 수출 보조등도 삭감대상에 포함시키는 문제 제기

(아국입장)

- 원칙적으로 농산물의 특성을 인정한 갓트 16조 3항 체제를 유지하되 보다 구체적 이고 명료화 되도록 수출 보조 관행을 예시토록 하는 방안 지지

- 갓트 규범과의 관계, 수출 보조관행에 대한 궁극적인 규율 문제는 삭감 약속의 내용과도 연관되는 중요한 문제임으로 논의되야 한다는 입장을 상황에 따라 제기

0255

- 결손지불, 생산자에 의한 수출 보조, 수출 신용등도 효과면에서 볼때 수출에 큰 영향을 미치므로 수출 보조로 취급하여 삭감 대상으로 해야 한다고 강조

나. 삭감약속

(요지)

- 삭감약속 방안으로서 재정지출 기준안, 물량기준안, 단위당 보조금액 기준안 및 이상의 혼합방안을 대안으로 제시

0 각 대안의 효과는 국내 시장 보호정책, 세계시장 가격 변동과의 연계성이 고려되야 한다는 점이 고려되야 함

0 품목별 또는 품목군별 약속 방안, 현실적인 운용가능성등을 제기

(검토)

- 단위당 보조금액 기준 삭감안이 강력히 대두됨에 따라 대안의 하나로 포함 시키는 대신 현실적인 문제점을 제기

(아국입장)

- 재정지출 및 물량기준을 혼용하는 방안이 현실적인 대안이나, 미국 및 이씨등 보조수출국에 대한 협상 입장 강화 차원에서 단위당 보조금액 기준 삭감안도 주장

0 수입국의 국내시장에서 수입품과 국내생산품의 공정한 경쟁 여건 조성을 위해서 수출 보조 삭감 효과를 보장해 주는 장치가 필요 하며, 그러한 점에서 단위당 수출 보조금 삭감 방법이 필요하다는 논리를 전개

23

0256

다. 우회(Circumvention)

- 식량원조, 조건부 원조, 회색조치등의 규율 문제를 제기하고, 동 문제는 삭감약속의 성격이 정해진 이후 논의할 문제로 미루고 있음.

라. 갓트 규범

(요지)

- 갓트 규범 관련 검토 대상으로, 특정 시장 공략 정책, 저가수출 생산자에 의한 수출 보조, 가공품에 대한 보조 취급등을 제기함.

- 추후 검토 대상으로서 농산물 수출 보조에 기존 규범을 적용할 것인지 또는 새로운 갓트 규범을 도입할 것인지를 제기하면서 보조금 상계 관세그룹의 협상 결과를 고려하는 방안 제시

(검토)

- 갓트 규범 문제는 다음 단계 결정 사항으로 미룸

- 보조금 상계 관세그룹 합의 초안과의 연계성을 조심스럽게 거론

- 상계조치, 금지 관행 설정문제등 내용상의 문제는 거론치 않고 있음.

(아국입장)

- 갓트 규범 내용이 어떻게 될 것인지 하는 문제가 삭감약속 보조금 정의등과 직결되는 문제인 만큼 갓트 규범 문제도 함께 논의되야 한다는 점을 상황에 따라 제기

0257

- 보조금 상계관세 그룹 합의 초안과 연계성 관련 아국 입장에서는 양면성이 있는바 특히 국내보조와 관련하여 정책 운용의 융통성에 제약이 커질 가능성이 있는 반면, 수입국 입장에서 보조금이 지급된 값싼 농산물이 대량 수입될 경우 국내 산업보호차원에서 대응조치가 필요하다는 점에서 엄격한 규율이 필요한 사항임.

0 수출 보조 관행이 많은 미국, 이씨등에 대한 협상입장 강화 및 국내농산물 시장 보호차원에서 엄격한 갓트 규범 설정 입장 수립 검토요

마. 개도국 우대

(요지)

- 수출 보조금 삭감을 개도국에 적용할 것인지 문제를 제기

- 순수입 개도국 및 최저개발국의 부정적 영향에 대한 대책 필요성을 지적하고 대안으로서 이들 국가의 기초식량 확보를 위한 기준 설정을 제시

(검토)

- 순수입 개도국 문제는 다음단계 결정사항으로 미루고 있음.

(아국입장)

- 수출 보조 관련 개도국 우대는 아국 입장에서 부정적인 효과가 크므로 중립적 입장 견지

- 순수입 개도국의 식량확보 문제는 상황에 따라 중요성 언급

0258

25

6. 위생 및 검역규제

(요지)

- 이 분야에는 상당한 협상의 진전이 있었고 구체적인 합의 문안도 작성된 상태임.

  0 SPS 조치의 과학적 근거 필요성

  0 상응한 조치의 인정

  0 위험평가 제도 이용

  0 질병 자유지역 개념 인정

  0 통보절차 수립

  0 갓트의 분쟁해결 절차 이용

- 남아있는 쟁점은 적용범위 문제, 국가 인증제도에 대한 규율문제, 국제기준보다 엄격한 국내조치 사용문제, 지방정부 적용문제 등임

(검토)

- 일부 쟁점을 제외하고는 90 브럿셀 회의시까지 대체적인 합의가 이루어진 상태

- 현단계로서는 추가적인 협상이 필요치 않으며 일부 남은 쟁점은 협상 마지막 단계에서 정치적으로 해결될 사항

- 따라서 SPS 문제는 현 상태를 당분간 유지할 전망

0259

(아국입장)

- 합의초안이 전문적 측면에서 작성되어 있고, 수출입국의 이익이 대체로 균형되게 반영된 것으로 평가

- 아국 입장에서 양면성을 갖고 있는바 국내에서 과학적 근거가 희박한 SPS 조치는 국제기준에 합치시키기 위한 노력이 필요하다는 점에서 부담이 되나, 아국의 수출농산물에 대해서는 부당한 규제를 취하지 못하게 된다는 점에서 긍정적 측면이 있음.

- 협상의 마지막 단계에서 SPS의 적용범위, 엄격한 국내조치 적용문제등이 제기될 경우 아국입장 반영 노력 필요

수신: 외무부 통상기구과 송봉헌 사무관
발신: 국협 윤장배 사무관

농산물 그룹의장의 협상대안에 관한 의견서 (요약)

1. 서 론

가. 의견서 작성의 기초가 되는 사항

o '86. 9 푼타델에스테 선언

o '89. 4 중간평가 합의사항

o '91. 2 TNC 회의 던켈총장 제안서

※ 상기합의 사항에 기초하여 협상가능한 대안을 작성

나. 의견서에 포함된 대안 작성시 고려사항과 범위

〈고려사항〉

o 농산물 협상의 장기목표에 기여하여야 한다는 측면

o 국내보조, 시장접근, 수출경쟁등 각분야별 결정사항이 상호간에 상치되지 않아야 한다는 측면

o 농업협상이 전반적인 교역자유화 체계에 보다 밀접하게 결합되어야 한다는 측면

〈대안서의 범위〉

o 장기목표 달성을 촉진하기 위해 이행기간중 과도기적인 조치도 포함

o 비교역적 관심사항의 고려

o 각분야별로 약속이행을 점검하는 절차의 개발

0261

다. 의견서의 성격

ㅇ 제시된 대안들은 의장의 책임하에 작성된 것이며, '91. 2이후 진행된 기술적 협의와 밀접하게 관련됨.

ㅇ 모든사항을 망라한 것이 아니며 각쟁점 사항에 대한 참여국의 입장을 예단하지 않음.

2. 국내보조

가. 감축대상에서 제외되는 정책 (Green Box)

(1) 감축 / 허용대상 정책의 정의
(대안 1) 감축대상을 먼저 정하는 방식 (Negative Approach)
(대안 2) 허용대상을 먼저 정하는 방식(positive Approach)

(2) 허용정책의 결정

ㅇ 허용정책의 결정 방식
(대안 1) 예시표 사용
(대안 2) 허용기준의 설정
(대안 3) 상기대안의 혼합

ㅇ 허용정책의 기준설정
(대안 1) 모든정책에 일반적으로 적용되는 공통 기준을 사용
(대안 2) 허용정책별로 양적, 질적 기준을 사용
(대안 3) 공통기준을 설정하되, 특정정책별로 별도기준을 설정하는 방법 (혼합방식)

(3) 허용정책에 대한 점검과 규제

ㅇ 허용요건에 합치되는가를 점검하는 기준을 별도로 설정할 필요성 여부

나. 감축약속의 표현과 이행 (Amber Box)

(1) 감축약속의 이행방법

(대안 1) 특정정책별로 약속하는 방식

- ㅇ 지지가격, 가격지지 정책에 의한 예산지출 또는 세입감소, 요소보조, 기타정책별로 약속

(대안 2) AMS를 기준으로 약속하는 방식

- ㅇ 품목별 또는 품목군별로 총 AMS를 감축
- ㅇ 품목불특정적인 보조를 품목별로 배분하거나 별도 카테고리로 설정하는 방안
- ㅇ 감축대상 AMS에 포함되는 정책
  - ① 시장가격지지 : 국경보호, 수출보조의 포함여부
  - ② 직접지불 : 재정지출 방식 또는 국내외 가격차 방식
  - ③ 기타감축정책 : 예산지출 또는 세입감소
- ㅇ 생산통제 조치의 반영 여부
- ㅇ AMS와 상응하는 약속 또는 특정정책별 약속

(대안 3) AMS방식과 정책별 접근방식의 혼합

- ㅇ AMS는 이행기간 동안의 개혁 목표만 제시하며, 감축약속은 특정정책 또는 AMS에 포함된 감축대상 정책별로 감축

(2) 감축약속 관련사항

- ㅇ 지방정부 보조의 포함여부
- ㅇ 가공업자에 대한 보조의 포함여부
- ㅇ 인프레의 반영문제등

- 3 -

0263

다. 규범제정

o 감축 약속방법이 보다 명확히 결정된후 규범개정 방식을 결정

라. 개도국 우대

(대안 1) 선진국과 동일한 원칙을 적용하되, 감축율, 이행기간에서 특별우대 하는 방식

(대안 2) 개도국에 대해 감축원칙과 약속에 있어 전부 또는 일부 예외를 인정하는 방식

- 무역효과, 양적, 질적기준등 빈도의 허용요건 설정등

3. 시장접근

가. 관세화 방법

(1) 관세상당치(TE)의 설정방식

(대안 1) TE를 국내외 가격차 수준으로 한정
(대안 2) 최초 TE 수준을 국내외 가격차보다 높게 설정

(2) 관세화 대상이 되는 정책 범위

o 수량제한, 가변부과금, 최저수입가격, 수입추천제, 국영무역, 수출자율규제 협정등의 포함여부

(3) 관세화에서 제외되는 품목

o 11조 2항(C), 식량안보등 NTC 관련품목의 예외인정 여부

o 관세화 예외 인정할 경우
(대안 1) 경과조치 기간만 인정
(대안 2) 항구적인 예외로 인정

0264

나. 특별 Safeguad

(1) 특별 Safeguard의 형태

(대안 1) 수입급증시에만 인정하고 가격기준 발동방식만 적용
(대안 2) 국제가격 하락 및 수입급증시 가격지준 또는 물량기준 발동요건 인정
(대안 3) 국제가격 빈동과 환율변동을 충분히 고려하여 조절하는 방식(Corrective Factor)

(2) 특별 Safeguard의 적용기간

(대안 1) 관세화의 경과기간 중에만 인정
(대안 2) 항구적인 조치로 운영

다. 시장접근 보장

(1) 현행수준 시장접근 보장
o 현행 수입쿼타 수준을 보장하고 점진적으로 확대

(2) 최소시장 접근보장

(대안 1) 모든 품목에 일률적으로 부여
(대안 2) TE가 수입금지적으로 높은경우에만 부여
(대안 3) 관세화하지 않은 상태에서 부여

라. 현행관세 수준으로 자유화된 품목

(1) 자유화 확대방안

(대안 1) 관세협상 그룹에서 합의된 방식을 적용
(대안 2) 농산물에 대해 별도의 방식을 적용
- R/O 방식, 선형 또는 조화인하 방식 또는 혼합방식등

0265

02-503-7249 JUN.26 '91 WED.10:52 PAGE 04

마. 규정개정

(1) 11조 2항 C의 개정 및 식량안보의 반영

(대안 1) 11조 2항 C의 폐지
(대안 2) 11조 2항 C의 명료화 및 개정
(대안 3) 식량안보와 NTC의 현행규범 또는 새로운 규범에 반영

(2) 새로운 규범의 적용기간

(대안 1) 잠정적 조치로서 경과기간중에만 적용
(대안 2) 항구적으로 적용

바. 개도국 우대

(대안 1) 감축폭, 기간, 시장접근 확대에서 특별대우를 인정
(대안 2) 개도국 수출관심 품목 (특히 열대산품)에 대해 특별우대 부여

4. 수출보조

가. 감축대상이 되는 수출보조의 범위

(1) 농산물 수출보조의 규제방법

(대안 1) 16조 3항의 광범위한 보조금 정의를 감축대상 목록표로 축소하는 방안
(대안 2) 보조금 협상그룹 합의초안에서 제시한 수출보조 내용에 관련 농산물을 수출보조를 포함하여 사용하는 방안

(2) 감축대상 수출보조의 범위
ㅇ 16조 3항의 정의에 따른 수출지원 형태를 감축대상에 포함여부
ㅇ 결손보전을 수출보조에 포함여부
ㅇ 수출금융, 생산자에 의한 수출보조등의 포함여부등

0266

나. 감축약속의 기초

(1) 감축약속의 기준

(대안 1) 재정지출 (세입감소), (대안 2) 수출물량, (대안 3) 단위당 보조액,
(대안 4) 상기 대안들의 혼합

(2) 감축약속의 대상

(대안 1) 정책별 접근방식, (대안 2) 품목별 접근방식
o 각 접근방식별로 약속이행과 검증에 있어 유효성을 확보하는 방안

다. 우회조치의 규제

o 식량원조와 연계된 수출, 순수식량원조와 상업적 거래간의 회색조치 규제방안

라. 규범개정

(대안 1) 농산물 수출보조를 규제하는 별도의 규범을 제정하는 방안
(대안 2) 보조금 그룹의 일반적인 규범을 농산물 분야에 적용하는 방안

마. 개도국 우대

(1) 수출보조와 관련된 각종 대안을 개도국에도 적용하는 문제
(2) 최빈 개도국, 순수입 개도국에 대한 기초식품 공급보장 방안에 대한 협상개시 여부 결정

0267

02-503-7249
JUN.26 '91 WED.10:52 PAGE 06

5. 식품위생과 동식물 검역

(1) 식품위생과 동식물 검역을 규제하는 합의초안에 의견접근

ㅇ 과학적 기초에 입각한 위생,검역조치의 필요성
ㅇ 국제적으로 설정된 기준과의 조화
ㅇ 상이한 규제조치들간의 동등성 인식
ㅇ 위험평가기준의 사용 및 병해충 자유지역의 인정
ㅇ 특정의 통고절차와 GATT분쟁 해결절차 사용등

(2) 의견이 대립되고 있는 몇가지 쟁점사항

ㅇ 협정초안 적용대상 범위
ㅇ 국내적 승인제도에 대한 규제
ㅇ 국제기준보다 엄격한 조치사용시 조건
ㅇ 지방정부의 규정 준수의무 등

- 11 -

0268

JUN.26 '91 WED.10:52 PAGE 07 02-503-7249

원 본

외 무 부

종 별 :

번 호 : GVW-1195 일 시 : 91 0627 1500

수 신 : 장관(통기,경기원,재무부,농림수산부,상공부)

발 신 : 주제네바대사

제 목 : UR/ 농산물 주요국 비공식 회의

1. 7.2-3 개최 예정인 표제 주요국 비공식 회의소집 통지서를 별첨 송부함.

2. 동 회의에서는 보조금 상계관세 그룹합의초안을 논의하고, 그후 대안 문서에대하여논의할 예정임.

첨부: 관련회의 소집 통지서 1부

(GVW(F)-0224). 끝

(대사 박수길-국장)

통상국 2차보 경기원 재무부 농수부 상공부

PAGE 1

91.06.28 01:27 DN

외신 1과 통제관

0269

1991-06-27 15:48 KOREAN MISSION GENEVA 2 022 791 0525 P.01
JUN-26-'91 10:45 ID:' 0041' 731 42 06 TEL NO: GATT GENEVE #018 P01

GATT **FACSIMILE TRANSMISSION**

Centre William Rappard GVW(F)-324 .10629 1520 Telefax: (022) 731 42 06
Rue de Lausanne 154 GVW-1185 Telex: 412324 GATT CH
CH-1211 Genève 21 Telephone: (022) 739 51 11

Secretary	Counsellor	Minister	Ambassador

TOTAL NUMBER OF PAGES 1 Date: 26 June 1991
(including this preface)
CGT/807-7

From: Arthur Dunkel Signature:
Director-General
GATT, Geneva

To:			Fax No:
	ARGENTINA	H.E. Mr. J.A. Lanus	798 72 82
	AUSTRALIA	H.E. Mr. D. Hawes	733 65 86
	AUSTRIA	H.E. Mr. F. Ceska	734 45 91
	BRAZIL	H.E. Mr. R. Ricupero	733 28 34
	CANADA	H.E. Mr. J.M. Weekes	734 79 19
	CHILE	H.E. Mr. M. Artaza	734 41 94
	COLOMBIA	H.E. Mr. F. Jaramillo	791 07 87
	COSTA RICA	H.E. Mr. K. Barzuna	733 28 69
	CUBA	H.E. Mr. J.A. Pérez Novoa	758 23 77
	EEC	H.E. Mr. Tran Van-Thinh	734 22 36
	EGYPT	H.E. Dr. N. Elaraby	731 68 28
	FINLAND	H.E. Mr. A.A. Hynninen	740 02 87
	HUNGARY	Mr. A. Szepesi	738 46 09
	INDIA	H.E. Mr. B.K. Zutshi	738 45 48
	INDONESIA	H.E. Mr. H.S. Kartadjoemena	793 83 09
	ISRAEL	Mrs Eva Gover (Brussels)	32 2 374 98 20
	JAMAICA	H.E. Mr. L.M.H. Barnett	738 44 20
	JAPAN	H.E. Mr. H. Ukawa	733 20 87
	KOREA	H.E. Mr. Soo Gil Park	791 05 25
	MALAYSIA	Mr. Supperamanian Manickam	788 09 75
	MEXICO	H.E. Mr. J. Seade	733 14 55
	MOROCCO	H.E. Mr. M. El Ghali Benhima	798 47 02
	NEW ZEALAND	H.E. Mr. T.J. Hannah	734 30 62
	NICARAGUA	H.E. Mr. J. Alaniz Pinell	736 60 12
	NIGERIA	H.E. Mr. E.A. Azikiwe	734 10 53
	PAKISTAN	H.E. Mr. A. Kamal	734 80 85
	PERU	Mr. J. Muñoz	731 11 68
	PHILIPPINES	H.E. Mrs. N.L. Escaler	731 68 88
	POLAND	Mr. J. Kaczurba	798 11 75
	SWITZERLAND	H.E. Mr. W. Rossier	734 56 23
	THAILAND	H.E. Mr. Tej Bunnag	733 36 78
	TURKEY	H.E. Mr. C. Duna	734 52 09
	UNITED STATES	H.E. Mr. R.H. Yerxa	799 08 85
	URUGUAY	H.E. Mr. J.A. Lacarte-Muró	731 56 50
	ZIMBABWE	H.E. Dr. A.T. Mugomba	738 49 54

The next consultations on agriculture will start at 11 a.m. on Tuesday, 2 July 1991, in Room E of the Centre William Rappard, and will continue on the morning of Wednesday 3 July. Attendance is restricted to two persons per delegation.

On Tuesday morning the secretariat will present an introduction on the draft (NG10) text on subsidies and be available to answer any questions participants might have. The discussions on Tuesday afternoon and Wednesday morning will focus on the Chairman's Note on Options in the Agriculture Negotiations which was circulated in document MTN.TNC/W/85.

PLEASE NOTIFY US IMMEDIATELY IF YOU DO NOT RECEIVE ALL THE PAGES

0270

** OUR FAX EQUIPMENT IS HITACHI HIFAX 210 (COMPATIBLE WITH

경 제 기 획 원

통조이 10520- 436 (503-9146) 1991.6.26.

수신 외무부장관

참조 통상국장

제목 UR/농산물협상 및 양자협의 참가

스위스 제네바에서 개최되는 농산물 수입자유화 예시계획관련 양자협의 및 UR/농산물협상에 아래와 같이 참가코자 하오니 해외출장에 필요한 조치를 취하여 주시기 바랍니다.

- 아 래 -

가. 출장자

소 속	직 위	성 명
대외경제조정실 통상조정2과 GATT Division, int'l Policy Coordination Office, E.P.B	과 장	김 명 식 KIM Myung-Shik

나. 출장지: 스위스 제네바

다. 출장기간: '91.6.29-7.5

라. 출장목적: UR/농산물협상 및 양자협의 참가

마. 여행경비: 당원부담 끝.

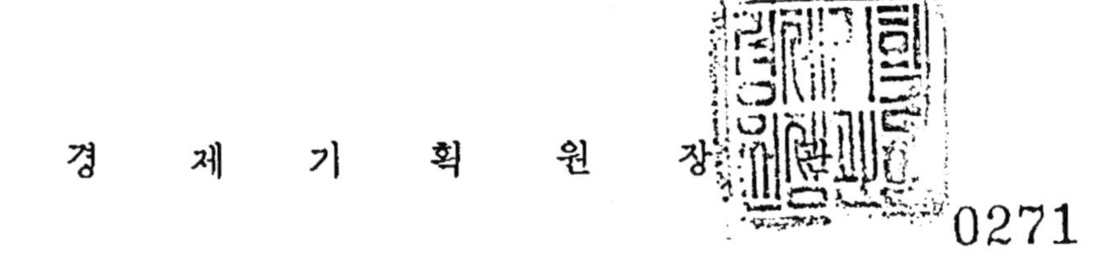

경 제 기 획 원 장

0271

관리번호 91/444

외 무 부

원 본

종 별 :
번 호 : GVW-1205 일 시 : 91 0627 1900
수 신 : 장관(통기, 경기원, 재무부, 농림수산부, 상공부, 특허청)
발 신 : 주 제네바 대사
제 목 : 던켈 OPTION PAPER 에 대한 평가등- 평화그룹 오찬

금 6.27(목) 홍콩 주최로 개최된 평화그룹 오찬에 ANELL 스웨덴대사, LACARTE 우루과이 대사, SHANNON 카나다대사등 12 개국 대표들이 참석, 6.24. 제출된던켈 PAPER 등에 대하여 아래요지의 의견을 교환하였음

가. 농업문제에 대한 던켈 OPTION PAPER 는 과거 DE ZEEUW PAPER 및 HELLSTROM PAPER 의 실패 전례에 비추어 교섭현황을 OPTION 형식으로 정확하게 반영하면서 모든 대안을 균형되게 나열하고 있다는 점에서는 장점이 있다고 볼수있으나앞으로 나아가야 할 당위적인 방향을 PRESCRIPTIVE 한 방법으로 제시하고 있지못한 점이 큰 결점이므로 앞으로 집중적인 교섭을 진행하여 7 월말까지 PERSCRIPTIVE 하고도 기본 방향을 제시하는 PAPER 를 내놓지 못할 경우 금년말까지의 교섭타결은 비관적으로 보임. 따라서 7.2 부터 시작되는 동 OPTION PAPER 에 대한 토의는 극히 중요성을 지닌다고 보아야 함.

나. EC, 미국등 QUAD GROUP 이 자주 회동하고 있는것은 대단히 고무적인 일이나 이들이 서비스, 분쟁해결등을 토의하고 있을뿐 농업문제는 비공식적인 토의조차 하지 못하고 있는 상황임. 따라서 G-7 정상회담등을 계기로 특히 미국, EC 등간의 상호 양보를 통한 정치적인 절충이 이루어져야 할 것으로 봄.

다. 농업분야의 교섭이 적극적으로 행해 질때 다른 분야의 현안들도 UNBLOCK 된다는 것이 지배적인 견해이기는 하나 그럼에도 불구하고 농산물분야 못지않게 중요한 문제들이 서비스, TRIPS, 시장접근 분야등에 그대로 남아있는바, 특히서비스에서는 미국 해운업계의 LOBBY, 금융문제에 대한 재무성의 견해등이 작용하여 미국이 종래입장을 변경하기 어려운 상황을 보여주고 있으며, TRIPS 분야에서는 미국이 다자적인 차원보다는 오히려 쌍무적인 차원에서 더 많은것을 획득할 수 있다는 인상을 주고 있어 농업문제와는 별도로 이들문제에 대해서도 활발한

통상국	장관	차관	2차보	분석관	정와대	안기부	경기원	재무부
농수부	상공부	특허청						

PAGE 1

91.06.28 08:28
외신 2과 통제관 BS

검토필 (1991. 6. 30)

일반문서로 재분류 (1991 . 12 . 31 .)

0272

교섭이 7 월말까지 진행되어야 할 필요성이 있음

라. 규범제정 분야에서도 보조금, 상계관세, 반덤핑, BOP 등 현안 주요 문제가 많음에도 불구하고 MACIEL 의장이 효과적으로 문제에 대처하지 못하고 있는듯한 인상을 주고 있어 이분야에서도 새로운 많은 노력이 필요할것으로 봄. 한편MFA 문제에서도 수출개도국과 수입국간의 첨예한 의견대립으로 아직도 아무런 진전을 보이지 못하고 있는바 던켈총장도 이문제에 대하여 양측의 팽팽한 대립으로 7 월말경이 되어야 문제의 해결방향을 알수있을 것이라는 조심스러운 견해를 표시하고 있음.

마. 본직은 이상의 견해에 관하여 MFA 문제는 ITCB 가 제시한 3 가지 조건으로 팽팽한 대립을 보이는바 선진국들로 부터 상기 3 가지 조건이 추후 양자간 교섭과정에서 적의 반영시킬수 있다는 보장만 있다면 일단 17 개월 연장선에서 타협의 여지가 없는 것은 아니라는 견해를 사견으로 표시하고, 농업문제에 대해서 금번 OPTION PAPER 가 누구도 만족시킬수 있기도 하고, 없기도한 나열적인 OPTION PAPER 이기는 하나 현상황에서 던켈의 입장을 이해할 수 있다고 전제하고 던켈 PAPER 가 갖고 있는 여러가지 취약성에도 불구하고 7 월말까지는 보다 PRESCRIPTIVE 한 내용으로 발전되도록 평화그룹이 함께 노력하여야 할것이라는 점을지적하였음. 끝

(대사 박수길-국장)

예고:91.12.31. 까지

외 무 부

종 별 :

번 호 : ECW-0534 일 시 : 91 0628 1630

수 신 : 장 관 (통기,경기원,재무부,농림수산부,상공부)사본:주미,제네바직송필

발 신 : 주 EC대사

제 목 : 갓트/UR 농산물협상

1. 6.27. 개최된 EC 농업이사회에서 MAC SHARRY집행위원은 표제 협상 관련한 DUNKEL갓트사무총장의 OPTION PAPER 는 많은 미비점들이 있음에도 불구 하고, 유익한 참고(REFERENCE) 가 될 것이라고 평가함. 특히 동인은 EC 의주요관심사 안인 REBALANCING 문제와 86 이후 취한 조치에 대한 CREDIT 부여문제가 언급되어 있지 않은 것에 대해 유감을 표시하였으며, 그러나 동 PAPER 에서 GLOBALITY 개념이 명확히 언급된것에대하여는 환경을 표명함

2. 한편, 동 이사회에 참석한 회원국 각료들은 MAC SHARRY 위원의 평가에 대해 지지를 표명하면서 동 이사회에서 기히 부여한 협상 MANDATE를 준수해 줄 것을 다시요구함. 끝

(대사 권동만-국장)

통상국 2차보 경기원 재무부 농수부 상공부

PAGE 1 91.06.29 07:51 WH

외신 1과 통제관

0274

정 리 보 존 문 서 목 록					
기록물종류	일반공문서철	등록번호	2019080087	등록일자	2019-08-13
분류번호	764.51	국가코드		보존기간	영구
명 칭	UR(우루과이라운드) / 농산물 협상 그룹 회의, 1991. 전7권				
생 산 과	통상기구과	생산년도	1991~1991	담당그룹	다자통상
권 차 명	V.4 7-8월				
내용목차	* 2.26. TNC, Dunkel 사무총장 제안서 채택 4.25. TNC, 농산물 그룹 의장에 Dunkel 선임 6.12. Dunkel 현황 보고서 배포 6.24. Dunkel 대안(optional paper) 제시 8.2. Dunkel 대안(6.24.) 부록 배포 11.21. Dunkel working paper 제시 - 11.25. Dunkel 작업문 초안 관련 농림부 장관 서한 발송 12.13. Dunkel 의장 농산물 협상 협정 초안 배포 - 12.17. 민감품목 관세화 예외 인정 수정 제안 사무총장앞 서면 제출				

0001

기 안 용 지

분류기호 문서번호	통기 20644-	(전화: 720 - 2188)	시 행 상 특별취급	
보존기간	영구. 준영구 10. 5. 3. 1.	차 관	장 관	
수 신 처 보존기간		전 결		
시행일자	1991. 6.28.			

보조기관	국 장		협조기관	제2차관보	문 서 통 제
	심의관				
	과 장				
기안책임자	송 봉 헌				발 송 인

경 유 수 신 참 조	건 의	발신명의		
제 목	UR/농산물협상 회의 및 수입자유화 예시계획 양자협의 정부대표 임명			

91.7.2-3간 스위스 제네바에서 개최되는 UR/ 농산물 협상 주요국 협의 및 91.7.1 개최되는 '92-'94 수입자유화 예시 계획관련 미국, 호주, EC등 이해관계국과의 양자협의에 참가할 정부대표를 "정부대표 및 특별사절의 임명과 권한에 관한 법률"에 의거 아래와 같이 임명할 것을 건의하오니 재가하여 주시기 바랍니다.

계 속 ......

0002

- 다 음 -

1. 회 의 명 : UR/농산물협상 주요국협의 및 '92-'94 수입자유화

예시 계획관련 양자협의

2. 회의기간 및 장소 : 91.7.1-3, 스위스 제네바

3. 정부대표

o 농림수산부 농업협력통상관 조일호

o 경제기획원 통상조정2과장 김명식

o 농림수산부 통상협력담당관 손정수

o 농림수산부 농업협력통상관실 사무관 윤장배

o 주 제네바 대표부 관계관

o 한국 농촌경제연구원 부원장 최양부(자문)

- UR/농산물협상 주요국 협의에만 참석

4. 출장기간 : 91.6.29-7.5 (6박7일)

5. 소요경비 : 소속부처 소관예산

6. 훈 령 : 별도 건의 예정. 끝.

0003

농 림 수 산 부

국협 20333-462 503-7227 1991. 6. 28.

수신 외무부장관

참조 통상국장

제목 UR농산물협상 주요국 비공식회의 및 수입자유화 예시계획 관련양자협의 참석

1. '91. 7. 1 주제네바 대표부에서 개최예정인 수입자유화 예시계획 관련 이해 관계국과의 양자협의와 '91. 7. 2 - 3간 개최예정인 UR농산물협상 주요국 비공식회의에 다음과 같이 당부대표를 파견코자 하오니 협조하여 주시기 바랍니다.

- 다 음 -

가. 당부대표단

구분	소 속	직 위	성 명	비 고
대표	농업협력통상관실	농업협력통상관	조일호	o UR농산물협상 주요국 비공식회의 및 자유화 예시계획 양자협의 참석
	"	통상협력담당관	손정수	"
	"	행정사무관	윤장배	o "
자문	한국농촌경제연구원	부 원 장 (장관자문관)	최양부	o UR농산물협상 주요국 비공식회의 참석 (소요경비 : 농림수산부 부담)

나. 출장기간 : '91. 6. 29 - 7. 5 (7일간)

다. 출 장 지 : 스위스 제네바

라. 출장목적 : UR농산물협상 주요국 비공식회의 및 수입자유화 예시계획 관련 양자협의 참석

마. 소요경비 : 농림수산부 부담

0004

국협 20333-　　　　503-7227　　　　1991. 6. 28.

첨부 1. 출장일정 및 소요경비 내역 1부.

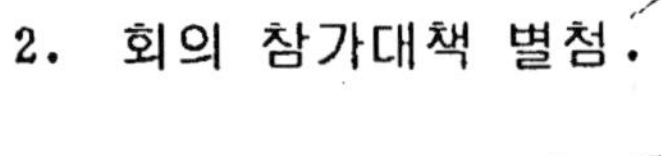

2. 회의 참가대책 별첨. 끝.

농 림 수 산 부 장 관

0005

출장 일정 및 소요 경비 내역

가. 출장일정

'91. 6.29.	12:40	서울발(KE907)
	17:55	런던착
	20:00	런던발(SR837)
	22:30	제네바착
6.30		대책회의
7. 1		수입자유화 예시계획 관련 주요국 양자협의 참석
7. 2 7. 3		UR 농산물 협상 주요국 비공식회의 참석
7. 4	18:35	제네바발(SR836)
	19:55	런던착
	20:30	런던발(KE908)
7. 5	17:30	서울착

나. 소요경비내역

(1) 국외여비 : $11,740(지변과목 : 1113 - 213)

구 분	농업협력통상관, 부원장		통상협력담당관, 윤장배 사무관	
항 공 료		$2,151		$2,151
일 비	$25 x 7일 =	$ 175	$20 x 7일 =	$ 140
숙 박 비	$79 x 5일 =	$ 395	$66 x 5일 =	$ 330
식 비	$46 x 6일 =	$ 276	$42 x 6일 =	$ 252
체재비계		$ 846		$ 722
합 계	$2,997 x 2인 =	$5,994	$2,873 x 2인 =	$5,746

(2) 특별판공비 : $2,000(지변과목 : 1113 - 234)

0006

UR농산물협상 비공식회의 및 BOP자유화 예시계획 양자협의 참가대책

I. 금차회의 개요

1. 일 시 : '91.7.1 - 7.3

   0 7. 1 : BOP자유화 예시계획 양자협의(미국,EC,카나다,호주,뉴질랜드)

   0 7.2-3 : UR농산물협상 주요국 비공식회의

2. 장 소 : 스위스 제네바

3. 회의의제

   0 농산물 주요국 비공식회의

   - 농산물그룹의장 협상진행 대안서(Options - Paper)협의

   0 BOP '92-'94 자유화 예시계획 양자협의

   - 자유화 예시계획에 대한 주요국 관심사항 협의

4. 당부대표단

구 분	소 속	직 위	성 명	비 고
대 표	농림수산부	농업협력통상관	조일호	0 UR비공식회의 및 양자협의 참가
		통상협력담당관	손정수	"
		국제협력담당관실 행정사무관	윤장배	"
자 문	농 경 연	부원장(장관자문관)	최양부	0 UR비공식회의 참가

0007

II. 금차회의 참가대책

1. 농산물협상 주요국 비공식회의

가. 금차회의 성격과 전망

0 6.24 던켈 농산물그룹 의장이 제시한 협상진행 대안서(Option Paper)에 대한 각국의 1차적인 반응을 진단하는데 중점을 둘 것으로 예상

0 즉, 대안서의 작성배경과 성격규명, 수출.수입국 또는 선진 개도국간의 전반적인 균형유지 문제, 기술적 논의과정에서 제기된 사항의 반영여부, 누락된 사항의 추가반영 또는 불분명한 사항을 명확히 하는선에서 토의가 이루어질 것으로 전망

0 따라서 쟁점사항별 대안에 대한 의견조정 내지는 대안의 선택 문제에 대한 협상진전은 어려울 것으로 전망

나. 금차회의 참가대책

(1) 기본방향

0 '91.1.9 대외협력위원회에서 확정된 정부의 기본입장을 토대로 하되 그동안의 기술적 쟁점사항 논의과정에서 제시한 아국입장과의 일관성이 유지되는 방향에서 협의과정에 적극 참여

0 특히, 식량안보, 11조2항C, 개도국우대등 대안서에 반영된 아국의 핵심적 관심사항을 유지, 관철하는데 주력

0008

0 아국의 관심사항중 대안서에 포함되지 않는 사항의 추가반영, 불분명한 사항의 명확화 하는데 역점을 두되 주요국의 관심사항중 아국의 협상 Leverage로 활용가능한 사항을 발굴, 협상동향을 보아 신축적으로 대처

(2) 쟁점사항별 협상대책

0 세부 쟁점사항에 대한 대안별로 아국의 핵심적 관심사항, 협상의 Leverage로 활용할 사항, 추가적으로 반영할 사항, 명료화 해야할 사항등으로 구분하여 탄력적인 협상 대책을 추진

※ 쟁점사항에 대한 대안별 협상대책 별첨

2. BOP '92-'94 수입자유화 예시계획 양자협의

가. 양자협의의 성격과 예상

0 4.24 GATT이사회에서 제시한 '92-'94 자유화 예시계획에 대하여 주요 교역상대국들이 관심사항을 중점 제기할 것으로 예상

- 관심품목의 추가반영 또는 수입쿼타 확대요구

- UR협상과 BOP예시계획의 연계문제등

0 또한, 자유화의 이행방법, 예시품목의 관세율, 검역규제조치 내용등에 대한 설명요청과 자료요구가 있을 것으로 예상

0009

나. 양자협의 대책

(1) 기본방향

0 교역상대국의 불만 또는 의문사항에 대하여 4.24 GATT 이사회에서 제시한 기존입장을 토대로 대처하되 명쾌한 합의도출은 기대하지 않음

0 상대국의 의문제기사항에 대하여는 명확한 설명과 자료를 제공

0 교역상대국의 공통 관심사항에 대하여는 설득력 있는 대응논리를 제시하여 아국 입장을 충분히 전달하는데 주력

0 국가별 관심품목의 추가예시 또는 수입쿼타 확대에 대하여는 현단계에서 수용할 수 없음을 밝히고 BOP협의를 통한 해결보다는 UR협상타결에 노력할 필요가 있음을 강조

(2) 예상되는 쟁점사항별 대책

0 별첨 대응논리로 대처하되 중대한 사항은 본부에 청훈하도록 하며, 그밖의 경미한 사항은 현지사정을 감안하여 적절히 대처

0010

〈 쟁점사항에 대한 대안별 협상대책 〉

1. 대안서에 반영된 아국의 핵심적 관심사항

의 의

0 의장 대안서에서 제시된 대안중 1.9 대외협력위원회 결정사항과 관련되며 앞으로의 협상에서 채택되어야 할 아국의 중요 관심사항

대안내용

〈 국내보조 〉

0 허용대상 정책에 대한 상한설정을 인정않는 대안(8항)

0 허용대상 정책의 기준과 관련, 세부정책(정책군)별로 별도의 완화된 기준을 인정하는 대안 (12항b)

0 감축대상 AMS중 시장가격지지 산출에 있어 국경보호를 제외하는 대안(18항 a)

〈 국경보호 〉

0 식량안보등 비교역적기능과 11조2항C를 관세화대상에서 제외하되 항구적으로 인정되어야 한다는 대안(30항 2-b)

0011

0 11조2항C를 개정, 항구적으로 존치하여야 한다는 대안(37항 2-2)

0 식량안보와 여타 NTC가 현행 규범 또는 새로운 규범에 명확히 항구적으로 반영되어야 한다는 대안(37항 3-2)

0 수입 금지적으로 높은 품목에 대하여만 TQ를 부여하는 대안(35항 2-a)

0 수입제한 조치를 전제로하여 TQ를 부여하는 대안(35항 2-b)

0 국내보조 감축약속에 있어 개도국에 전부 또는 일부예외를 인정하는 대안(23항 2)

0 국경보호에 있어 감축율과 이행기간에 있어 개도국 우대를 인정하는 대안(39항)

〈 수출보조 〉

0 농산물 수출보조는 일반 보조금과는 달리 별도의 규범에 의해 규제되어야 한다는 대안(53항)

대 책

0 아국의 관심사항이 반영된 상기대안들이 협상에서 채택되고 양후 Outline of Framework에 반영하는데 주력

0 아국의 특수한 입장에 대한 강조보다는 객관적이고 보편 타당성 있는 대응논리를 정립, 다수국으로부터 협조와 지지를 확보하는 방향으로 전략을 추진

0012

2. 협상에서 Leverage로 활용할 대안

의 의

0 우리의 직접적, 핵심적 관심사항은 아니나 미국,케언즈그룹,EC등 주요협상국들간 첨예하게 대립하고 있는 쟁점사항으로 아국이 협상에서 Leverage로 활용가능한 대안

대안내용

0 국내보조 감축을 특정정책별로 하는 대안과 AMS를 기준으로 하는 대안(14항)

0 감축대상 AMS중 직접지불 산출에 있어 내외가격차를 기준으로 하는 대안과 재정 지출을 기준으로 하는 대안(18항 a)

0 Direct Payment를 수출보조로 보는 대안과 국내보조로 보는 대안(18항 b)

0 특별 Safeguard와 Corrective Factor를 인정하는 대안과 항구적 또는 경과조치로서 인정하는 대안(32항)

0 수입금지적으로 높은 TE품목에만 TQ를 부여하는 대안과 모든품목에 일률적인 TQ를 부여하는 대안(35항)

0 수출보조 감축기준을 재정지출 또는 수출물량으로 하는 대안과 단위당 지원액을 기준으로 하는 대안(49항)

대 책

0 주요 협상국들간의 의견접근을 상호견제하는 대안으로 활용함으로서 아국의 핵심적 관심사항과의 Trade - Off등 아국에 유리한 분위기를 조성하는데 주력

0013

3. 아국의 관심사항중 누락된 사항

의 의

0 기술적 협의에서 충분히 논의되어 하나의 대안으로 채택될 수 있는 여건이 조성되었음에도 의장대안서에 반영되지 않은 사항

대안내용

0 국내보조 감축이 있어 인프레를 반영한 실질가격 기준으로 감축약속이 이루어 져야 한다는 대안(제15항)

- 대안서에서는 과도한 인프레의 반영만 언급

0 AMS 산출치 조정방법으로 수입비중과 상품화율이 반영되어야 한다는 대안(19항)

- 생산통제 비율만 고려하는 대안만 제시

0 특별 Safeguard 발동수단중 수량제한도 인정해야 한다는 대안(32항)

- 대안서에는 관세인상 방식만 인정

0 시장접근분야에서 단계적 관세화, 특별예외 품목인정등 수입개도국 우대를 인정하는 대안 (39, 40항)

대 책

0 대안별로 주요 관심국과 공동보조하여 추가적인 대안으로 채택되는데 주력하되, 협상 분위기를 보아 융통성 있게 대처

0014

4. 개념과 내용이 불명확한 사항

의 의

0 대안서 내용이 불분명하여 보다 구체적으로 명료화해야할 필요가 있는 사항

대안내용

0 관세화의 대상이되는 비관세조치 범위에서 수량제한에 웨이버, 가입의정서, 18조B가 포함되는지 여부(29항)

0 최소시장접근 보장은 관세화 대상품목만 해당되는지의여부(35항)

0 35항 b의 「관세화를 사용하지 않는 경우 국경에서 유지되는 조치의 형태」는 구체적으로 어떠한 조치를 의미하며, 식량안보, 11조2항C, 가변부과금제도등과 관련되는지 여부등

대 책

0 던켈의장 및 GATT사무국측에 구체적인 설명을 요청하고, 필요시 아국입장에 유리한 방향으로 해석, 개선 또는 보완하는 대안을 적극적으로 제시

0015

〈 GATT/BOP 예시계획 양자협의 참가대책 〉

Ⅰ. 공통 관심사항 쟁점별 대응논리

1. 관심품목 반영문제

쟁점 : 관심품목 반영이 미흡하고 균형되게 반영되지 않음

- 여러가지 어려운 여건(국내상황)에도 불구 최선을 다한 것임을 구체적으로 설명
- 무역이익 측면에서 균형되게 반영되지 않았다는 주장에 대해서는
  . 관심품목별로 관심의 정도차이, 교역상대국별 여건등 많은 고려요소를 동시에 만족하는 균형된 자유화계획 수립은 현실적으로 어려움을 설명
- BOP 합의사항에도 『수입제한 조치를 단계적으로 없애 나가는데는 어느정도 융통성(appropriate flexibility)이 필요하다』는 것을 언급(para 11)하고 있음을 강조

쟁점 : 관심품목 추가 반영 또는 Quota 허용 요청

- 공통 추가반영 요구품목(9개) : 냉동닭고기, 기타어류, 냉동오징어, 치즈(2), 천연꿀, 오렌지, 포도, 사과
- 예시내용이 BOP 합의사항에 명백히 어긋나는 것은 없으므로 예시내용 변경은 있을 수 없음을 주장 (국내 여건상 현실적으로도 불가능함을 설명)
- UR 이 타결되지 않더라도 '94.3 월에는 '95~'97 계획을 예시할 것임을 환기시킴
  . Quota 추가 문제에 대해서는 본부에 보고하겠다는 정도로 대응
- BOP 합의사항에 『체약국들은 자유화 예시품목과 관련 GATT 상 권리행사를 자제해야 한다(exercise due restraint)』고 언급(para 13) 되어 있음을 상기시킴

0016

2. UR 과의 관계

쟁점 : BOP 와 UR 은 별개이므로 '97 까지 자유화계획은 UR 과 관계없이 이행

- BOP 합의사항에 『'97 까지 자유화, 아니면 (otherwise) GATT 규정에 일치시킨다』고 되어 있으므로 UR 타결시 새로운 GATT 규범에 따르는 것은 BOP 합의를 이행하는 것임을 주장

- UR 이 타결되어도 UR 결과에 따르지 않고 BOP 합의만 이행하면 되는가 반문

- UR 타결시점에서 쌀등 기초식량을 제외 모두 관세화 하겠다는 것은 UR 타결이 얼마 남지 않은 상황에서 아국의 조기 자유화 의지를 보여주는 것임을 설득

- 브랏셀에서 UR 이 타결되었다면 이번 예시는 없었을 것임을 강조

0017

3. 자유화 이행방법 설명

ㅇ 예시품목별 구체적 자유화 이행절차, 수입제도 등

- 매 이행연도 1.1 부터 자유화하고 관세 및 검역규제 이외 제한조치 없음을 설명

ㅇ Phasing out restriction 의 명확한 의미

- 연차적으로 자유화 품목수를 늘려나간다는 의미에 지나지 않음을 설명

※ 검역규제등을 연차적으로 삭감한다는 의미가 아님을 강조

ㅇ 자유화 예시품목의 관세율 적용 방법

- 관세제도 개요 설명(별첨 자료) 및 품목별 적용 관세율 자료 제공(양허세율 포함)

※ 비 양허품목의 관세율은 변경될 수 있음을 강조

ㅇ 검역규제의 과학적근거 및 국제적 관행 입각 주장

- 아국도 동의하고 있고 이를 위해 노력하고 있음을 설명

※ 예시품목별 동식물 검역규제 관련자료 제공

0018

Ⅱ. 교역상대국별 대응

대 미국 Talking Point

o 제2차관보가 예시계획 발표직후 방미 설명

o 75%가 무역이익면에서 의미가 없다는 주장을 하나 품목별 관심의 정도차이까지 고려한다는 것은 현실적으로 어려웠음.

o 미국 관심품목중 40%에 가까운 36.6%가 반영되었음.

o UR을 주도하고 있고 예외없는 관세화를 주장하고 있는 나라로서 아국이 UR 타결 이후에도 BOP 합의사항만을 예외로 해야 한다고 주장하는가?

o 아국은 '90년도의 경우 세계 제 3 위 미국 농산물 수입국이고 UR 타결시 더 많은 농산물 수입가능성

o 양허품목은 양허세율로, 기타 품목은 현행 관세율로 자유화해야 한다는 BOP 합의는 없었음 (비양허 품목의 관세조정은 각국의 고유 권한)

o 관세문제는 원칙적으로 UR 협상에서 다루어져야 할 사항이나 미국의 관심을 감안 해바라기씨유 관세인하 조치 (35 % → 25 %)

o 검역규제 관련문제 또한 양자간 협의를 통해 협력을 원만히 증진시키고 있음.

o 기타 미 해결 현안사항도 긍정적으로 해결전망

0019

대 카나다 Talking point

- o 제2차관보가 예시계획 발표직후 카나다 방문 설명
- o UR 협상에서 11 조 2 C 등 수입자유화 예외규정 강화를 주장하고 있는 나라로서 아국의 어려움을 충분히 이해할 것으로 생각
- o 이번 예시에서 카나다 관심품목의 36.6 %가 반영되었음.
- o 특히 수산물이 많이 예시되어 무역이익 측면에서도 다른나라보다 유리할 것임.
- o 기타 냉동어류(0303-70-9090)가 예시에서 제외된데 대해 관심이 많은 것으로 알고 있으나 모든 기타어류가 이에 해당되기 때문에 조기 자유화가 어려웠음.
- o 최근 유채유에 대해서는 10,000 톤에 대해 관세인하(25 %) 조치한 바 있음.
- o 알팔파 펠렛 및 큐브도 100 천톤까지 관세인하 (양허 15 % → 10 %)
- o 사료용 보리, 수출촉진기금, NAFO 가입, 임산물 무세화, 농업분야 MOU 체결 문제도 계속 협의하면 언젠가 좋은 결론이 나올 것임.

0020

대 호주 Talking point

o 축산국장이 예시계획 발표직후 아국입장 설명

o 전체적으로 아국이 대 호주 무역수지 적자이고 쇠고기등 한.미 양자협상결과 가장 많은 이익을 보고 있으며 UR 이 타결되면 더욱 많은 이익을 볼 수 있음에도 불구, 아국의 BOP 합의이행에 그토록 관심이 많은 이유?

o 낙농품, 천연꿀, 신선과실, 육류등 관심품목이 제외되었다고 하나, 이번 예시에서 제외된 품목을 모두 열거하는 것임.

o 다소 미흡한 점이 있더라도 한.호 농산물 교역상황(현실)을 인식하여 주기 바람.

o 낙농제품은 현재도 Quota 수입, 꿀, Corn meal (1103), Corn groat (1104) 등 관심품목도 모두 UR 이 타결되면 자유화 (관세화), 최소시장접근 허용

o 식물검역 문제(OFF, 퀸즈랜드 광대파리등)도 양측 전문가끼리 만나서 논의하면 좋은 결과가 나올 것임.

0021

대 뉴질랜드 Talking point

o 축산국장이 예시계획 발표직후 뉴질랜드 방문 설명

o 전체적으로 아국이 무역적자, 쇠고기의 수입량도 계속 늘고 있음.

- 적 자 액 : ('88) △70 → ('89) △165 → ('90) △322 백만$
- 쇠고기 수입량 : ('88) 15 → ('89) 1,458 → ('90) 3,483 톤

o 아국의 BOP 예시배경, 이와 관련한 뉴질랜드 관심사항은 4.30 대외무역성 차관 (Ansell) 방한시 자세히 설명하였는데 BOP Consultation 을 별도 요청한 저의는?

o 어린면양고기(0204-30-3000)에 Cut meat 포함여부는 이미 뉴질랜드 대외무역성 차관이 당부 방문시등에 입장을 밝힌 바 있음.

o 기타 현안

- N.Z 측에서 수산분야 입어료 반환문제등도 적극 해결 노력 필요

0022

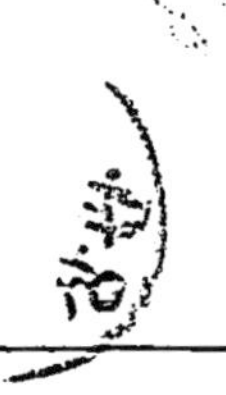

대 EC Talking point

o 통상국장이 예시계획 발표직후 EC 방문 설명

o 관심품목 112 개 기준시 38.4 %가 반영되어 미국, 카나다, 호주, 뉴질랜드 보다 더 많이 반영되었음.

o 일부 회원국의 불만은 이해하나 국별로 BOP 예시문제를 제외하고 기타 상호 관심 사항을 해결해 나가도록 노력하는 것이 바람직 하다고 봄.

o EC 에서 한국에 수출을 많이 하고있는 유채유에 대해서 관세인하 조치를 하였음. (35 → 25%)

- '91.5말 현재 총 9,430 M/T 수입중 EC 에서 8,000톤 수입

※ 현안문제

- 구근류 격리재배(화란), 원피 수입항 추가지정(화란), 원피 수입허용(프랑스, 벨기에, 이태리, 오스트리아, 독일), 돼지고기등 수입검역(화란, 프랑스), 쇠고기 수입검역(프랑스), 고추.마늘 수입허용(스페인)

0023

Ⅲ. Consultation 대응 당부입장 (훈령안)

1. 아국의 GATT/BOP 수입자유화 예시와 관련한 주요 교역상대국과의 협의에 임하는 당부의 기본지침은 아래와 같음.

   o 교역상대국의 불만.이의.의문 제기사항에 대하여 쟁점별로 기존 입장을 보완.발전시켜 의연하게 대처하되 명쾌한 합의도출은 기대하지 않음.

   o 특히 의문제기 사항에 대하여는 명확한 설명 및 자료를 제공함.

   o 교역상대국의 실질적인 관심사항은 BOP 예시관련 문제이외에도 아국과의 기타 양자간 현안의 해결, UR 협상에서의 유리한 입장 확보임을 고려하여 향후 교역상대국과의 현안문제 해결을 위해 아국정부도 적극적으로 임할 것임을 시사

2. 금번 협의에서 교역상대국은 공통적으로 아국이 4.24 GATT 이사회에서 밝힌 BOP 예시의 UR 과의 연계문제 등에 대한 아국입장의 재확인, 자유화 이행방법과 관련 설명이 명확하지 않았던 예시품목의 관세율, 검역규제등에 대한 명확한 설명 및 자료제시, 그리고 가장 큰 관심사항으로서 자국의 관심품목중 이번 예시에 반영되지 않은 품목의 추가 반영 또는 Quota 수입허용을 요청 할 것으로 전망됨.

3

0024

3. 전기 2 항 교역상대국의 공통 관심사항에 대하여 아국 대표단은 쟁점별로 별첨과 같은 대응논리로 대처하되 아국의 입장이 최대한 전달될 수 있도록 최선의 노력을 경주함.

4. 공통 관심사항이외 교역상내국별로 재기될 것으로 예상되는 사항중 관심품목의 추가 예시 또는 Quota 수입허용 요청에 대해서는 수용할 수 없음을 밝히고, 지금은 BOP 예시 협의보다 UR 타결을 위해 노력해야 할 것임을 강조함.

5. 기타 교역상대국별로 아국이 대응 또는 강조하여야 할 사항은 별첨 자료를 참고하여 융통성 있게 대처함.

6. 상기 훈령내용에 포함되지 않은 중대한 사항에 대해서는 대표단을 본부에 청훈하여 대처하되 그밖의 경미한 사항에 대하여는 현지사정을 감안, 대표단 재량에 따라 대처함.

0025

30651

기 안 용 지

분류기호 문서번호	통기 20644-	(전화: 720 - 2188)	시 행 상 특별취급	
보존기간	영구. 준영구 10. 5. 3. 1.	장 관		
수 신 처 보존기간				
시행일자	1991. 6.29.			

보조기관			협조기관		문서통제
	국 장				
	심의관				1991. 7. 01
	과 장	전 결			
기안책임자		송 봉 헌			발 송 인

경유 수신 참조	경제기획원장관, 농림수산부장관	발명의		1991. 7. 01 외무부

제 목	UR/농산물 협상 회의 및 수입자유화 예시 계획 양자협의 정부대표 임명

91.7.2-3간 스위스 제네바에서 개최되는 UR/농산물 협상 주요국 협의 및 91.7.1 개최되는 '92-'94 수입자유화 예시 계획 관련 미국, 호주, EC등 이해관계국과의 양자협의에 참가할 정부대표가 "정부대표 및 특별사절의 임명과 권한에 관한 법률"에 의거 아래와 같이 임명 되었음을 알려 드립니다.

- 1 -

0026

- 아 래 -

1. 회 의 명 : UR/농산물 협상 주요국 협의 및 '92-'94

수입자유화 예시 계획 관련 양자협의

2. 회의기간 및 장소 : 91.7.1-3, 스위스 제네바

3. 정부대표(본부)

o 농림수산부 농업협력통상관 조일호

o 경제기획원 통상조정2과장 김명식

o 농림수산부 통상협력담당관 손정수

o 농림수산부 농업협력통상관실 사무관 윤장배

o 한국농촌경제연구원 부원장 최양부(자문)

- UR/농산물 협상 주요국 협의에만 참석

4. 출장기간 : 91.6.29-7.5 (6박7일)

5. 소요경비 : 소속부처 소관예산

6. 출장 결과 보고 : 귀국후 20일이내. 끝.

- 2 -

0027

관리 번호	91/452

	분류번호	보존기간

발 신 전 보

번　　호 : WGV-0842　　910629 1207　FN 종별 :

수　　신 : 주　　제네바　　대사 . 총영사

발　　신 : 장　관 (통　기)

제　　목 : UR/농산물 협상

일반문서로 재분류 (1991 . 12. 31 .)

1. 7.2-3간 귀지에서 개최되는 UR/농산물 협상 주요국 비공식 협의에 아래 본부대표를 파견하니, 귀관 관계관과 함께 참석토록 조치바람.

o 농수산부　　농업협력통상관　　조 일 호
o 경기원　　통상조정2과장　　김 명 식
o 농수산부　　통상협력담당관　　손 정 수
o 농수산부　　국제협력과 사무관　　윤 장 배
(자　문)
o 한국농촌경제연구원　부원장　　최 양 부

2. 금번 회의에는 아래 기본입장과 본부대표가 지참하는 쟁점별 세부입장에 따라 적의 대처바람.

검 토 필 (1991 6. 30)

가. 기본입장

o 91.1.9. 대외협력위원회에서 확정된 기본입장을 토대로 하되, 그동안의 기술적 쟁점사항 논의과정에서 제시한 아국 입장과의 일관성이 유지되는 방향에서 협의과정에 적극 참여

앙 고 재	91년 6월 29일	통상국 과	기안자	과 장	심의관	국 장	차 관	장 관
			송봉헌			전결		

보안통제	외신과통제

0028

나. Dunkel 사무총장의 협상 진행 대안서에 대한 입장

o 식량안보, 11조2항 C, 개도국 우대등 대안서에 반영된 아국의 핵심 관심사항을 Framework으로 채택하는데 주력

o 아국의 핵심 관심사항중 대안서에 반영되지 않은 식량안보에 극히 긴요한 기초식량에 대한 최소 시장접근 예외 및 국내보조 허용 필요성을 적극 강조하고 추가 반영이 가능토록 노력

- 필요시 option paper에 포함되어야할 핵심 관심사항을 iteming하여 서면 제출

- Prohibitive TE 개념이 도입되지 않도록 노력

o 내용이 분명치 않은 사항에 대한 개념 명료화

- 최소 시장접근 보장 관련 식량안보 품목도 포함되는지 여부등

o 아국의 직접적인 관심사항은 아니나 주요 협상 상대국의 관심사항중 아국이 협상 leverage로 활용 가능한 사항에 대하여는 회의 동향을 보아 신축적으로 대처함으로서 아국 실리를 최대한 확보

3. 6.28(금) 개최된 UR/대책실무위원회에서는 7.4-21간 실시될 Dunkel 사무총장의 개별국과의 비공식 협의와 관련하여, 아국 입장 반영 제고를 위해 가능하면 Dunkel 사무총장이 아국을 초청하기에 앞서 아측이 동 총장을 먼저 만나 아측 입장을 전달하는 방안도 검토키로 하였으니 현지 사정을 보아 적의 추진바람.

끝. (통상국장 김 삼 훈)

0029

관리번호	91/459

원 본

외 무 부

종 별 :

번 호 : GVW-1232 일 시 : 91 0702 1100

수 신 : 장관(통기,경기원,농림수산부)

발 신 : 주 제네바 대사

제 목 : 미국농업자 협의 대표 면담

7.1. 본직은 당관을 방문한 D.KLECKNER 미국 농업자 협회(AMERICAN FARM BUREAU FEDERATION) 회장 일행을 면담, UR 농산물 협상에 관한 상호 관심사항에 대하여 의견 교환한바 요지 하기 보고함.(농림수산부 조국장, 농경연 최부원장, 천농무관 배석)

1. KLECKNER 회장 언급요지

- KLECKNER 회장은 던켈총장의 대안문서가 비교적 공정하게 작성되었으며 협상의 기초로 하는데 별 어려움이 없을 것이라고 하면서, 그러나 협상의 방향이제시되어 있지 않으므로 7 월말 또는 그이후 또다른 협상 문서가 제시될 것으로 예상하였음

- 협상 결과에 대하여는 이씨의 CAP 개혁 움직임과 관련지워 낙관적으로 본다고 하면서, 중요한 것은 타결싯점인바, 미국의 경우 92 년 선거일정 때문에 선거의 쟁점이 되지않도록 그전에 타결되어야 한다고 언급함.

- 또한 일본, 한국등의 경우 특정품목에 대한 어려움이 있는 것은 이해하나갓트에서는 장기적이고 경제적인 관점에서 무역문제를 다뤄야 하며, 정치적인 문제와 연계시키면 좋은 결과가 나오기 어렵다고함.

2. 본직언급 요지

- 이에대하여 본직은 UR 협상의 전망은 현단계에서 어려우며 보는 관점에 따라 낙관적일 수도 비관적일 수도 있을 것이지만 여타분야의 협상전망과 관련 농산물 협상의 진전이 매우 중요한바, 7 월 회의가 그런점에서 중요하다고 하였음.

- 농업문제는 어느나라에게나 어려운 분야이지만 한국에 있어서는 더욱 어려운 상황임. 쌀문제는 800 만 농민의 생계가 걸린 문제이므로 비교역적 고려사항(NTC) 개념과 관련하여 어떤 상황에서도 개방할 수 없다는 것이 정부의 입장임을 설명하였음.

- 특히 아국이 년 57 억불의 농산물을 수입하고 있고 그중 약 40 억불을 미국으로

통상국 차관 2차보 경기원 농수부

PAGE 1

91.07.03 00:24

외신 2과 통제관 CA

0030

부터 수입하고 있다고 하고, 미국이 WAIVER 등 농업보호 조치에 대한 양보없이 다른 나라에만 양보를 요구하는 것은 부당하다고 언급하였음.

- 또한 아국을 개도국으로 보지 않는다는 KLECKNER 회장의 발언에 대하여는아국이 최저개발국은 아니지만 미국, 이씨, 일본과 같은 선진국가 똑같은 정도의 약속은 할수 없다고 하고, 아국은 아국 발전 정도에 상응한 약속을 할 것이라고 하였고, 일본의 쌀 문제와 아국의 쌀 문제는 정치, 경제안보 차원에서 다름을설명하였음. 즉 한반도의 전쟁위협임 존재하는한 국가안보 차원에서 주곡인 쌀의 확보가 중요하며 이러한 점에서 쌀의 식량 안보를 강조하는 것이며, 한반도 정세의 변화가 없는한 쌀에 대한 정부의 정책은 변화하기 어렵다고 설명하였음.(최부원장 답변)

- 마지막으로 본직은 아국이 자유무역체제로 부터 많은 이득을 본 나라이므로 갓트 체제 유지 강화에 적극 노력할 것이며 이런 측면에서 UR 협상 타결을 위해 미국과 협조해 나갈 것이라고 언급하였음.

3. 한편 동인은 아측의 쌀시장 개방 불가능성에 관하여 , 만약 모든나라들이 각각 특정한 이유를 들어 특정품목의 시장개방을 예외적으로 취급할 것을 주장한다면 UR 협상은 타결이 사실상 어려울 것이라고 지적하였음을 참고로 첨언함.끝

(대사 박수길-국장)

예고:91.12.31. 까지

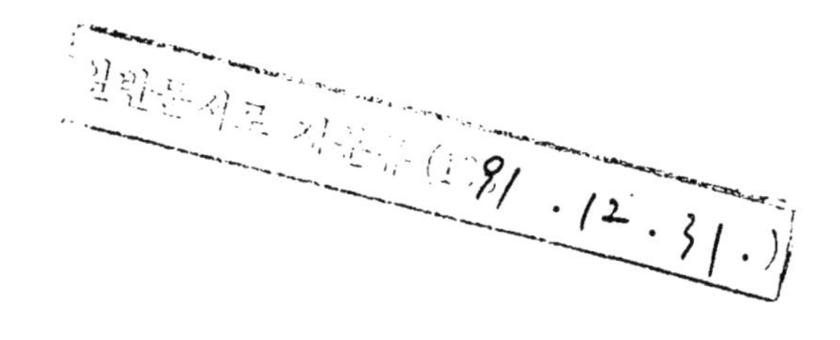

PAGE 2

0031

원 본

외 무 부

종 별 :

번 호 : GVW-1243 일 시 : 91 0703 1630

수 신 : 장 관(통기,경기원,재무부,농림수산부,상공부)

발 신 : 주 제네바 대사

제 목 : UR/ 농산물 주요국 비공식 회의

7.2.(화) 개최된 표제회의 요지 하기 보고함.

1. 보조금 상계관세 그룹 합의초안 활용 가능성

- WOZNOWSKI 갓트 규범 제정 국장으로부터 동 합의초안의 요지 설명 (1-8 조)이 있었음.

0 카나다, 호주 등 케언즈 그룹 국가들은 원칙적으로 동 합의 초안을 농산물 분야 보조 감축 약속 보장수단으로 활용하는 것을 지지하면서 보조금의 개념, 감축 대상 정책의 감축 약속 미이행분에 대한 상계조치 발동 방안, 심각한 침해의 판단기준, 금지 (특히 수출 보조금) 대상등에 대한 보완방안을 보다더 발전시켜야 한다고 주장함. 특히 카나다는 동 합의초안에는 수출 보조로 인하여 수입국의 생산자가 받는 피해에 대한 구제조치는 고려되지 않았음을 제기함.

0 이씨는 동 초안은 농업의 특수성을 고려하지않은 것이며, 현행 갓트 체제내에서 인정된 보조의 감축 약속 이행을 침해로 판정하는 것은 곤란하고 특히 수출 보조를 직접 보조와 간접 보조로 구분하기 어려울 뿐 아니라 국내.외 가격차를 기준으로한 보조금중 국제 시장가격 변동으로 인한것도 상계한다는 것은 곤란하다고 주장함.

0 오지리 및 북구는 허용 정책의 범위가 불분명한 상태에서 동 합의 초안과연계시키는 것은 곤란하므로 허용 정책에 대한 논의가 먼저 충분히 이루어져야 한다고 강조함.

0 미국은 동 합의초안 활용에 원칙적으로 동의하나 농산물 개혁 방향에 대한 논의가 충분히 이루어진후 토의하는 것이 좋겠다고 발언함.

0 아국은 동 합의 초안의 활용여부는 협상 접근방법, 국내 보조의 정의 방법, 수출 보조 의정의 및 계측 방법등 농산물 협상의 주요 요소에 대한 기본적 합의가 이루어진 후에야 실질적 논의가 가능할 것이라고 하고, 이러한 분야에 대한 협의를 선행시킨 후

통상국 2차보 경기원 재무부 농수부 상공부

PAGE 1

91.07.04 09:23

외신 1과 통제관

0032

검토하는 것이 협의 진행에 도움이 될 것이라고 하였음.

- 던켈 총장은 궁극적으로는 갓트 체제하에서 보조금 문제를 분야별로 별도 취급하는 것은 해소되야 하며, 협상 진행 촉진을 위해 동 합의 초안의 활용도 필요하다고 하고 다만 농산물과 공산품과의 차이, 16조와의 관계등과 관련 협의가 더 필요 하겠다고 하였음.

2. 대안 문서에 대한 각국 반응

- 호주는 케언즈 그룹 각료회의에서 대안문서에 대한 펴아가 있을 것이라고 하면서 구체적인 평가를 유보하고, 케언즈 그룹의 기존 입장과 다른대안들이 포함된데대하여 불만을 표시하였음.특히 관세화에 대한 예외인정, 보정 인자 (CORRECTIVEFACTOR) 에 대하여는 반대 입장을 분명히 하고, 개도국 우대를 보다 명확히 해야 한다는 점과 국내 보조에서 DE MINIMIS 개념이 추가 되어야 함을 제기함.

- 미국은 각국 입장을 공정히 반영하였다고 평가하고, 그러나 중점적인 분야를설정하지 못한점을 지적하면서, 다음 단계로의 진행방향이 중요하다고 하고, 농업개혁의 기본 골격에 대한 미국 입장에는 융통성이 없다고 하면서 관세 상당액 (TE)의 상환, TQ 의 확대, 수출 보조의 재정 지출 및 물량 기준 약속혼합 방식등을 중시하고 있다고 강조함.

- 이씨는 주요한 대안들이 포함된점은 평가하나 전반적으로 구체성이 없고, 재균형화 (REBALANCING), CREDIT 인정 문제등이 제외된점을 제기함. 또한 동 대안 문서를 기초로한 새로운 문서를 논의하는 것은 곤란하다고 하고, 수출 보조와 관련해서는깊은 논의가 없었으면서도 대안을 제시하여 내용이 피상적이라고 평가함.

- 일본은 식량안보가 포함된데 대하여 평가하고, 수입비율, AMS 상한 설정, 최저시장 접근의 예외 인정등이 포함되야 한다고 주장하였음.

- 인도, 이집트등 개도국은 개도국 우대의 확대를 주장함.

- 던켈 총장은 대안문서가 완전한 것은 아니라고 하면서 각국이 자국의 입장, 향후 협상진행방향, 기술적 협의사항중 포함되지 않은 사항등을 강조하고 있다고 하면서 협상의 촉진을 위해서는 대안을 줄이는 노력이 중요하다고 함.

0 대안문서는 수정을 하지 않을 것이라고 하고, 새로운 문서 작성 여부는 협상 참가국에 달려있으며, 협상의 진전이 없을 경우 작성되지 못할것이라고 함.

- 아국은 대안 문서에 대한 입장을 그린룸협의시 제기할 것이라고 하였음.

3. 던켈 총장은 7.3-4 기간중 1차 비공식 협의를 갖고, 10일 이후에는 집중적

비공식 협의를 진행시킬 예정이라고 하면서 필요한 경우는 고위본부 대표도 동 협의에 참석하도록 할 생각이라고하였음.

- 아국은 7.3 17:30 던켈 총장 주재의 그린룸협의를 갖기로 통보 받았음.

(10여개국 참가 예상)

- 탐문한바 일본은 7.3 15:00 비공식 협의를 갖기로했다고 함. 끝

(대사 박수길-국장)

PAGE 3

0034

원 본

외 무 부

종 별 :

번 호 : GVW-1251 일 시 : 91 0704 1500

수 신 : 장관(통기,경기원,재무부,농림수산부,상공부)

발 신 : 주 제네바 대사

제 목 : UR/ 농산물 그린룸 협의

7.3(수) 17:30-19:00 아국, 오지리, 스위스, 인도, 이집트,멕시코, 폴란드, 터키, 이스라엘, 파키스탄, 자마이카,모로코, 페루, 나이제리아, 짐바브웨(15개국)가참석한그린룸 회의가 던켈 총장 주재로 개최된바 요지 하기 보고함.

1. 던켈 총장 언급 요지

- 던켈 총장은 대안문서가 협상 진행 촉진에 목적을 두고 있으나 관세화, 수출보조, 허용정책 및 삭감 대상 정책, 개도국 우대등에 대하여 기술적인 문제의 추가적 작업이 필요하다고 전제하면서 7.22 주간 이에 관한 토의를 갖고자한다고 하고,이와 같은 협상 진행 이유에 대하여,협상 방법(MODALITY) 에 대한 충분한 협의없이는 협상 골격 (FRAMEWORK) 을 만들기 어렵기 때문이라고 하고, 대안문서 추가 작업 대상및 협상 진행 방안에 대한 의견 제시를 희망하였음.

2. 각국 반응

- 멕시코, 스위스, 폴란드, 파키스탄, 터키, 자마이카,모로코등은 대안 문서의 보완이 필요하다고 하고,그런점에서 던켈 총장이 제시한 방안 즉MODALITY 의 기술적 협의 추진에 동의하였음.

- 인도는 대안 문서에 대한 유보입장을 밝히고,던켈 이 제시한 접근 방법에 원칙적으로는동의하나 타국과의 협의 일정이 있는지와 7월말 중요한 전기를 마련할 것인지를 밝혀 달라고 함.

- 오지리는 협상 추진에 협조할 용의가 있다고밝히고, 7월말 이전에 어떤 문서를만들것인지와 현재 대안에서 빠져 있는감축율등 숫자적 문제에 대한 대안을 설명해줄것을 제기함. 특히 년말까지 협상을 완료할것인지를 밝혀 달라고 하였음.

- 아국은 던켈 총장이 제시한 대한 문서가 드쥬의장합의 초안 또는 헬스트롬

통상국 2차보 경기원 재무부 농수부 상공부

91.07.05 05:19 DF

외신 1과 통제관

0035

중재안과는 달리사전에 기술적인 문제를 토론하고 이에 기초하여비교적 균형되게 작성하였다는 점에서 평가하고 아측입장에서는 기초 식량의 최저 시장접근제외등 중요한관 심사항이 반영되지 않았음을 상기시키고, 이러한 사항이 대한 문서에 반영되어야한다 고 제기 하였음.

0 특히 아국은 상당한 분야에서 융통성을 보였음을 상기 시키고, 수입국들에게일방적으로 수출국이 주장하는 대안을 수용하라고 할것이 아니라 수출국이 균형유지 측면에서 양보해야 한다는 점을강조함.

0 협상과정과 관련해서는 던켈 총장이 제시한협상 진행 방향을 지지하며, 적극 협조하겠다고하고, 그러나 명료성(TRANSPARENCY) 확보가 중요하다고 하면서, 그동안협상이 성공적으로 진행되지 못한 이유는 충분하고 균형된 입장반영없이 합의를 시도한 때문이라고 지적하였음.

3. 던켈 총장의 답변 요지

- 참가국들이 자신의 진행 방안에 동의했음을 언급하면서 이때까지 겪은 여러 차례의 좌절이 COUSENSUS 유도 없이 FRAMEWORK 를 만들려 했기때문이라고 하면서 사전 협의없이는 FRAMEWORK 를 만들지 않겠다고 하였고, 협상일정 설정에대하여는 반대입장 이라고 하면서 중요한 것은합의를 이루어 나가는 것이라고 답변하였음.

- 7월중에는 MODALITY 와 관련된 기술적문제를 정리함으로서 정치적 결정이 이루어질 수있는 발판을 마련하는 것이라고 하고 새로운 문서는 농산물 협상 그룹 및 TNC 에 보고하는 내용이 될것이라고 함.

- 현재 협상이 진전되지 못하는 것은 정치적 이유때문이며, 정치적인 결단을 기술적인 문제를 핑계로 지연시키고 있다는 점을 인식해야 한다고하고, 이런점에서 7월말 이 앞으로 협상진행의 중요한 전기가 되어야 한다고 함.

- 아국 발언과 관련해서는 아국이 융통성을 보이고 있는 점을 긍정적으로 평가하고 명료성 확보에 노력하겠다고 하면서 아국이 제기한 문제와 관련해서는 수출국등 참가국이 인내를 보여주지 못하고 있는바 결국 마지막 단계에서 각료들이 결정하게 될 것이라고 언급함.

- 국내 보조, 시장접근, 수출 보조등 기본적인 문제외에도 웨이버 가입의정서등논의해야 할분야가 많이 남아 있다고 하고, 수입국의 국내보조관련 관심 사항은 수출 보조 및 시장접근과 연계시켜 해결할 수 있는 방안이 있을수 있다고하였음.

PAGE 2

0036

- 7.4-22 기간중에는 개별국가와 비공식 협의를 계속할 계획이라고 함.

7.22 주간에는 표제 그린룸 협의 및 주요국 비공식회의와 공식회의를 병행할 생각임을 시사하였음.

4. 탐문한바에 따른 아국과의 표제협의에 앞서 던켈 총장은 동일 오전 케언즈 그룹과, 오후에는주요 8개국과 그린룸 협의를 하였다고 함.

5. 평가

- 기술적 사항에 대한 토의는 계속 되겠으나 대안 문서의 수정.보완은 없을 것으로 전망됨.

- 7월말 협상 골격(FRAMEWORK) 초안이 제시될 가능성도 있으나 주요국이 정치적 입장 변화를 보일 수 있을 것인지에 대하여 의문이 많은 상황이어서 회의적으로보는 시각이 많음.

- 그러나 협상의 성공을 위해서는 7월중 전기가 마련되야 한다는 점에 대체로 공감하고 있어, 이를위한 노력이 다각도로 전개될 것으로 전망됨. 끝

(대사 박수길-국장)

1 종, 2(소)

관리번호	91/1470

원 본

외 무 부

종 별 :

번 호 : AUW-0514 일 시 : 91 0705 1800

수 신 : 장관(통기,경총,경기원,재무부,농수부,상공부,사본:주미,주제네바-필

발 신 : 주 호주 대사

사본: 통2

제 목 : UR 협상및 아국의 BOP 자유화 계획

당지 APEC 역내 무역자유화 전문가회의에 참석중인 최역 통상국 심의관은 동 회의에 참석한 S.KRISTOFF USTR 대표보와 UR 협상 전망및 아국의 BOP 자유화 계획에 관해 의견을 교환한바, 동인 발언중 특기사항 아래 보고함.

1. UR 협상 전망

- 동인은 92 년도 미 대통령 선거 및 의회일정상 늦어도 92.3-4 월까지는 UR 협상 결과와 관련 이행법안들이 의회에 제출되어야 의회가 여름휴가에 들어가기전인 92.7 월말까지 처리될수 있으며, 동시기를 놓치면 의회 자체의 산적한 안건, 대통령선거 일정등으로 법안이 통과될 전망이 매우 어둡게 됨으로(그 경우 93년 새로 구성된 의회에 재차 상정해야함), 사실상의 협상시한은 금년말 또는 명년 1 월까지라고 언급하면서 미국의 입장이 다급함을 시사함.

- 이와관련 동인은 금년도 서울 APEC 각료회의 개최시기(11.12-14)가 연내 협상 종결여부를 가름하는 결정적인 시기가 될것이기 때문에 동 각료회의에서 UR 협상문제가 가장중요한 안건으로 논의될 가능성이 크며, 만일 당시 협상이 부진한 상황이라면 각료들이 정치적인 타결방안을 논의하여, 이를 정치적 선언형식으로 발표하는것도 예상해야 할것이라고 언급함.

- 아측이 DUNKEL 총장의 농산물협상 대안문서에 대한 미국등 주요국의 반응을 문의한바, 미국과 CAIRNS 그룹의 반응이 긍정적이며 EC 측도 새로운 움직임을 보이고 있어,7 월말 TNC 회의까지 어느정도의 진전은 기대하고 있다고 하였음.

- 또한 아측이 년내 협상타결을 위해서는 미국등 주요국이 협상목표(EXPECTATION)을 낮추는 문제를 심각하게 검토해야 할것이라고 언급한바, 동인은 이에 수긍을 표하고 11 월이 협상목표 재검토시기가 될것이라고 답변함.

- HILLS USTR 대표의 경질보도에 대해 문의한바, 전혀 근거없는 예기이며 UR

통상국 차관 1차보 2차보 외정실 분석관 청와대 안기부 경기원
재무부 농수부 상공부

PAGE 1

91.07.05 21:27
외신 2과 통제관 CF

0038

협상이 종결된다 해도 이행절차가 있기때문에 92 년말까지는 현직에서 결코 움직이지 않을것이라고 답변함.

2. 아국의 BOP 자유화 계획

-아측은 7.1 제네바에서의 관계국과의 협의 내용에 대해 언급하면서 BOP 품목을 포함한 모든 농산물의 시장개방 문제가 결국 UR 협상에서 논의될것이고, 관세화등을 통해 사실상 시장개방시기가 앞당겨지는 결과가 올것임으로 9 개품목의 추가 자유화문제나 UR 협상과의 관계문제에서 미국이 너무 강한 입장을 취하지 말것을 요구하였음.

- 이와관련, 아측은 금년초부터 아국정부가 농산물 협상에서 보다 전향적인 입장을 취하고 있는것은 어디까지나 미자유화 BOP 품목의 관세화를 전제로한것으로, 미국이 만일 UR 협상과의 관계를 전면 부정한다면 아국이 농산물협상에 임하는 입장을 전면 재검토하여 후퇴하는 결과를 초래하게 될것임을 강조하였음.

-이에 대해 동인은 한국이 UR 협상과 연계하여 시장개발시기를 97 년 이후로 미루는등 BOP 협의결과를 우회하려는(CIRCUMVENT)인상을 주었기때문에 미국이강한 입장을 취할수 밖에 없다고 하고(예:쇠고기의 수입자유화 시기를 97 년 이후로 지연)관세화에 대한 아국 입장에 대해서는 일응 이해를 표명하면서, 워싱톤 귀임후 미측 입장을 재검토한후 결과를 알려주겠다고 하였음. 끝.

(대사 이창범-국장)

예고:91.12.31. 까지.

PAGE 2

0039

관리번호	91/401

원 본

외 무 부

종 별 :

번 호 : GVW-1271 일 시 : 91 0709 170

수 신 : 장관(통기,농림수산부)

발 신 : 주 제네바 대사

제 목 : UR/농산물협상

7.8 본직은 WOLTER 갓트 농업국장을 오찬에 초대 표제 협상 진행관련 의견 교환을 한바 동인 발언 요지 하기 보고함.(천농무관 참석)

1. 7 월말까지의 협상 전망

DUNKEL 총장의 OPTIONS PAPER 는 대부분의 참가국으로 부터 긍정적인 평가를 받고 있으며 최소한 앞으로의 협상 진행에따른 REFERENCE PAPER 로서의 가치를 갖는데 인식을 같이하고 있으나 FRAMEWORK INSTRUMENT 로의 발전을 위해서 국내보조, 시장접근, 수출경쟁에서 상당한 정도의 공통 기반이 형성되어야 함.

가. 국내보조: GREEN BOX 범위설정, AMS 개념 정립 문제

나. 시장개방: TARIFFICATION 을 기본 원칙으로 하고 이에따른 SPECIAL SAFEGUARD 등 보완장치 마련

다. 수출경쟁: 수출보조의 정의와 삭감약속 방법으로 재정지출기준, 물량기준, 개별품목 단위당 약속 방법 결정 문제로 압축

사무총장은 앞으로 7 월말까지 공식, 비공식 협의를 협의를 통하여 현재의 OPTION 을 줄여가는 형식으로 협의를 진행할 것이므로 7.29 TNC 공식회의에서는 가장 지지를 많이 받는 OPTION 을 언급함으로서 현재의 OPTION PAPER 로 부터는 일보 전진하는 내용의 보고를 할 것으로 예견됨. 그러나 다른 한편 현재의 협상 진도로 보아 TNC 회의까지 PRESCRIPTIVE 한 PAPER 를 마련치는 못할 것으로 예상됨.

2. 한편 동인은 아국을 비롯하여 일부 국가가 주장하는 식량안보 개념에 대하여, 대부분 국가들의 다수의견을 전달한다고 전제하면서, 식량안보 문제는 위기상황에서 기초 식량의 확보 문제를 공급의 다원화를 통한 안전한 방법으로 해결하는데 중점이 있는것이며 결코 시장봉쇄를 통해서 이루어지는 것으로는 이해되지 않고 있다고 지적하고 특정국가의 특수사정(특정품목, 미국의 WAIVER, 스위스 가입의정서, EC 의

통상국	장관	차관	1차보	2차보	분석관	청와대	안기부	농수부

PAGE 1 91.07.10 05:07

외신 2과 통제관 DO

0040

공동 농업정책등)을 예외로 취급하는 것은 공정하고 시장지향적인 농업개혁이라는 협상 목표에 비추어 보아 다른 나라들이 결코 받아들이지 않을 것이라고 전망함.

3. BOP 협의 관련

아국은 BOP 협의결과 이행을 충실히 수행하고 있으나 이해 관계국으로 부터 92-94 기간중 몇품목 추가 반영을 요구받고 있으며, 또 잔여 BOP 협의 결과 이행을 UR 협상 결과에 연계시키는 것이 부당하다는 지적을 받고 있다고 했던바 동인은 이해 상대국은 아국의 BOP 조항 원용중단으로 90.1.1. 시점에서 아국의 제한조치가 GATT 규정에 합치되지 않는 것으로 해석하고 있으나 다만 아국의 특수한 어려움을 감안 시장개방 유예기간을 부여한 것으로 이해하고 있기 때문에 문제가 발생한 것이라고 지적함.

그는 또한 TARFFICATION 이 원칙으로 채택될 경우 GATT 에 BINDING 된 품목에 BINDING RATE 이상의 관세부과는 이해상대국의 입장에서는 당연히 이의를 제기할 수 있을 것이라고 말했음. 끝

(대사 박수길-국장)

예고:91.12.31 까지

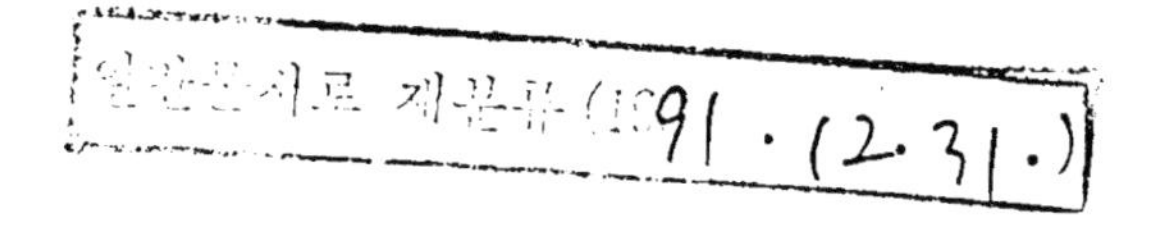

0041

송(농산물 협상 예정 협의)

원 본

외 무 부

종 별 :

번 호 : GVW-1270 일 시 : 91 0709 1140

수 신 : 장 관(통기,경기원,재무부,농림수산부,상공부)

발 신 : 주 제네바 대사

제 목 : UR/ 농산물 개도국 비공식 협의

7.12 (금) 개도국 우대방안 협의를 위하여 개도국 비공식 협의가 개최될 예정임.동 회의에서는 아국 포함 24 개 개도국이 초청되었으며 WOLTER 농업국장이 주재할 것이라 함.

첨부: UR/ 농산물 개도국 비공식 협의 통지서1부.

(GVW(F)-0237).끝

(대사 박수길-국장)

통상국 2차보 경기원 재무부 농수부 상공부

PAGE 1

91.07.10 08:20 FO

외신 1과 통제관

0042 

1991-07-09 11:50 KOREAN MISSION GENEVA 2 022 791 0525 P.01
JUL-08-'91 17:04 ID: 22 731 42 06 TEL NO: GATT GENEVE #012 P01

GATT FACSIMILE TRANSMISSION

Centre William Rappard
Rue de Lausanne 154
CH-1211 Genève 21

GVW(F)-0237

10709 114

Telefax: (022) 731 42 06
Telex: 412324 GATT CH
Telephone: (022) 739 51 11

CGT/807-7

" GVW-1270 첨부

TOTAL NUMBER OF PAGES 1
(including this preface)

Date: 8 July 1991

From: Mr. Frank Wolter
Director
Agriculture and Commodities Division

Signature:

To:			Fax No:
	ARGENTINA	H.E. Mr. J.A. Lanus	798 72 82
	BRAZIL	H.E. Mr. R. Ricupero	733 28 34
	CHILE	H.E. Mr. M. Artaza	734 41 94
	COLOMBIA	H.E. Mr. F. Jaramillo	791 07 87
	COSTA RICA	H.E. Mr. R. Barzuna	733 28 69
	CUBA	H.E. Mr. J.A. Pérez Novoa	758 23 77
	EGYPT	H.E. Dr. N. Elaraby	731 68 28
	INDIA	H.E. Mr. B.K. Zutshi	738 45 48
	INDONESIA	H.E. Mr. H.S. Kartadjoemena	793 83 09
	ISRAEL	Mrs Eva Gover (Brussels)	32 2 374 98 20
	JAMAICA	H.E. Mr. L.M.H. Barnett	738 44 20
	KOREA	H.E. Mr. Soo Gil Park	791 05 25
	MALAYSIA	Mr. Supperamanian Manickam	788 09 75
	MEXICO	H.E. Mr. J. Seade	733 14 55
	MOROCCO	H.E. Mr. M. El Ghali Benhima	798 47 02
	NICARAGUA	H.E. Mr. J. Alaniz Pinell	736 60 12
	NIGERIA	H.E. Mr. E.A. Azikiwe	734 10 53
	PAKISTAN	H.E. Mr. A. Kamal	734 80 85
	PERU	Mr. J. Muñoz	731 11 68
	PHILIPPINES	H.E. Mrs. N.L. Escaler	731 68 88
	THAILAND	H.E. Mr. Tej Bunnag	733 36 78
	TURKEY	H.E. Mr. C. Duna	734 52 09
	URUGUAY	H.E. Mr. J.A. Lacarte-Muró	731 56 50
	ZIMBABWE	H.E. Dr. A.T. Mugomba	738 49 54

You are invited to an informal consultation on issues relating to special and differential treatment in the agricultural negotiations to be held at 3 p.m. on Friday 12 July 1991, in Room E of the Centre William Rappard. Attendance is restricted to two persons per delegation.

PLEASE NOTIFY US IMMEDIATELY IF YOU DO NOT RECEIVE ALL THE PAGES

** OUR FAX EQUIPMENT IS HITACHI HIFAX 210 (COMPATIBLE WITH GROUPS 2 AND 3) AND IS SET TO RECEIVE AUTOMATICALLY **

0043

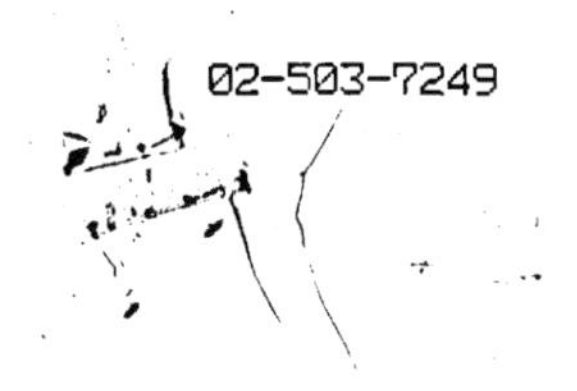

개도국우대 조치의 반영방안

1. 논의현황

〈 미국,EC등 선진국측 〉

0 개도국 우대를 인정하나 별도의 협상요소로 취급하는데 반대하며, 동일한 Framwork을 적용하되 감축폭과 기간에서 우대를 부여하자는 입장

〈 개도국측 〉

0 별도의 협상요소로 다루어질 것을 주장하면서 감축폭 이행기간 뿐만 아니라, 협상원칙과 규범으로 부터의 예외를 인정해야 한다는 입장 견지

- 다만 케언즈그룹의 개도국들은 수출국 입장에서 시장접근분야의 별도 예외인정에 부정적 입장을 견지

2. 개도국 우대에 관한 선,개도국의 입장비교

구 분	선 진 국	개 도 국
개도국우대 취급방법	0 동일한 협상원칙과 규범을 적용하되, 국별 발전단계에 상응한 이행의무 부담 (개도국 차별화 강조) 0 감축폭 및 이행기간에 탄력성 부여 - 최빈 개도국에 대한 의무면제 - 선발개도국은 선진국과 동일한 의무이행	0 별도의 협상원칙으로 인정 - 일반적 협상원칙의 예외 0 감축폭 및 이행기간의 차등적용

0044

구 분	선 진 국	개 도 국
국내보조	0 동일한 허용조건을 적용 - 개발목적 정책도 일정한 조건부과 0 일정수준이하의 보조에 대한 감축의무 면제(DeMinimus)	0 허용정책 조건의 철폐 또는 완화 - 개발목적 정책은 별도의 허용 대상으로 인정 0 좌 동
시장접근	0 개도국만의 예외는 불인정 - 최소시장, 접근보장, 관세화등 의무이행 - TE감축 TQ확대등에서 우대조치 고려 0 18조 B규정 존치에 반대 또는 회의적 입장	0 개도국 예외범위를 놓고 수출개도국, 수입개도국간 의견상이 - 수출개도국 : 공통된 시장접근 원칙적용 - 수입개도국 : 시장접근 일반원칙 적용 배제 0 18조 B규정 존치에 대해서는 입장을 같이함
수출경쟁	0 순수입 개도국에 대한 식량원조와 양허판매 인정 - 단, 규제조건에 대하여는 수출, 수입국간 입장대립	0 순수입 개도국에 대한 식량원조, 양허판매 확대 - 단, 수출개도국측은 제약조건 부과를 선호

3. 협상전망

0 개도국측은 협상규범 제정과 감축의무 이행에서 별도의 우대원칙이 인정되어야 한다고 강조하고 있으나 선진국측은 기본원칙 범위내에서 약간의 신축성을 인정할 수 있다는 소극적인 입장임

- 선진국은 국내보조 분야에서 허용정책을 확대하기 보다는 감축대상 정책중 일부를 개도국에 대해 별도로 취급하는 것을 선호

0045

0 그러나 개도국은 내부적으로 각 그룹별 관심사항이 다르고 의견이 상치되어 공통적인 입장 표명이 이루어 지지 못하고 있는 상황임

① 수출개도국(케언즈그룹) : 열대산품등 개도국 관심품목에 대한 시장개방확대, 수출보조의 급속한 감축

② 순수입 개도국 : 식량원조와 양허판매의 유지 및 확대에 주력

③ 최빈개도국등 여타개도국 : 협상원칙으로부터 예외 및 약속이행 의무면제 강조

0 결국, 개도국우대의 반영방법과 반영정도는 개도국 전체의 결속을 통한 협상력 강화여부에 달려있다고 보이나 현실 여건상 내부적 의견합치 가능성이 적을 것으로 예상

0 따라서 일반적인 규범이나 원칙에 별도로 반영되기 보다는 감축약속 또는 이행기간에서 다소의 융통성을 부여하는 방향으로 결론이 날 가능성

- 그러나 18조 B는 관세화등 시장접근 분야에 있어 포괄적인 예외를 인정하는 것임으로 선.개도국간 지속적인 의견대립이 예상

4. 당부의 입장

가. 기본입장

0 개도국의 경우 농업발전정도와 수출입정도가 크게 다르다는 점을 고려할때 1인당 GNP등 특정지표를 설정하여 차별화 하는 것에 반대

0 개도국의 우대조치는 감축약속뿐 아니라 협상규범의 적용에 있어서도 별도의 원칙이 설정되어야 한다는 입장을 견지

0046

0 특히, 아국의 농업개발 수준이 일본등 선진국과의 현격한 격차가 있음을 강조하여 아국이 개도국우대조치의 대상이 되는데 주력

나. 개도국우대의 구체적 반영방안

0 국내보조분야 : 개도국 농업정책의 목적과 성격이 상이함으로 선진국과는 다른 허용기준과 조건을 적용(특히, 구조조정, 투자보조등과 관련된 정책의 허용)

0 시장접근분야 : 개도국 식량안보를 위해 필수적인 품목은 관세화 및 최소시장접근 보장의 예외인정

0 수출보조 : 개도국 식량원조 및 양허판매를 허용하되 엄격한 규제조건의 부과를 배제

0 각 분야별로 보호 및 보조수준이 일정수준이하인 경우 감축의무 면제(Di Minmis원칙)

0 감축약속 이행에 있어 소폭의 감축율 적용과 유예기간 또는 장기이행기간 부여 (을 동시에)

0047

수신: 외무부 통상기구과
송 봉 헌 사무관

발신: 농림수산부 국제협력담당관실

0048

報 告 畢

長官報告事項

1991. 7. 10.
通 商 局
通商機構課(35)

題 目 : UR/農産物 協商 關聯 갓트 農業局長 言及 要旨

7.8(月) 주 제네바 大使와 Wolter 갓트 農業局長과의 午餐時 Wolter 農業局長은 UR/農産物 協商에 대한 던켈 事務總長의 option paper 內容中 가장 支持를 많이 받는 option이 7.29 TNC 會議에 報告될 것으로 展望한 바, 同 局長 言及 要旨를 아래와 같이 報告 드립니다.

1. Wolter 局長 言及 內容

가. 던켈 事務總長의 option paper

o 대부분의 參加國이 向後 協商의 reference paper로서 肯定的 評價

o 다만, 協商 framework로 發展하기 위해 協商 要素別 核心 爭點(例 : 許容補助 範圍 設定 問題)에 대한 상당한 정도의 共同 認識 必要

o 7.29 TNC 會議에서는 option중 가장 많은 支持를 받는 option이 言及되는 報告가 있을 展望

- 現 協商 進度로 보아 協商 方向을 提示하는 paper는 마련치 못할 展望

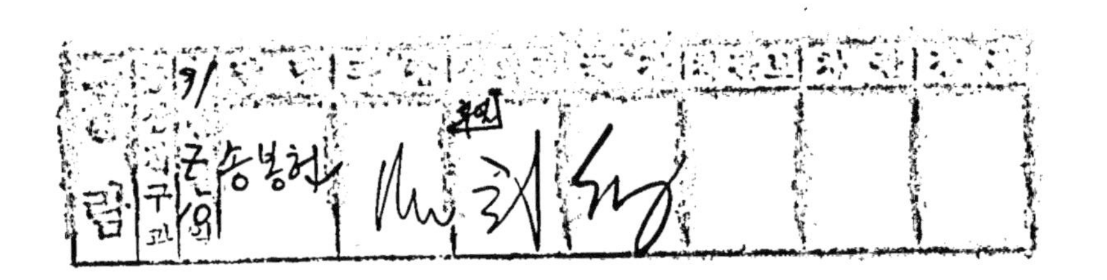

0049

나. 食糧安保 槪念

o 多數國 見解는 特定國의 特殊事情에 대한 例外를 受容치 않으려는 立場

- 食糧安保 問題는 供給 多元化를 통해 解決 可能

다. 我國의 BOP 協議 結果와 UR 協商 結果

o 利害當事國들은 韓國의 BOP 援用中斷으로 90.1.1. 時點에서 輸入制限 措置가 갓트에 합치되지 않는 것으로 理解하고 있으므로 問題 發生

- 我國의 特殊事情을 감안, 7년 猶豫 期間을 부여한 것이며 殘餘品目 輸入規制를 合法化한 것은 아님

o UR 協商 結果 關稅化가 수용될 境遇에도 讓許品目에 대한 讓許稅率 以上의 關稅 引上時 相對側은 당연히 異議 提起 豫想

2. 評 價

o option paper 關聯 同 局長의 여사한 評價는 그간의 主要國間 協商에서 큰 進展이 없음을 示唆

- 當初 던켈 總長은 主要國과의 協議가 成功的인 境遇 7.22頃 向後 協商 方向에 대한 協商 骨格(outline framework)을 提示할 것을 計劃. 끝.

0050

분류번호	보존기간

발 신 전 보

번 호 : WGV-0886 910711 1826 DQ 종별 : 암호발신, 지급

수 신 : 주 제네바 대사. 총영사

발 신 : 장 관 (통 기)

제 목 : UR/농산물 협상

대 : GVW-1270

대호 농산물 협상관련 개도국 비공식 협의에는 아래 입장에 따라 적의 대처바람.

1. 기본 입장

o 개도국간에도 농업발전 정도와 수출입 정도가 크게 다른점을 고려할때 1인당 GNP등 특정지표를 설정하여 개도국간 상호 차별화하는 것은 수용 불가

o 개도국 우대 조치는 감축 약속뿐만 아니라 규범 적용에 있어서도 별도의 원칙이 설정되어야 한다는 입장 견지

o 특히, 아국의 농업발전 수준이 선진국과 비교해 현격한 격차가 있음을 강조하여 아국이 개도국 우대 조치의 대상이 되는데 주력

2. 개도국 우대의 구체적 반영 방안

o 국내보조

- 선진국과는 다른 허용 보조 기준과 조건을 적용
(특히, 구조 조정, 투자 보조등과 관련된 정책은 허용)

- 보조수준이 일정 수준 이하인 경우 감축의무 면제(De Minimis 원칙 적용)

보안 통제	

앙 고 재	91년 7월 11일	통상기구과	기안자 성명: 송봉헌		과 장	심의관	국 장		차 관	장 관
							전결			

외신과통제

0051

o 시장접근

- 개도국 농업발전을 위해 필수적인 품목은 관세화 및 최소 시장접근 예외 인정

o 수출보조

- 개도국에 대한 식량원조 및 양허판매를 허용하되, 엄격한 규제 조건은 배제

o 국내보조 및 시장접근 분야에서의 감축폭 및 이행기간

- 소폭의 감축율 적용과 장기 이행기간 부여
- 회의 분위기에 비추어 필요시, 아국의 기본입장(선진국에 비해 절반 수준 의무 부담) 언급
  . 감축폭, 이행기간중 한가지만 택일하여 우대를 부여 받을경우 선진국에 비해 2배의 이행기간 필요. 끝.

(통상국장 김 삼 훈)

0052

송

원 본

외 무 부

시본 : 신의 반실

종 별 :

번 호 : GVW-1304 일 시 : 91 0713 0900

수 신 : 장관(통기,경기원,재무부,농림수산부,상공부)

발 신 : 주 제네바대사

제 목 : UR/ 농산물 개도국 비공식회의

1. 7.12.개최된 표제회의에서는 시장접근 분야의 개도국우대 방안에 대하여 논의한바, 요지 하기 보고함 (천농무관, 김농무관보 참석)

가. 관세화

- 회의를 주재한 볼터 농업국장은 관세화가 시장접근 약속수단으로 폭넓은 지지를 받고있다고 전제하고, 관세화의 적용 범위 및 예외 적용조건(CRITERIA) 에 대한 개도국의 입장을 물었음

- 인도, 멕시코, 칠레, 모로코등은 개도국에 예외없는 일괄적인 관세화 적용에 반대입장을 표명하였음

0 특히 인도는 수출 보조금이 지급되는 상황에서는 관세화를 전면 수용하기 어렵다고 하면서, 특히 국내 시장가격이 시기별 지역별 차이가 심하여 TE계산의 어려움이 있다고 함.

- 알젠틴, 페루, 태국등 케언즈그룹 국가들은 예외없는 관세화를 주장하였음.

- 아국은 관세화가 시장접근 약속방법으로서 유용성이 있다고 생각되므로 관세화를 원칙적으로 수용하지만 전체적인 자급율이 낮은 국가의 경우 기초식량 또는 농업개발에 절대 필요한 품목은 관세화에서 제외되야 한다고 언급하였음.

나. 갓트 18조 B 와의 관계

- 대다수 개도국은 관세화와 18조 B 의 관계에 관심을 표명하였고, 18조 B 는현상태로 유지되야 하며, 관세화 한다 하더라도 갓트 18조 B 에의한 수량제한 부과는 다른 차원의 문제로서 그권리를 갖는다는 점을 강조하였음

0 인도는 관세화 한다는 것은 양허를 의미하는바, 18조 B 와의 관계에서 볼때 관세(TE) 양허 속에서 18조 B 부분이 포함되지 않는것이라고 주장함

다. 특별 세이프가드

통상국 경기원 재무부 농수부 상공부 2차보

PAGE 1 91.07.13 23:18 DA

외신 1과 통제관

0053

- 인도는 농업개혁 과정에서 개도국의 국내농업이 취약한 점을 감안 적절한 보호장치가 마련되야 한다고 주장하면서, 특별 세이프가드의 대안으로서 항국적 적용, 수량제한 가능성등도 검토되야 한다고 언급함.

- 알젠틴은 켄언즈그룹의 특별 세이프가드 제안을 인용하면서, 잠정적 적용을 강조하였음.

- 아국은 개도국에는 특별 세이프가드 적용에 있어서도 융통성이 필요한바, 발동요건으로서 수량기준과 가격 기준이 모두 허용되야 하며, 항국적 인정이 필요하고, 특수한 상황에서는 제한된 범위의 수량제한도 인정되어야 한다고 주장하였음

라. 최저 시장접근(MMA)

- 볼터국장은 최저 시장접근을 일반원칙으로 받아들이는데 대한 개도국 입장을물었음

- 알젠틴등 케언즈그룹 국가는 예외없는 적용을 주장하였음

- 인도는 MTN 관련사항은 논의대상이 아니라고 하면서, 국영 무역의 경우 기술적 어려움이 있을 것이라고 발언함

- 아국은 이론적으로 관세화 한다는 것이 곧 자유화를 의미하므로 그런점에서 최저 시장접근 약속이 필요 없을 것이나 수출 개도국의 수출확대와 관련해서는 의미가 있다고 전제하고, 수입개도국의 경우는 기초식량 또는 농업개발에 필수적인 품목은 최저시 장접근 약속시도 선진국 보다는 낮은 수준이 되야 한다고 강조하였음

마. 차기회의

- 볼터국장은 개도국 우대에 관한 표제회의를 7.15.주간 후반부에 개최하여, 시장접근 분야중 갓트규범관계 사항, 수출경쟁, 국내보조 순으로 논의하자고 하였음.

2. 한편 금 7.12. 박공사는 LUCQ 전 농업국장을 오찬에 초대 표제협상 관련 사항에 대해 의견을 교환하였음. (천농무관 동석)

- 동인은 UR 농산물 협상이 타결되기 위해서는 불가피 SMALL PACKAGE 가 되야 될것이라고 전망하면서, 그러나 미국이 AMBITION 을 전혀 낮추지않고 있어 타결이 쉽지 않을 것이라고 전망하였음

- EC 의 CAP 개혁은 앞으로 1년 여가 지나야 결론이 날수 있으며, 이런점에서 SAMLL PACKAGE 가 아니고서는 년내 타결은 어려울 것이라고 전망하였음.

- 7.29 TNC 회의 보고문서는 협상초안(FRAMEWORK)이 되기 어려울 것으로 보면서,

6.24. 던켈 총장 대안문서를 첨부한 중간단계 보고서 정도가 될것이라고 전망하였음.

끝

(대사 박수길-국장)

	분류번호	보존기간

발 신 전 보

번 호 : WGV-0909 910718 1825 FO 종별 :

수 신 : 주 제네바 대사. 총영사

발 신 : 장 관 (통 기)

제 목 : UR 협상 관련 국회 보고 내용

1. 7.15(월) 국회 외무.통일위원회 회의시 외무장관의 UR협상 현황 보고 내용을 별첨(FAX) 송부하니 참고 바람.

2. 동 회의시 UR/농산물 협상관련 질의.답변 요지는 아래와 같음.

가. 의원 질의 요지

o 조순승 의원(신민당)

- 한.미 정상회담시 쌀시장 개방문제 논의 여부

o 황병태 의원(민자당)

- 농산물 협상에서 우리가 개방의 예외를 주장하는 수개 품목의 내역

나. 외무장관 답변요지

o 한.미 정상회담에서는 쌀시장 개방문제는 논의되지 않았음.

o 과거 정부의 입장이던 15개 NTC 품목 주장은 국제적으로 다소 무리가 있었다고 판단, 쌀을포함한 수개 품목은 개방이 어려우므로 예외 확보를 위해 계속 노력해 나가기로 함.

보안 통제	(서명)

앙 고 재	91년 7월 18일	통상기구과	기안자 성명		과장	심의관	국장		차관	장관
			송봉헌		(서명)	(서명)	전결			(서명)

외신과통제

0056

o 현재 협상이 진행중이며, 예외 품목은 아직 협의되지 않고 있으므로 현시점에서 예외 확보가 가능한 품목을 예단하기 어려움.

첨 부 : 상기 현황 보고 내용. 끝.

(통상국장 김 삼훈)

0057

WGVF-0179 910718 1826 FO

외 무 부

번 호: 년월일: 시간:

수 신: 주 대사(총영사)

발 신: 외무부장관( )

제 목:

총 매 (표지포함)

보 안 통 제	
외신과 통 제	

0058

韓·美간 오랜 懸案이었던 이 문제를 今番에 妥結할 수 있었던 것은 최근 韓·美 關係가 全般的으로 바람직한 水平的 互惠關係로 發展하고 있음을 보여주는 것이며 韓國이 東北亞地域에서 航空交通의 要衝地로 浮刻되고 있는 狀況도 今番 航空懸案 妥結에 기여한 것으로 評價됩니다.

政府는 今番 會談에서 合意된 我國의 對美 追加運輸權과 以遠權을 차질없이 行使할 수 있도록 필요한 國內節次를 조속히 完了하여 諒解覺書를 정식 發效시킬 豫定이며, 對美 運航權 行使에 필요한 諸般措置의 履行에 만전을 기해 나가고자 합니다.

8. 우루과이라운드(UR) 協商의 最近 動向

다음은 우루과이라운드 協商의 最近 動向에 관하여 말씀드리겠습니다.

우루과이라운드 協商은 今年初 던켈(Dunkel) 갓트 事務總長의 主導下에 協商 再開를 위한 主要國間 協商 過程을 거쳐 2. 26. 公式 再開 되었으며, 그 以後 각 協商 分野別로 政治的 決定을 요하지 않는 技術的인 事項에 대한 協商이 進行되어 왔습니다.

4-1

0059

이와관련 우루과이라운드 協商이 本格化 되기 위하여는 美國 行政府가 美 議會로 부터 91.5月末로 일단 終結되는 協商 權限 (Fast-Track Authority)을 延長받는 것이 必須的이었으며, 지난 5.24 同 權限이 2年間 延長됨으로써 協商이 加速化되는 契機가 마련 되었습니다.

이러한 協商의 本格化에 對備하고 効率的인 協商 進行을 위해 던켈 事務總長은 지난 4.25 協商 構造를 從前 15個 協商그룹에서 7個 協商그룹으로 改編하였고, 이중 重要한 農産物과 纖維 協商그룹의 議長職은 本人이 直接 遂行하고 있습니다.

* 7개 협상그룹名 : 市場接近, 纖維, 農産物, 規範制定(TRIMs 包含), 知的所有權, 制度, 서비스

UR協商 成功의 關鍵인 農産物 協商에서는 지난 6.24 던켈 總長이 그간 進行된 協商 結果와 過去 드쥬 議長 報告書, 헬스트롬 議長 報告書의 內容을 基礎로 새로운 協商 代案文書 (option paper)를 提示하여 現在 同 文書를 中心으로 協商이 推進되고 있습니다.

- 23 -

4-2

0060

同 代案文書는 食糧安保를 包含, 各國의 關心事項을 包括的으로 整理한 것으로서, 던켈 總長은 7月末에는 協商 草案으로 發展시켜 提示하겠다는 意圖이나 美國과 EC間의 意見 差異가 크게 좁혀지지 않고 있어 協商 展望은 아직 不透明한 狀態에 있으며, 그외 서비스, 市場接近等 主要分野에서도 實務 次元의 技術的인 協議가 進行되어 일부 進展은 있으나 큰 成果는 없는 것으로 評價되고 있습니다.

92年 가을 美國 大統領 選擧, 92年末 EC 統合 日程等을 감안하여 主要國家들은 가급적 今年末 또는 늦어도 來年初까지 協商 終結을 目標로 하고 있으며, 이를 위해 7月末까지 技術的인 實務 協商을 마감하고 9月부터는 政治的 爭點에 대한 本格的인 協商을 開始할 것으로 展望되고 있습니다. 또한 금 7.15부터 시작되는 西方 7個國 頂上會談(G-7)에서도 UR 協商의 早期 妥結을 促求하는 宣言을 採擇하여 協商 進展을 圖謀할 것으로 알려져 있습니다.

그러나, 農産物 協商에서 美·EC間 立場 接近을 통하여 早期 妥結의 돌파구가 마련되지 않을 경우 協商의 難航과 長期化가 豫想되고 있습니다.

4-3

0061

對外指向的인 經濟 基調를 維持하고 있는 우리나라로서는 保護主義 緩和等 國際貿易 環境 改善의 側面뿐 아니라 우리 經濟構造의 國際化와 産業構造의 高度化를 기하기 위해서도 UR 協商이 早期에 成功的으로 終結되는 것이 바람직함으로 政府는 우리의 國益을 최대한 反映하는 同時에 協商의 進展에도 寄與한다는 次元에서 積極的인 姿勢로 協商에 參加하여 왔습니다.

특히 農産物 協商에서는 過去 15個 非交易的 關心(NTC) 品目에 대한 例外 主張이 國際的으로 無理가 있다는 判斷에 따라, 지난 1.9 對外協力委員會 決定을 통해 보다 전향적 立場으로 協商에 임하되, 食糧安保의 次元에서 쌀등 수개 品目은 例外가 되어야 한다는 立場을 堅持해 나가기로 하였습니다.

政府는 앞으로도 協商에 繼續 積極的으로 參加하여 UR 協商의 成功과 우리의 國益이 調和있게 反映되도록 最善을 다하는 한편, 協商 結果를 受容하기 위한 國內 對應策 마련에도 努力해 나가고자 합니다.

- 25 -

4-4

0062

관리 번호 91/501

원 본

외 무 부

종 별 :

번 호 : GVW-1357

일 시 : 91 0719 1200

수 신 : 장관(통기) (사본:주미,주이씨대사(본부중계필))

발 신 : 주 제네바 대사

제 목 : UR 협상 전망 및 RIO 환경정상회의

1. 본직은 7.18(목) RICUPERO 갓트 총회의장(브라질 대사)과 오찬, G-7 경제선언중 UR 협상관련 부분등을 중심으로 UR 전망에 관하여 의견을 교환한바, 동인의 견해는 다음과 같음.

가. UR 에 관한 선언내용은 휴스톤 선언에서의 UR 협상관련 부분과 크게 다를 것이 없으나 경제 문제로서는 UR 협상에 G-7 정상들이 최대관심을 부여했다는점과 협상을 연말까지 종결한다는 확고한 정치적 결의를 표명한 것은 특기할 만한 사항이며, 특히 MAJOR 영국 수상은 기자회견 석상에서 UR 관련 부분을 부연 설명하면서 필요할 경우 정상회담을 재소집할 용의까지 표명하였다는 점에서 일단 UR 협상이 우선적 관심사항으로 부각되었다고 평가함.

나. 그러나 다른 한편 6 월의 협상 개시 이후 모든 분야에서 토의가 기술적 사항에 집중됨과 동시에 협상 타결의 관건인 농업협상 분야에서도 큰 진전이 없어 7 월말 개최예정인 TNC 회의도 당초 기대와는 달리 실질적인 성과를 보고할만한 것이 없기 때문에 9 월 이후의 작업 계획정도 밖에 언급할수 없는 형식적인 회의가 될것임.

다. G-7 정상들이 필요할 경우 재회동하여 UR 타결을 추진한다고 하지만 정상회담에는 상당한 사전 준비가 필요하고, 또 불란서 사회당 정권은 멀지 않은 장래에 총선을 치루어야 함에도 불구하고 현재 인기가 크게 하락하고 있어 국내정치적으로 농업문제 타결에 적극적인 자세를 보일수 없는 입장임. 다른 한편 EC도 MAC SHARRY 개혁안이 일단은 UR 맥락에서 긍정적으로 작용한다고 볼수 있으나 CAP 개혁을 실질적으로 추진하는데는 상당한 기간이 소요되며 또 구성국들간의 이해가 각각 다르므로 MAC SHARRY 위원이나 ANDRIESSEN 위원은 AD REFERENDUM 차원에서 일단 협상을 추진할 것으로 보이나 시간적으로 금년내 타결은 상당히 어려울 것임.

라. 따라서 G-7 정상들의 정치적 결의가 표명되었다는 것이 반드시 UR 타결과 직접

통상국 장관 차관 1차보 2차보 분석관 청와대 안기부

PAGE 1

91.07.20 03:53

외신 2과 통제관 DO

0063

연결된다고 볼수 없으며, 자기로서는 다음 세가지 시나리오를 상징하고 있음.

1) 정상들의 지시에 의하여 정치적 협상이 9 월부터 본격적으로 진행되어 UR 협상이 연말까지 타결된다는 시나리오

2) 정상들의 의도에도 불구하고 아직도 미결인 실질적인 문제의 타결이 금년 12 월까지는 시간적으로 도저히 어려우므로 내년 3-4 월에 가서야 가능할 것이라는 시나리오

3) 미국 EC 간의 농업문제에 대한 기본 시각차이 기타 미결문제들이 내년 4 월까지도 탈되지 못하고 협상이 앞으로 상당한 기간 계속되어 결국은 EC 집행위의 개편과 미국 대통령 선거가 끝난 이후인 1993 년초에 가서야 타결이 될 것이라는 시나리오

등을 상정할수 있는바 자기로서는 제 3 의 시나리오가 사실상 가능성이 많다고 보고 있음.

2. 한편 동 대사는 내년 8 월 브라질 리오 환경회의와 관련, 고르바쵸프 소련 대통령은 이미 참여를 확정하였으며, 부쉬 미 대통령은 선거문제로 다소의 어려움이 예상되나 참석할 것으로 예상됨. 따라서 미.일등 주요국을 비롯한 많은 국가원수들이 동 회의에 참가할 것으로 예상되므로 한국도 동회의에 국가원수가 참석한다면 정상간 외교 추진에 도움이 될 것으로 보인다고 하였음.

3. 동인은 7 월 말 또는 8 월초 주미대사로 부임할 예정이나 갓트 총회의장직은 계속 수행할 것이라고 함. 끝

(대사 박수길-장관)

예고 91.12.31. 까지

기 안 용 지

분류기호 문서번호	통기 20644-	(전화 : 720 - 2188)	시 행 상 특별취급	
보존기간	영구. 준영구 10. 5. 3. 1.	차 관	장 관	
수 신 처 보존기간		전결		
시행일자	1991. 7. 19.			

보조기관			협조기관		
	국 장			제2차관보	문 서 통 제
	심의관				
	과 장				
기안책임자		송 봉 헌			발 송 인

경 유 수 신 참 조	건 의	발명의		
제 목	UR/농산물협상 회의 정부대표 임명			

91.7.22-25간 스위스 제네바에서 개최되는 UR/농산물협상 주요국 협의에 참가할 정부대표를 "정부대표 및 특별사절의 임명과 권한에 관한 법률"에 의거 아래와 같이 임명할 것을 건의하오니 재가하여 주시기 바랍니다.

- 아 래 -

1. 회 의 명 : UR/농산물협상 주요국협의 // 계 속 //

0065

2. 회의기간 및 장소 : 91.7.22-25, 스위스 제네바

3. 정부대표

o 농림수산부 농업협력통상관 조일호

o 농림수산부 농업협력통상관실 사무관 배종하

o 주 제네바 대표부 관계관

(자 문)

o 한국 농촌경제연구원 부원장 최양부

4. 출장기간 : 91.7.20-28(8박9일)

5. 소요경비 : 소속부처 소관예산

6. 훈 령 : 별첨. 끝.

0066

훈 령(안)

1. 기본방향

o 기술적 사항 논의과정에서 객관적이고 설득력있는 논리를 통해 아국 관심사항을 지속적으로 제기

o 특히 Dunkel 사무총장이 제시한 대안의 압축과 조정협의에 대비하여 1.9 대외협력위원회에서 결정된 아국의 핵심 관심사항을 대안으로 반영하는데 최대한의 협상력 경주

2. 대안에 반영되어야 할 아국 관심사항

가. 국내보조

o 감축대상정책을 먼저 결정하는 방식(Negative Approach) 채택

o 허용정책에 구조조정과 투자를 포함

o AMS는 실제 재정지출액을 기준으로 하며 국경보호에 의한 지지효과는 산출대상에서 제외

o AMS는 실질가격을 기준으로 하고 품목군별로 계측

o AMS에 의한 감축약속에 있어 생산통제 비율과 수입비중을 반영

나. 시장개방

o 식량안보, 11조 2항 C 대상품목은 관세화 대상에서 제외되며 GATT 규범에 항구적으로 명확히 반영

o 식량안보에 극히 긴요한 기초식품(쌀)은 최소시장접근 보장에 있어 예외 인정

o 관세상당치(TE)의 상한선 설정배제와 수입금지적으로 높은 TE에 대하여만 최소시장접근 부여

o 특별세이프가드는 항구적으로 적용하되 수량제한 조치도 인정

0067

다. 수출보조

o 국내보조, 국경보호와 분리하여 보다 급격한 감축 약속이행

o 감축대상 수출보조에 Deficiency Payment, 수출신용등을 포함

o 감축약속은 재정지출액과 수출물량이외에 단위당 수출지원액을 기준으로 감축

o 갓트 16조 3항의 개념을 보다 구체화하는 방법으로 수출보조 규율
  - UR/보조금.상계관세 협상에서 논의되고 있는 의장초안 활용 배제

라. 개도국 우대

o 1인당 GNP등 특정지표를 적용, 차별화하는 방식 배제

o 국내보조에 있어 별도의 완화된 허용기준과 조건을 적용
  - 개발목적정책, 구조조정, 투자지원등과 관련된 정책은 허용

o 개도국 농업유지에 극히 필수적인 품목은 관세화 및 최소시장접근 보장대상에서 제외

o 품목별 보조액이 일정수준 이하인 경우 감축의무 면제 (De Minimis)

o 소폭감축율과 장기이행 기간 부여.   끝.

0068

한사람이 지킨질서 모아지면 나라질서

농 림 수 산 부

국협20644-643 (503-7227) 1991.07.19.

수 신 외무부장관

참 조 통상국장

제 목 UR 농산물협상 그룹회의 참석

1. '91.7.22-7.25 개최 예정인 UR농산물협상 공식회의 및 주요국 비공식회의에 다음과 같이 당부 대표를 파견코자 하오니 협조하여 주시기 바랍니다.

- 다 음 -

가. 당부 대표단

구 분	소 속	직 위	성 명	비 고
대 표	농업협력통상관실	농업협력통상관	조일호	
"	"	행정사무관	배종하	
자 문	한국농촌경제연구원	부원장(장관자문관)	최양부	소요경비:당부부담

나. 출장일정 : '91.7.20 - 7.28(9일간)

다. 출 장 지 : 스위스 제네바

라. 출장목적

0 UR농산물협상 공식회의 및 주요국 비공식회의 참석

마. 소요경비 : 농림수산부 부담

첨부 : 1. 출장일정 및 소요경비내역 1부.

2. 회의 참가대책 1부. 끝.

0069

국협20644-　　　　　　　　　　1991.07.19.

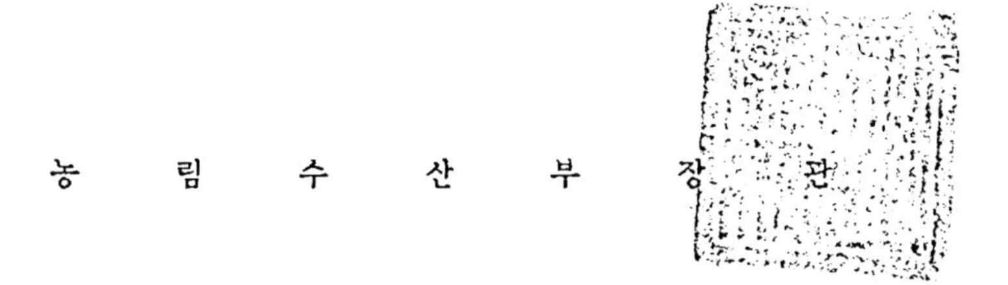

농 림 수 산 부 장 관

0070

출장일정 및 소요경비내역

가. 출장일정

'91.7.20(토) 12:40 서 울 발(KE 907)
17:55 런 던 착
20:00 런 던 발(SR 837)
22:30 제네바 착

'91.7.21(일) 협상참가 대책회의

7.22-25 UR농산물협상 공식회의 및 주요국 비공식회의 참석

7.26(금) 하반기 협상 대책방향 협의

7.27(토) 12:05 제네바 발(BA 925)
12:40 런 던 착
20:30 런 던 발(KE 908)

7.28(일) 17:30 서 울 착

나. 소요경비 내역

(1) 국외여비 : $9,732(지급예산 : 축산진흥기금)

	국 장, 부원장	배종하 사무관
항 공 료	$ 2,154	$ 2,154
일 비	$ 25 x 9일 = $ 225	$ 20 x 9일 = $ 180
숙 박 비	$ 79 x 7일 = $ 553	$ 66 x 7일 = $ 462
식 비	$ 46 x 8일 = $ 368	$ 42 x 8일 = $ 336
체재비계	$ 1,146	$ 978
합 계	$3,300 x 2인 = $ 6,600	$ 3,132

(2) 특별활동비 : $2,000(1113-234)

0071

UR농산물협상 공식.비공식회의 참가대책

1991. 7. 18

농 림 수 산 부

0072

- 목 차 -

0073

I. 최근의 협상진행 상황

1. 던켈총장 Option Paper 제시 (6. 27)

- ○ '91. 3부터 5차례에 걸친 기술적협의 내용을 토대로 작성하였으나 각국의 입장을 예단치 않으며 총망라한것이 아님을 전제
- ○ 국내보조, 시장개방, 수출경쟁, 위생 및 검역규제등 4개분야별로 기속력있는 약속을 실천하는 것을 전제로 쟁점사항별 1~4개 대안을 제시

2. Option Paper에 대한 주요국 비공식회의 (7. 2)

- ○ 대다수 국가가「협상촉진을 전환점 또는 새로운 시발점」으로 일단 긍정적인 평가를 하고 있으면서도 일부 관심사항에 대한 추가반영을 요구
- ○ 미국, 케언즈그룹 Framework 마련을 위한 협상진행에 관심을 표명한 반면,EC,수입국등은 추가적인 기술협의의 필요성을 강조
- ○ 던켈총장은 동 Paper에 대한 추가적 논의가 필요성을 인정하나, 협상을 촉신하기 위하여는 대안을 축소해 나가는 것이 더 중요함을 강조

3. 향후 협상진행을 위한 비공식 그린룸회의 (7. 3)

- ○ 던켈총장 Option Paper에 대한 평가와 7월중 회의 진행방식에 대한 의견교환
- ○ 대다수의 국가가 던켈Paper의 보완 필요성을 강조하면서 협상의 기본윤곽과 관련된 기술적협의를 7월중에 계속해 나가는데 동의
- ○ 던켈총장은 회원국과의 충분한 협의없는 Framework제시는 않을 것이며 7월중에는 기술적 문제에 대한 각국의 합의를 이루는데 중점을 둘 것임을 강조

4. 던켈총장의 국가별 비공식협의 진행 (7. 4 ~ 21)

- ○ Option Paper의 Modality와 관련된 기술적문제 협의를 위해 국가별 접촉을 추진
  - 주제네바대사는 7. 8 Wolter 농업국장을 방문,아국 관심사항과 회의전망을 협의
- ○ Worlter 국장은 7. 12 개도국 비공식회의를 소집, 시장개방분야 우대조치 방안을 협의
  - 7. 18일경 시장개방, 수출경제, 국내보조에 대한 논의 예정

0074

Ⅱ. UR협상 관련 주요국의 동향

< 케언즈그룹 >

○ 7. 8 ~ 9 브라질 마나우스에서 각료회의에서 공동성명서 채택

- UR협상의 성공적 진전을 위한 근본적인 농업개혁에 대한 서방 7개국 정상의 정치적 결단을 강력히 촉구
- 국경보호의 완전관세화, 국내보조의 실질적 감축, 수출보조의 대폭감축과 철폐, 개도국우대 인정등을 강조
- 농업분야에 상당한 성과 없이는 UR협상이 성공적 타결이 불가능 하다는 점을강조

< E C >

○ 6. 27 맥세리위원이 제시한 CAP 개혁안을 7. 10 집행위에서 채택, 7.15~16 농업이사회에서 논의

- 지지가격의 대폭적인하 : 곡물 35%, 쇠고기, 버터 15%, 밀크 10%
- 농가손실 보상을 위한 결손보조제(Deficieng Payment) 도입
- 환경보호지원 확대, 조기연금제 실시등

○ 영국, 네델란드등 영세농 보호를 위해 대규모 경쟁력 있는 농가의 희생을 강요하는데 반대, 독일, 블란서등은 감축폭에 대한 이견제시로 합의전망은 불투명

○ 동 개혁안에 대한 본격적인 논의는 9월이사회 이후가 될 것으로 전망

< 일 본 >

○ 7. 8 가이후총리는 호리우찌 전농회장에 대해 쌀 개방불가 입장에 변화가 없음을 재확인

○ G-7회의에 앞서 7. 11 미.일 정상회담에서 UR 쌀개방 문제협의

- 미국은 쌀에 대한 전면적 관세화 수용을 요구
- 일본에서의 내부적인 개방논의도 최소시장 접근 인정여부에 한정

< G-7 정상회담 >

○ 미국은 UR협상의 조속한 타결이 세계경제 문제해결을 위한 최우선 과제임을 강조한 반면, 서독, 일본은 보다현실적인 접근이 필요하다는 입장을 제시

○ 7개국 정상들은 연내협상 타결을 위해 공동노력한다는데 합의하고 이를 공동선언문으로 채택

0075

Ⅲ. 금차회의 성격과 전망

< 7.22~25공식 및 비공식회의 >

○ 던켈총장의 Option Paper를 협상골격(Framework)으로 발전시키기 위해 쟁점사항에 대한 공통기반 형성에 주력할 것으로 예상

- 따라서 각분야별로 제시된 현재의 Option등을 축소와 관련될 기술적 문제에 대한 합의도출을 시도할 것으로 예상

○ TNC회의 보고서는 Option Paper보다는 진전된 내용을 제시할 것으로 예상되나, 가장 지지를 받고있는 대안을 언급하는 수준이 될 것으로 전망

- 그러나 특별한 협상진전이 없는한 새로운 대안서나 돌발적인 Framework 제시 가능성은 희박할 것으로 예상

< 7. 29 TNC 회의 >

○ 각그룹별 그동안의 협의결과 보고와 함께 하반기 협상진행 방향과 일정을 협의할 것으로 예상

0076

Ⅳ. 회의참가대책

1. 예상의제와 쟁점사항

< 예상의제 >

○ 던켈 Option Paper를 토대로 대안의 압축을 시도하기 위한 기술적 쟁점사항을 협의

< 주요쟁점사항 >

○ 국내보조 : 허용대상정책의 범위설정, AMS의 개념정립

○ 시장개방 : 관세화 및 관세화의 예외, Special Safeguard등 보완장치, 최소시장 시장접근보장등

○ 수출경쟁 : 수출보조금의 정의, 감축약속 기준과 방법

○ 개도국 우대 : 각분야별 우대원칙과 방법

- 국내보조 : 별도의 허용정책 기준적용
- 시장접근 : 관세화 및 최소시장접근 예외인정
- 수출보조 : 식량원조, 양허판매의 허용
- 약속이행 : 의무면제(De minimis), 소폭감축과 장기이행 기간

< 기술적 쟁점사항 >

○ AMS, TQ, MMA 부여시 품목세분화 정도

○ TE산출시 국내외 기준가격

○ 허용대상정책의 양적, 질적 기준등

0077

2. 참가대책

가. 기본방향

○ 기술적 논의과정에서 객관적이고 설득력 있는 논리를 통해 우리의 관심사항을 지속적으로 제기

○ 특히 대안의 압축과 조정협의에 대비하여 1. 9 대외협력위원회에서 결정된 핵심적 관심사항을 대안으로 반영하는데 최대한의 협상력을 경주

나. 반영되어야 할 우리의 관심사항

< 국내보조 >

○ 감축대상정책을 먼저 결정하는 방식 (Negative Approach) 채택

○ 허용정책에 구조조정에 투자를 포함

○ AMS는 실제 재정지출액을 기준으로 하며 국경보호에 의한 지지효과는 산출대상에서 제외

○ AMS는 실질가격을 기준으로 하고 품목군별로 계측

○ AMS에 의한 감축약속에 있어 생산통제 비율과 수입비중을 반영

< 시장개방 >

○ 식량안보 11조 2항 C는 관세화 대상에서 제외되며 GATT 규범에 항구적으로 명확히 반영

○ 기초식품은 최소시장접근 보장에 있어 예외인정

○ 관세상당치(TE)의 상한선 설정배제와 수입금지적으로 높은 TE에 대하여만 TQ 부여

○ Special slfeguard는 모든 농산물에 대하여 항구적으로 적용하되 수량제한 조치도 인정

0078

< 수출경쟁 >

- ㅇ 수출보조는 국내보조, 국경보호와 분리하여 보다 급격한 감축약속을 이행
- ㅇ 감축대상 수출보조에 Deficiency Payment 수출신용등를 포함
- ㅇ 수출보조 감축약속은 재정지출액과 수출물량이외에 단위당 수출지원액도 감축
- ㅇ 수출보조는 GATT 16조 3항의 개념을 보다 구체화 방안을 채택 (보조금 상계관세 협정초안의 활용을 배제)

< 개도국 우대 >

- ㅇ 개도국은 특정지표를 적용, 차별화하는 방식을 배제
- ㅇ 국내보조에 있어 별도의 완화된 허용기준과 조건을 적용 (개발목적정책, 구조조정, 투자지원등과 관련된 정책은 허용)
- ㅇ 개도국 농업유지에 필수적인 품목은 관세화 및 최소시장 접근 보장대상에서 제외
- ㅇ 품목별 보조액이 일정수준이하인 경우 감축의무 면제 (De Minimis)
- ㅇ 소폭감축율과 장기이행 기간의 동시부여

0079

예상되는 농산물협상 Modality

< 국내보조 >

O 허용정책 (Green Box)

- 범위 ┌ ① 일반서비스, 식량안보, 환경보존, 탈농지원등
  └ ② 구조조정, 투자지원의 포함여부

- 조건 ┌ ① 일반적 공통적기준 (품목불특정성,생산에 무영향,정부재정 지원등)
  └ ② 정책별 질적, 양적기준(특히, 지역개발등)

O 감축정책 (AMS의 개념)

- AMS 포함정책 ┌ 시장가격지지 : 국경보호효과 포함 / 불포함
  ├ 직접지불 : 재정지출 / 가격차 기준
  └ 요소비용감축 : 별도카테고리적용 / 품목별 생산액 기준배분

< 시장개방 >

O 관세화 및 보완장치

┌ ① Tariff Equivalent - Special Safeguard : 가격기준 / 수량기준 / 혼방방식
└ ② Fixed Component - Corretive Factor

O 관세화의 예외 : 불인정 / 11조 2항 C / 식량안보

O 시장접근 보장 ┌ 현행시장 접근 보장 (Tariff - only)
  └ 최소시장 접근보장 : Tariff-onay / 기초식품예외인정

O 감축약속방식 : 선형감축 / 조화감축 / R/O방식

< 수출보조 >

O 정의와 범위 ┌ ① 예시목록표 : 드쥬의장 초안의 Illustrative List 적용
  └ ② 드쥬초안에서 결손보전, 수출신용등 제외

O 감축약속 기준 : 재정지출 / 피보조 수출물량 / 단위당 보조

< 개도국 우대 >

O 국내보조 : 별도허용 기준적용 / 일반원칙을 적용하되 요건을 강화

O 시장접근 : 관세화, MMA원칙적용 / 특수품목예외 인정

O 수출보조 : 식량원조. 양허판매를 허용하되 규제조건 부과

O 약속이행 : 의무면제 (Deminimus), 소폭감축 + 장기이행기간

0080

3. 쟁점사항별 대책

가. 허용정책의 범위설정

< 논의현황과 예상쟁점 >

○ 허용정책에 대하여 일정한 기준과 정책예시표 (Illustrative List)를 병행 적용하자는데 대체로 의견 접근

- 미국, 케언즈그룹은 허용정책의 조건을 엄격히 하고, 최소화하자는 입장이나 EC, 수입국등은 허용조건을 완화내지 개선하자는 입장

- 특히, 카나다는 허용정책을 무조건허용과 조건부 허용으로 구분하고 정책별로 질적, 양적 기준을 부여하자는 절충안을 제시

○ 정책별로는 일반서비스, 환경보존, 탈농지원, 식량안보등을 허용하는데 이견이 없으나 투자지원과 구조조정의 허용대상 포함여부, 지역개발에 대한 조건부여 문제가 중요쟁점 사항으로 대두될 것으로 예상

< 아국의 협상대안 >

○ 허용정책의 결정방법은 일정한 기준과 예시표를 혼합, 병행하는 방식을 채택하되, 우리의 중요관심 사항인 비교역적 기능 관련정책과 구조조정, 투자지원이 허용대상으로 분류되는데 주력

○ 허용정책의 기준은 일반적, 공통적 기준을 설정하고 정책별 특성을 적용하는 방식을 지지

○ 개도국 정책에 대하여는 별도로 완화된 기준이 채택되어야 함을 강조

0081

나. AMS의 정의와 감축약속 기준

< 논의현황과 예상쟁점 >

○ AMS를 감축약속 대안으로 활용하자는데 상당한 의견접근
  - 미국, 케언즈그룹은 특정정책별 약속을 주장하나 그 강도는 약할것으로 예상

○ AMS는 허용정책을 제외하고 감축정책만 포함하며 감축정책은 시장가격지지, 직접지불, 생산요소비용 감축을 포함하자는 기본원칙에 의견 접근

○ 그러나 각 정책별로 실제 감축액을 산출하는 방법에 대하여는 의견이 대립
  - 시장가격지지에 국경보호 효과의 포함여부
  - 직접지불은 재정지출외에 가격차 방식도 적용할 것인가의 문제
  - 생산요소비용 감축등 다수품목에 적용되는 (generally available)정책을 품목별로 배분할 것인가, 별도 카테고리로 인정할 것인가의 문제
  - 산출방법은 실제 예산지출액 또는 징수감면(Revenue Forgone)등 수혜액 기준으로 할 것인가등

○ 또한 AMS에 의한 감축약속과 관련하여 인프레를 반영한 실질가격의 적용여부 생산통제 효과의 반영여부등이 쟁점으로 제기될 것이 예상

< 아국의 협상대안 >

○ 기본적으로 감축의무를 최소화하고 약속이행 과정에서 정책선택의 탄력성을 확보하는데 주력
  - AMS에 감축대상 정책만을 포함하고 실 재정지출액만을 기준으로 산출
  - 국경보호에 의한 가격지지 효과는 AMS 산출에서 제외
  - AMS는 실질가격 기준으로 계산하되 생산통제 비중, 수입비율등을 감축율 책정시 고려

○ 다수품목에 적용되는 정책중 투자지원과 구조조정은 감축대상에서 제외하고 품목별로 배분하는 방식을 주장
  - 다만, 별도 카테리화하여 소폭감축한다는 방식도 수용할 수 있다는 신축적 입장을 견지

0082

다. 관세화와 보완장치 (Special Safeguard)

< 논의현황과 예상쟁점 >

○ 국경보호조치를 철폐하고 관세로 전환하자는 기본원칙에 대하여는 상당한 의견접근이 이루어지고 있으나 관세화의 범위의 보완장치의 성격을 놓고 주요국이 첨예하게 대립

- 미국, 케언즈그룹은 관세화의 예외를 인정할 없다는 입장이나 EC, 카나다, 일본등 수입국은 11조 2항 C, 특히 일본, 한국은 식량안보 제외되어야 한다는 입장을 견지

- 보완장치와 관련,EC의 Fixed Component 방식도 미국의 관세화(Tariffiction) 방식의 T.E와 차이가 없으나, 다만 보완장치로서의 Corrective Factor와 Special Safeguard(SSG)에 대한 의견차 지속

○ 또한, SSG의 성격과 운용방법에 대해 주요국간 의견대립

- 미국, 케언즈그룹은 SSG는 관세화의 경과기간중만 적용하되, 관세인상만 인정하며 관세화 대상품목에만 인정되어야 한다는 입장.

- 수입국들은 항구적 조치로서 관세인상 뿐만 아니라 수량제한도 인정되고 모든 농산물에 적용되어야 한다는 입장

- SSG 발동요건에 대하여는 국제가격 하락과 수입급증시 가격 또는 물량기준을 모두 활용하자는 방향으로 의견이 접근되고 있으나 환율변동도 포함되어야 한다는 EC, 북구의 입장과 대립

- SSG 발동빈도와 기간,관세인상등을 제한하자는 수출국과 제한을 둘 수 없다는 수입국간에 의견 대립

< 아국의 협상대안 >

○ 원칙적으로 관세화의 개념을 수용한다는 입장을 제시하되, 농업생산과 교역의 특수성을 인정하는 11조 2항(C), 식량안보는 관세화 대상에서 제외되며 GATT규범에 명확히 반영되어야 한다는 입장을 강조

○ 관세화의 보완장치로서 제시된 SSG 적용에 대하여는 물량 및 가격기준 SSG 방식을 채택하되 항구적인 조치로 인정되고 관세인상외에 수량제한이 인정되어야 한다는 입장 견지

- 그러나 수량제한이 인정되기 어려울 경우 충분한 관세인상 허용, 발동횟수 및 기간제한 폐지등 발동조건을 완화하는데 주력

0083

라. 최소시장 접근보장 (Minimum Market Aacess : MMA)

< 논의현황과 예상쟁점 >

○ 최소시장접근 보문제는 TE로 전환한후 실제수입이 가능한지 여부가 촛점이 되고 있어 TQ를 별도로 인정할 것인가에 대해 수출, 수입국간에 의견대립

- 미국, 케언즈그룹은 품목별(Tariff Line별)로 일률적인 (3~5%) 최소시장 접근 보장을 주장
- EC, 수입국등은 TE전환으로 충분하며 관세만 부과되는 MMA설정에 반대
- 일본, 한국은 식량안보를 위한 기초식품은 MMA부여 대상에서 제외를 주장

○ 따라서 주요쟁점 사항은 관세화를 전제로 모든품목에 TQ를 인정하는 방식과 수입금지적인 TE품목에만 인정하는 방안, 11조 2항(C)등 관세화를 전제로 하지 않는 MMA 인정 기초식량에 대한 MMA의 예외인정등의 문제로 집약될 것이 예상

○ 또한 최소시장 접근을 인정할 경우 Tariff Line별 또는 품목군별 부여문제 즉, 품목세분화 정도가 쟁점사항으로 제기될 것이 예상

- EC, 북구등 수입선진국은 소비량계측상 기술적 문제제기와 관련, 가공농산물에 대한 최소시장 접근보장 문제가 쟁점화 될 것으로 예상

< 아국의 입장 >

○ 우리의 핵심적 관심사항인 식량안보를 위한 기초식품은 관세화와 최소시장 접근 보장에서 예외가 인정되어야 한다는 대안이 Modality에 반영되어야 한다는 입장을 강력히 제기

- 5. 17 식량안보 제안서에서 제시한 아국입장을 재강조

○ 그러나 관세화 대상품목의 경우 TE전환 자체가 자유화하는 것이며 TE감축으로 시장접근이 확대되는 것임으로 TQ를 추가적으로 인정하는데 반대입장을 견지

- TQ인정이 불가피한 경우 품목군별로 하여 최소시장접근 보장수준에 탄력성을 확보하며 획일적인 방식(X%) 보다는 R/O방식을 적용하여 주요품목을 보호하는데 역점

○ 또한 자유화 되어 있더라도 관세수준이 높아 수입금지적 효과를 갖는 품목과 Deficiency Payment대상품목도 최소시장 접근이 보장되어야 한다는 입장을 견지

0084

마. 수출보조의 정의

< 논의현황과 예상쟁점 >

○ 현행 GATT 16조 3항의 정의에 기초하여 수출보조를 구체적으로 예시하자는 EC, 수입국의 주장과 보조금 상계관세그룹 합의초안(NG-10 Text)부표에 예시된 정책을 원용하자는 미국, 케언즈그룹의 입장이 첨예하게 대립

- 농산물 수출보조는 '89. 4중간평가회의시 점진적 감축에 합의하였음에도 NG-10 Text를 적용할 경우 수출보조의 관행자체가 금지대상으로 분류되어 상계조치의 대상이 되는 문제가 제기

○ 간접적인 수출보조의 포함여부, 국내보조와의 관련성등이 문제가 제기되며 특히, 미국의 수출물량에 대한 결손보조를 수출보조에 포함여부를 놓고 논란이 예상

○ 또한 수출신용 및 생산자에 의한 수출보조도 감축대상의 범위에 포함시키는 문제와 일정한 기준에 합치되는 경우만 인정하자는 방안이 대립한 것으로 예상

< 아국의 협상대안 >

○ 농산물 수출보조는 가장 무역왜곡적인 지원정책임으로 엄격한 규율이 적용되고 여타 보호및 보조에 우선하여 급격히 감축해야 한다는 기본입장을 강조

○ 수출보조의 정의는 농산물의 특성을 인정하고 있는 GATT 16조 3항 체제를 유지하되 보다 구체적이고 명료화된 수출보조 관행을 예시하는 방안을 채택

○ 결손보존, 수출신용등은 효과면에서 볼때 수출에 큰 영향을 주는 것임으로 수출보조에 포함해야 된다는 입장을 견지

- 다만, 동 문제가 미국, 케언즈그룹, EC 상호간 매우 민감한 쟁점분야인점을 고려하여 융통성있게 대응함으로써 식량안보등 우리의 주요관심사항 반영에 유리한 분위기를 조성하는 대안으로 활용

0085

바. 수출보조의 감축약속방법

< 논의현황과 예상쟁점 >

○ 수출보조의 구체적인 감축기준을 놓고 주요국간에 의견대립

- 미국은 재정지출과 수출물량을 감축하자는 입장이나 케언즈그룹은 단위당 지원액도 감축되어야 한다는 강한 입장을 제기

- EC는 기본적으로 수출보조에 대해 별도 감축보다는 AMS방식에 의한 전체 보호수준의 감축을 주장하고 있으며 물량기준 감축이 가장 현실적이라는 견해를 제시

- 일본은 케언즈그룹에 동조하여 단위당 지원액으로 감축해야 된다는 입장.

○ 감축약속 기준으로 제시한 대안들은 세계시장가격 변동과의 연계성, 수입국의 농업보호 정책과 대응조치 가능여부, 약속이행의 효율성과 입증 가능성등과 밀접하게 관련하여 논의될 전망

○ 또한 수출보조 감축을 품목별 또는 품목군별로 할 것인가 가공품의 포함여부가 쟁점화될 것으로 예상

< 아국의 입장 >

○ 재정 지출과 물량기준을 혼용하는 방식이 현실적인 대안이나 미국, EC등 수출보조국에 대한 협상입지 강화차원에서 단위당 보조액 감축방안을 강력히 제기

- 수입농산물과 국내농산물의 공정한 경쟁요건 조성, 세계시장 여건변화로 인한 감축의무의 무효화 방지, 수입국의 대응 기준 설정의 필요성을 강조

○ 또한 수출지원이 없는 국가에 대하여는 형평성(Equity)의 관점에서 De minimis 개념이 도입되어야 한다는 입장을 견지

0086

사. 개도국 우대의 반영방법

< 논의현황과 예상쟁점 >

○ 개도국의 특수한 사정을 인정하고 우대조치를 부여해야 한다는 기본원칙에는 이견이 없으나 그 구체적인 반영방법에 대하여는 선.개도국간에 근본적인 입장차이 노출

- 선진국 측은 개도국우대를 별도의 협상요소로 취급하는데 반대하며, 동일한 Framework을 적용하되 감축폭과 기간에서 우대를 부여하자는 입장이나 개도국측은 별도의 협상요소로 다루어질 것을 주장하면서 감축폭, 이행기간 뿐만 아니라, 협상원칙과 규범으로 부터의 예외를 인정해야 한다는 입장 견지

○ 더욱이 개도국 내부적으로 각 그룹별로 관심사항이 다르므로 공통적인 입장표명과 구체적인 반영대안을 제시하지 못하고 있는 상황

- 수출개도국(케언즈그룹) : 열대산품등 개도국 관심품목에 대한 시장개방 확대, 수출보조의 급속한 감축을 강조
- 순수입 개도국 : 식량원조와 양허판매의 유지 및 확대에 주력
- 최빈개도국등 여타개도국 : 협상원칙으로부터 예외 및 약속이행 의무면제 강조

○ 결국, 개도국우대의 반영방법과 반영정도는 개도국 전체의 결속을 통한 협상력 강화여부에 달려있다고 보이나 현실 여건상 내부적 의견합치 가능성이 적을 것으로 예상

○ 또한 약속이행과 관련, 선진국측은 개도국을 발전정도에 따라 차별화 할 것을 주장하고 있으며, 선발개도국들은 이에 반대하고 있으며 저 개발 개도국은 차별하에 동조하는 경향

0087

< 아국의 입장 >

○ 개도국의 경우,농업발전 정도와 수출입 정도가 크게 다르다는 점을 고려할때 1인당 GNP등 특정지표를 설정하여 차별화 하는 것에 반대

○ 개도국의 우대조치는 감축약속뿐 아니라 협상규범의 적용에 있어서도 별도의 원칙이 설정되어야 한다는 입장을 견지

○ 개도국 우대의 구체적 반영방안으로는,

- 국내보조분야 : 개도국 농업정책의 목적과 성격이 상이함으로 선진국과는 다른 허용기준과 조건을 적용 (특히, 구조조정, 투자보조등과 관련된 정책의 허용)

- 시장접근분야 : 개도국 농업보호와 식량안보를 위해 필수적인 품목은 관세화와 최소시장접근 보장의 예외인정

- 수출보조분야 : 식량원조 및 양허판매를 허용하되 엄격한 규제조건의 부과를 배제

○ 각분야별로 보조수준이 일정수준이하인 경우 감축의무 면제(De Minimis원칙)를 인정하고 감축약속이행에 있어 소폭의 감축율 적용과 장기이행기간을 동시에 부여해야 된다는 입장을 견지

0088

34228 기 안 용 지

분류기호 문서번호	통기 20644-	(전화: 720 - 2188)	시 행 상 특별취급	
보존기간	영구. 준영구 10. 5. 3. 1.	장 관		
수 신 처 보존기간				
시행일자	1991. 7.19.			

보조기관		협조기관	문서통제
국 장			지얼 1991. 7. 22
심의관			
과 장	전 결		
기안책임자	송 봉 헌		발 송 인

경 유 수 신 참 조	농림수산부장관	발 명 의	발송 1991. 7. 22 외무부
제 목	UR/농산물협상 회의 정부대표 임명 통보		

91.7.22-25간 스위스 제네바에서 개최되는 UR/농산물협상 주요국 협의에 참가할 정부대표가 "정부대표 및 특별사절의 임명과 권한에 관한 법률"에 의거 아래와 같이 임명되었음을 알려드립니다.

- 아 래 -

1. 회 의 명 : UR/농산물협상 주요국협의

0089

2. 회의기간 및 장소 : 91.7.22-25, 스위스 제네바

3. 정부대표

o 농림수산부 농업협력통상관 조일호

o 농림수산부 농업협력통상관실 사무관 배종하

o 주 제네바 대표부 관계관

(자 문)

o 한국 농촌경제연구원 부원장 최양부

4. 출장기간 : 91.7.20-28(8박9일)

5. 소요경비 : 소속부처 소관예산

6. 출장 결과 보고 : 귀국후 20일이내. 끝.

0090

GATT/AIR/3216 16 JULY 1991

40

SUBJECT: URUGUAY ROUND NEGOTIATING GROUP ON AGRICULTURE

1. THE NEGOTIATING GROUP ON AGRICULTURE WILL MEET ON TUESDAY 23 JULY AT 11 A.M. IN THE CENTRE WILLIAM RAPPARD.

2. THE FOLLOWING AGENDA IS PROPOSED FOR THE MEETING:

A. REPORT BY THE CHAIRMAN ON INFORMAL CONSULTATIONS;

B. OTHER BUSINESS.

3. GOVERNMENTS PARTICIPATING IN THE MULTILATERAL TRADE NEGOTIATIONS, AND INTERNATIONAL ORGANIZATIONS WHICH HAVE PREVIOUSLY ATTENDED PROCEEDINGS OF THIS NEGOTIATING GROUP, WISHING TO BE REPRESENTED AT THIS MEETING ARE REQUESTED TO INFORM ME AS SOON AS POSSIBLE OF THE NAMES OF THEIR REPRESENTATIVES.

A. DUNKEL

OBJET: NEGOCIATIONS D'URUGUAY - GROUPE DE NEGOCIATION SUR L'AGRICULTURE

1. LE GROUPE DE NEGOCIATION SUR L'AGRICULTURE SE REUNIRA AU CENTRE WILLIAM RAPPARD LE MARDI 23 JUILLET 1991 A 11 HEURES.

2. LES QUESTIONS QU'IL EST PROPOSE D'INSCRIRE A L'ORDRE DU JOUR SONT LES SUIVANTES:

A. RAPPORT DU PRESIDENT SUR SES CONSULTATIONS INFORMELLES;
B. AUTRES QUESTIONS.

3. LES GOUVERNEMENTS PARTICIPANT AUX NEGOCIATIONS COMMERCIALES MULTI-LATERALES, AINSI QUE LES ORGANISATIONS INTERNATIONALES AYANT DEJA ASSISTE AUX DEBATS DE CE GROUPE DE NEGOCIATION, QUI DESIRENT ETRE REPRESENTES A CETTE REUNION SONT PRIES DE ME COMMUNIQUER DES QUE POSSIBLE LES NOMS DE LEURS REPRESENTANTS.

A. DUNKEL

ASUNTO: RONDA URUGUAY - GRUPO DE NEGOCIACION SOBRE LA AGRICULTURA

1. EL GRUPO DE NEGOCIACION SOBRE LA AGRICULTURA SE REUNIRA EL MARTES 23 DE JULIO DE 1991, A LAS 11 H, EN EL CENTRO WILLIAM RAPPARD.

2. SE PROPONE EL SIGUIENTE ORDEN DEL DIA PARA LA REUNION:

A) INFORME DEL PRESIDENTE SOBRE LAS CONSULTAS INFORMALES;
B) OTROS ASUNTOS.

3. LOS GOBIERNOS PARTICIPANTES EN LAS NEGOCIACIONES COMERCIALES MULTILATERALES, ASI COMO LAS ORGANIZACIONES INTERNACIONALES QUE YA HAYAN ASISTIDO A LAS SESIONES DE ESTE GRUPO DE NEGOCIACION, QUE DESEEN ESTAR REPRESENTADOS EN ESTA REUNION TENDRAN A BIEN COMUNICARME LO ANTES POSIBLE LOS NOMBRES DE SUS REPRESENTANTES.

A. DUNKEL

SENT BY: Director-General, GATT, Tel. address: GATT GENEVA
ENVOYÉ PAR: Directeur général, GATT, Adresse télégraphique: GATT GENÈVE

0091

송 (농산부 전달확인)

관리번호	91/498

원 본

외 무 부

종 별 :

번 호 : GVW-1335 일 시 : 91 0718 1100

수 신 : 장관(통기,경기원,재무부,농림수산부,상공부)

발 신 : 주 제네바대사

제 목 : UR/농산물 협상

연: GVW-1271

1. 갓트 사무국에서 작성 배포한 표제협상관련 시장접근, 수출경쟁, 국내보조 분야별 NON-PAPER 를 별첨 FAX 송부함.

2. 동 NON-PAPER 는 보조 및 국경보호의 삭감 약속에 사용할 기본 INSTRUMENT 또는 MODALITY 에 관한 논의를 촉구하기 위한 것으로 평가되며 7.22. 주간 개최 예정인 표제 협상 그룹회의에서 토론될 예정임.

첨부: NON-PAPER 각 1 부

(GVW(F)-0258). 끝

(대사 박수길-국장)

예고:91.12.31. 까지

일반문서로 재분류 (1991 . 12 . 31 .)

통상국 차관 1차보 2차보 외정실 분석관 청와대 안기부 경기원
재무부 농수부 상공부

PAGE 1

91.07.18 22:12

외신 2과 통제관 CF

0092

GVW(FT)-0258 10718 1100

17 July 1991

Questions on market access

"첨부"

Negotiations leading to specific binding commitments on market access require an early agreement on the following:

1. The modalities for dealing with products subject to border measures other than normal customs duties. There is a broad consensus that the basic modality should be tariffication. The key question which remains to be answered is should:

(a) the level of protection in the tariff equivalents reflect no more than the gap between the domestic market and the world market price?, or

(b) could the tariff equivalents include an element of additional initial protection?

2. Following on from the broad acceptance of tariffication, what additional features should form part of the tariffication package:

(a) a special safeguard clause (for the transitional period) the modalities of which should be negotiated and agreed in parallel to the modalities of tariffication?

(b) a minimum level of access which may be seen as necessary in the case of excessive levels of initial protection?

3. In special circumstances (e.g. in the case of supply controls and non-trade concerns), could a departure from tariffication be possible for the transitional period? What kind of additional provisions should be linked to any such transitional exemptions?

4. Are there any other features which participants consider as essential to the acceptance of the tariffication package as outlined?

0093

AG51

- 2 -

5. In the case of products subject to tariff-only protection, would the reduction commitment be negotiated in the general market access negotiations, or are special modalities for agricultural products required? Should tariff equivalents be treated in the same manner?

6. What provisions for special and differential treatment for developing countries could be contemplated in the market access area?

0094

AG51

1-2

17 July 1991

Questions on export competition

Negotiations on export competition require an early agreement on two main points: definition of export subsidies (policy coverage) for the purpose of export assistance reduction commitments; and modalities of reduction commitments.

A. Definition of export subsidies

1. Can it be agreed as a working hypothesis that, for the purpose of reduction commitments on whatever basis is agreed (outlays, quantities, etc.), it is necessary to have an explicit listing of the measures that are to be subject to reduction?

2. Most participants agreed in the informal consultations to use the listing set out in paragraph 6 of the Export Competition Checklist. This listing has been revised in the light of that discussion. Are therefore, the following types of policies those that should be subject to reduction:

(a) The provision by governments or their agencies of direct subsidies, including payments-in-kind, to a firm, an industry or a marketing board contingent upon export performance or export earnings?

(b) The repayment at less than full value of loans provided by governments or their agencies in respect of exported agricultural products?

(c) The sale for export by governments or their agencies of publicly owned stocks at less than their acquisition value?

(d) Internal transport and freight charges on export shipments, provided or mandated by governments, on terms more favourable than for domestic shipments?

(e) Export performance-related taxation concessions or incentives?

0095

AG52

L-3

(f) Subsidies on agricultural products contingent on their incorporation in products that are exported?

(g) Export subsidies on agricultural products which are financed from the proceeds of a levy on producers of that product under schemes which are dependent for their operation or enforcement on some form of government action?

3. Are there any other policies that should be considered?

B. Modalities for reduction commitments

The consultations here should focus on the operational characteristics of commitments on budgetary outlays (and revenue foregone) and on quantities, as well as on how commitments on these bases might be combined. Consideration of per unit export subsidy commitments will be taken up at a later stage.

4. In what circumstances would reduction commitments based on budgetary outlays operate to effectively reduce the volume of subsidized exports and to limit the scope for systematic price undercutting?

5. In what circumstances would reduction commitments based on quantities not provide effective constraints on the scope for systematic price undercutting?

6. Should there be commitments on both outlays and quantities? If so, what would be the most appropriate combination of these commitments?

7. What objectives would commitments on average per unit export subsidization achieve that would not be accomplished by a combination of commitments on outlays and quantities?

8. What provisions for special and differential treatment for developing countries could be contemplated in the export competition area?

0096

AG52

17 July 1991

Questions on domestic support

A. Green Box

There is a fair consensus that the fundamental principle of the green box is to exempt from reduction certain policies which have no, or a minimal, distortive effect on production or trade. It is also widely agreed that the eligibility of policies for the green box will be established by reference to an illustrative list and agreed criteria to which listed policies must conform. The priority now, therefore, is to agree as far as possible on the list and, especially, on the criteria.

1. Should the first and the fourth criteria set out in the domestic support checklist (paragraph 9) apply across the board, as basic criteria which all prospective green policies would have to meet? These criteria are that:

(i) the assistance must be provided through a taxpayer funded government programme not involving transfers from consumers; and

(iv) it must not have the effect of providing price support to producers.

2. In agreeing on additional criteria, is it appropriate to make a basic distinction between government expenditure on services to producers and direct payments? This question should be considered in the light of draft criteria (ii) and (iii) in the checklist, i.e., that "green" support must not:

(ii) be linked to current or future levels of production or factors of production, except to remove factors from production;

(iii) be restricted to any specific agricultural product or product sector.

3. Can expenditure on services be dispensed from meeting these additional criteria, since it carries less risk of causing distortions? If so, under what conditions? (General or specific?)

0097

AG53

6-5

4. Should all direct payments to producers be subject to criteria (ii) and (iii)? Or should some further distinctions be made among such support, e.g., permitting payments relating to production factors under certain additional conditions? Would such provisions be sufficient to meet the concerns of various participants that some desirably green policies - e.g. some regional, environmental and income support - may be outside the criteria as they stand?

B. AMS

It is agreed that the AMS has a rôle in the domestic support area.

5. The question remains however, whether this is to be in setting reduction targets, as the primary vehicle for commitments, in monitoring, or as a combination of these - and what, if any, place is there for specific (i.e. non-AMS) commitments.

6. Concerning the definition of the AMS, should it include the effects of border measures? How should non-commodity specific support be treated? Should a fixed reference price be used in the case of deficiency payments as well as for market price support? Should all production be included in the AMS or only that eligible to receive support?

7. What provisions for special and differential treatment for developing countries could be contemplated in the domestic support area?

0098

AG53

2-1

	분류번호	보존기간

발 신 전 보

번 호 : WGV-0926 910720 1300 FN 종별 : 암호발신

수 신 : 주 제네바 대사. 총영사

발 신 : 장 관 (통 기)

제 목 : UR/농산물협상

1. 7.22-25간 귀지에서 개최되는 표제회의에 아래 정부대표를 파견하니 귀관 관계관과 함께 참석토록 조치 바람.

o 농림수산부 농업협력통상관 조일호

o 농림수산부 농업협력통상관실 사무관 배종하

(자 문)

o 농촌경제연구원 부원장 최양부

2. 금번 회의에는 아래 기본입장과 본부 대표가 지참하는 쟁점별 세부입장에 따라 적의 대처 바람.

가. 기본방향

o 기술적 사항 논의과정에서 객관적이고 설득력있는 논리를 통해 아국 관심사항을 지속적으로 제기

o 특히 Dunkel 사무총장이 제시한 대안의 압축과 조정협의에 대비하여 1.9 대외협력위원회에서 결정된 아국의 핵심 관심사항을 대안으로 반영하는데 최대한의 협상력 경주

보 안 통 제	(서명)

앙 고 재	91년 7월 20일	통상기구과	기안자 성명		과 장	심의관	국 장		차 관	장 관
			송봉헌		(서명)	(서명)	전결			(서명)

외신과통제

0099

나. 대안에 반영되어야 할 아국 관심사항

1) 국내보조

o 감축대상정책을 먼저 결정하는 방식(Negative Approach) 채택

o 허용정책에 구조조정과 투자를 포함

o AMS는 실제 재정지출액을 기준으로 하며 국경보호에 의한 지지효과는 산출대상에서 제외

o AMS는 실질가격을 기준으로 하고 품목군별로 계측

o AMS에 의한 감축약속에 있어 생산통제 비율과 수입비중을 반영

2) 시장개방

o 식량안보, 11조 2항 C 대상품목은 관세화 대상에서 제외되며 GATT 규범에 항구적으로 명확히 반영

o 식량안보에 극히 긴요한 기초식품(쌀)은 최소시장접근 보장에 있어 예외 인정

o 관세상당치(TE)의 상한선 설정배제와 수입금지적으로 높은 TE에 대하여만 최소시장접근 부여

o 특별세이프가드는 항구적으로 적용하되 수량제한 조치도 인정

3) 수출보조

o 국내보조, 국경보호와 분리하여 보다 급격한 감축 약속이행

o 감축대상 수출보조에 Deficiency Payment, 수출신용등을 포함

o 감축약속은 재정지출액과 수출물량이외에 단위당 수출지원액을 기준으로 감축

o 갓트 16조 3항의 개념을 보다 구체화하는 방법으로 수출보조 규율

- UR/보조금.상계관세 협상에서 논의되고 있는 의장초안 활용 배제

4) 개도국 우대

o 1인당 GNP등 특정지표를 적용, 차별화하는 방식 배제

o 국내보조에 있어 별도의 완화된 허용기준과 조건을 적용

- 개발목적정책, 구조조정, 투자지원등과 관련된 정책은 허용

0100

o 개도국 농업유지에 극히 필수적인 품목은 관세화 및 최소시장접근 보장대상에서 제외

o 품목별 보조액이 일정수준 이하인 경우 감축의무 면제 (De Minimis)

o 소폭감축율과 장기이행 기간 부여. 끝.

(통상국장 김 용규)

0101

원 본

외 무 부

종 별 :

번 호 : GVW-1380　　　　일 시 : 91 0723 1100

수 신 : 장 관(통기,경기원,재무부,농림수산부,상공부)

발 신 : 주 제네바 대사

제 목 : UR/ 농산물 협상

7.22(월) 개최된 표제 주요국 비공식 회의 및 개도국 비공식 회의 요지 하기 보고함.

1. 주요국 비공식 회의

가. 던켈 총장은 7.17 배포된 갓트 사무국의 비공식 질문서는 참고 자료일뿐이라고 하면서 금번회의에서 논의하지 않겠다고 하고, 협상대안문서 (OPTIONS PAPER) 만 대상으로 논의하자고하였음.

- 일본측 대표에게 탐문한바에 따르면 7월중순경 개최된 주요 8개국 비공식 회의시 동비공식 질문서가 논의되었는바, 일본등이 이의를 제기하여 공식 배포치 않기로 하였다면서 동 문제가 금번 회의시 논의될 경우 강한 반대입장을 표명할 것이라는점을 사무국에 전달한바있었다고 하였음.

나. 대안문서 논의 요지(국내보조 부분중 AMS계측 방법)

- AMS 의 역할과 계측 방법관련 호주는 케언즈 그룹 입장을 설명하면서, 총 AMS를OECD PSE 의 A-F 항을 OAAEV 계측하여 삭감약속 이행 점검(MONITOR) 수단으로 사용 하고 그중가격 보조 및 직접 지불 정책의 경우는 지지 가격삭감 재정 지출 삭감등 구체적인 삭감 약속 (MAXIMUM SPECIFIC) 을 해야 한다고 주장하였음.

0 미국은 종전 입장을 반복하면서 분야별 접근관련 국경조치 효과는 국내 보조 약속에서 제외되야 한다고 강조하였음.

0 이씨는 이에 대하여 국경조치 효과도 AMS 계측에 포함되야 한다고 주장하였고,일본도 가격차 계측 결과를 국내 보조와 국경 조치로 나눌수 없다는 점에서 국격조치가 AMS 에포함되야 한다고 주장하였음.

0 아국은 AMS 를 삭감 수단으로 사용하되, 시장가격 지지의 측정은 재정지출을 기준으로 해야하며, 국경조치 효과는 배치되야 한다는 점을주장하였음.

통상국　2차보　외정실　경기원　재무부　농수부　상공부

PAGE 1　　91.07.23 20:35 CT

외신 1과 통제관

0102

- 던켈총장은 생산통제, 국경조치, 갓트 11조등의 관계를 갓트 규범과 관련하여어떻게 정의할 것인지를 제기하였음.

0 이에 대하여 오지리는 시장가격 지지 정책이 있는 경우 즉 정부의 지지 가격이 있는 경우만 국내 보조삭감 약속 약속을 하고, 국경조치에 의하여 국내가격을 지지하는 격우는 국경조치 부분에서 약속해야 한다고 주장하였음.

0 일본은 생산통제 효과를 확보하기 위하여는 국경조치가 불가피하다고 강조하였음.

0 아국은 갓트 11조와 국경조치 문제는 분야별접근 방법을 택할 경우 국내 보조와 별개의 문제이며 따라서 시장접근 부문에서 논의해야한다고 하였음.

다. 향후 회의 일정

- 7.25(목) 15:00, 7.26(금) 11:00 표제 주요국 비공식회의를 개최하여 대안문서의 시장접근부문 (24-30항) 및 수출 경쟁부문 (44-48항)을 논의토록하고, 7.23(화) 11:00 및 7.26(금) 15:00 표제협상 전체 공식 회의를 개최키로 하였음.

- 던켈 총장은 금 7.22 주간중에 수시로 관련 국가와 비공식 협의를 갖겠다고 하였음.

0 아국은 7.23(화) 20:00 시장접근 분야중 최저시장접근 문제에 대한 비공식 협의(아국포함 12개국 참석예정)와 7.24(수) 15:00 오지리, 스위스, 인도,이집트, 태국등 17개국이 참석하는 비공식 협의에 초청되었음.

2. 개도국 비공식회의

가. 금 7.12 17:30 개최된 개도국 비공식회의에서는 시장접근 분야중 갓트규범 관련 사항 및 수출경쟁과 관련된 개도국 우대에 대하여 논의하였음.

- 태국, 멕시코, 콜롬비아, 인도, 이집트 등 대다수 국가가 선.개도국간 형평의유지를 강조하면서 선진 수출국이 수출 보조금을 폐지하는 것이 바람직하지만 현실적으 로 완전히 폐지할수 없다면 개도국이 수출시장에서 불이익을 받지 않는 장치가 마련되야 한다고 주장하였음.

- 태국, 말련등은 수출 신용보조는 삭감대상에서 제외시키고 개도국의 수출 경합 품목에 대하여는 선진국이 수출 보조를 보다 더 삭감하도록 해야한다고 주장하였음.

0 인도는 단위당 AMS 와 유사한 개념을 수출보조금에 도입하여 일정 수준 이하한경우는 예외로 취급하자고 주장함.

0 아국은 수출 신용등은 개도국 우대를 적용토록하고 DE MINIMUS 개념을

인정해주자고 하였음.

- 식량원조 및 양허 판매 관련 케언즈 그룹국가들은 우회 보조가 일어나지 않도록 순수한 식량원조만 인정해야 한다고 강조하였음.

0 아국은 UR 결과 국제시장 가격이 상승될경우 예상되는 최저 개발국 및 순수입개도국의 역효과를 감안, 식량원조 수준이 줄어들지 않도록 하는 장치가 도입되야 하며, 국제 기구를통한 농업투자가 확대되야 한다고 주장하였음.

- 차기 개도국 비공식 회의는 9월 이후 개최될전망임. 끝

(대사 박수길-국장)

0104

원 본

외 무 부

종 별 :

번 호 : GVW-1383 일 시 : 91 0723 1700

수 신 : 장관(통기,경기원,재무부,농림수산부,상공부)

발 신 : 주 제네바 대사

제 목 : UR/ 농산물 전체 공식 회의

7.23(화) 개최된 표제협상 공식회의 요지 하기보고함.

(농림수산부 조국장, 농경연 최부원장,천농무관 참석)

1. 던켈 총장의 비공식 협의결과 보고

- 던켈 총장은 6.18 공식회의 이후 개최된 비공식 협의 결과를 다음 요지로 보고하였음.

(보고서 사본 별첨 FAX 송부)

0 6.24 배포된 대안문서에 대하여 전반적으로 긍정적인 반응을 얻었으며 향후 작업의 유용한문서(USEFUL TOOL) 로서 인식 되었음.

0 협상의 수단(MODALITY) 이 먼저 합의될 필요성이 있다는 점에 대다수 국가가공감하고있음.

0 국내 보조 분야에서는 허용정책의 정의 문제에 진전이 있었음. 허용정책에 대한 일정한기준의 설정과 정책 예시 방식을 사용하는 방안을 다수 국가가 선호하고 있으며, 앞으로 기준설정및 정책 예시를 보다 구체화 하는 작업이필요함.

0 국내 보조 삭감을 AMS 를 통해서 할 것인지 또는 정책별로 할것인지는 아직 해결되지 않았으나 양자를 절충하는 방안 모색이 유용할것임.

그밖에 국경조치 효과 배제문제, DE MINIMUS인정문제, AMS 에 상응한 약속등이 쟁점으로 남아 있으며 인프레의 경우 중요한 문제이지만 아직 CONSENSUS 가 형성되지않고있음.

0 시장접견 분야에서는 관세화 원칙 및 특별세이프가드의 적용이 광범위한 지지를 받고있음.그러나 관세화 적용범위등과 관련쟁점이 남아있음. TE 의 계산 방법,최저시장접근(MMA) 의 방법등에 대한 추가적인 기술적 논의가 필요함.

0 수출 보조 분야에서는 수출 보조를 예시하고 개념 정의하는 방식이 실용적 접근

통상국 2차보 분석관 경기원 재무부 농수부 상공부

PAGE 1

91.07.24 01:33 FN

외신 1과 통제관

0105

법으로 보이며, 삭감방법 즉 재정지출 기준, 물량기준 또는 단위당보조금 기준 방식의 결정이 필요함.

- 던켈 총장은 7.22 주간중 집중적인 비공식협의를 계속하여 그 결과를 7.26(금)개최 예정인 표제회의에 보고토록 할 생각이라고 밝힘.

0 비공식 협의는 대안문서를 기초로할 것이며,CONSENSUS 의 형성에 그 목적을 두게 될것이며,0 시급히 요구되는 정치적 결정을 위한 기초작업의 일환이 될것이라고함.

2. 각국 발언 요지

- 호주는 케언즈 그룹을 대표하여 7.8-9 브라질에서 개최된 케언즈 그룹 각료회의 결과를 요약설명하고 선언문을 배포하였음.

- 일본은 갓트 11조 2항 C 및 기초 식량은 관세화의 대상이 되지 않는다는 입장이 있음을 강조하였음.

3. 평가

- 6.24 배포된 대안문서에 대한 전반적인긍정적 평가에 따라 앞으로 대안문서를기초로한 기술적 작업을 당분간 계속할 것으로 예상됨.

- 한편 정치적 결단이 매우 시급함을 강조하고있는바, 7.29 TNC 에 보고할 보고서와 관련 7.22주간중 주요 국가와 심도있는 비공식 협의를 진행시켜 향후 협상의 방향 설정을 위한 CONSENSUS 형성에 노력할 것으로 보임. 끝

첨부: 던켈 총장 보고서(GVW(F)-270)

(대사 박수길-국장)

PAGE 2

0106

GVW(지)-270 10723 1700
GVW-1383 첨부 23 July 1991

URUGUAY ROUND: NEGOTIATING GROUP ON AGRICULTURE

Meeting of Tuesday, 23 July 1991

Chairman's Report on Informal Consultations

1. At our last meeting, on 18 June, I reported further to you on my informal consultations up to that time. Since that meeting I have issued on my own responsibility a Note on Options in the Agriculture Negotiations, which was circulated as document MTN.GNG/AG/W/1 of 24 June. It was communicated to the Trade Negotiations Committee along with letters from the Chairmen of other Groups in document MTN.TNC/W/85.

2. The informal consultations which I have been continuing to carry out since our last meeting have centred on the issues raised in the options paper. I would remind participants that the purpose of that paper is to set out options on the basis of which the commitments which are our agreed aim could be negotiated. Most of the options set out in the paper are closely related to the technical consultations on which I have previously reported to this Group, though some of the basic questions concerning the choice of instruments for reform necessarily have a political dimension as well.

3. I am pleased to be able to report that the options paper has had a generally positive reception and is seen as a useful tool in our work. It is not a negotiating text, but it points to questions which must be answered in order to take the negotiation to the next, more concrete, phase. My consultations between 24 June and the end of last week have been aimed at exploring possible areas of convergence on individual options set out in the paper and at identifying and working on the areas where further intensive work is needed. I consider that they have been useful in both respects.

4. Speaking generally to begin with, I note a widespread appreciation among the participants I have consulted of the importance of an early agreement on the modalities for the negotiation. Neither the options paper nor my recent consultations have addressed directly the "numbers", that is

0107

4-1

the amount and duration of reduction commitments, since in order for that negotiation to take place within clear parameters and with reliable results, we will need to have established the instruments through which the commitments will be put into practice.

5. In each of the three areas where it is agreed that separate commitments to reduce protection and support will be undertaken there remain outstanding questions which need to be resolved. I have noted a continuing commitment among all those consulted to seek solutions, at both the technical and political level.

6. In the Domestic Support area, I can report continuing progress on the option of defining the "Green Box", or policies to be exempt from reduction. While some reservations remain, an approach which involves an illustrative list and criteria is favoured by many participants. A distinction between government services and direct payments to producers has been made, and there is a good degree of common ground concerning the illustrative list. Likewise certain basic criteria are widely seen as generally applicable to all prospective "green" policies. Further work could be directed towards more precise criteria which would apply to specific policies and, in parallel, to refine the illustrative list. This is also an area where consideration of arrangements for monitoring and review could be a particular concern.

7. The issues concerning the Aggregate Measure of Support have become clearer. It is agreed that it has a rôle in the domestic support area. Whether this should be as the primary vehicle for reduction commitments, or whether commitments are to be made on specific policy instruments, remains to be settled. While there is an important political aspect to this question, since it relates to the flexibility of commitments, there may be some benefit in exploring the technical possibilities for a combination of the two options. Other outstanding issues include whether to include or not the effects of border measures in the AMS calculations, the use of

0108

4-2

total or supported production as a base for commitments, possible de minimis provisions (which relate also to the wider question of harmonization) and equivalent commitments where an AMS is not practicable.

8. Also under domestic support, I would note that for several participants the provision to be made for inflation vis-à-vis commitments remains an important point, though one on which I do not yet see a consensus. The scope of the problem and the technical possibilities will need further attention.

9. Turning to Market Access, I see a widening acceptance of the principle of tariffication combined with special safeguard provisions which should facilitate the required adjustments in the instruments of border protection. While a number of issues involved in the application of these principles are still outstanding, concerning for example the scope of tariffication, I am confident that continuing consultations are helping to prepare the ground for the breakthroughs which will be necessary. It is encouraging that a number of areas have been agreed as justifying further technical work. These include the methodological basis for the calculation of tariff equivalents and the modalities of a possible minimum access commitments. A transparent methodology is clearly seen as an important requirement.

10. Work has also been carried out on better defining ways and means to provide for special and differential treatment to developing countries in market access, both with respect to the commitments they will be expected to take and to the treatment of policies of special interest to them in developed countries' markets. Concerns expressed about aspects such as balance-of-payments restrictions will need to be kept in mind as the work on market access progresses.

11. On Export Competition, there has been worthwhile progress since my last report to you - some of this has been by way of clarifying the options and the positions of participants, but indications have also emerged of

0109

4-3

possible areas of convergence on how certain issues might be approached. Use of a generic definition of export subsidies together with a listing of the practices that might be subject to reduction seems to me to provide a pragmatic basis for pursuing the technical work and some progress has been made on defining the list. Decisions of a more political nature will be needed concerning the modalities of commitments, i.e., whether it is to be on budgetary outlays, export volumes, per unit or a combination of these. The modalities of budgetary commitments have been identified as an area for further technical work, as has the concept of a cease-fire "freeze" on export subsidies preventing their extension to new products or markets, an option which several participants thought should be given greater prominence in our work.

12. Concerning sanitary and phytosanitary measures, I would recall that as I reported to you last month the issues remaining here are largely of a political nature. I intend to return to these issues later this year at an appropriate time.

13. I will be continuing intensive informal consultations on domestic support, market access and export competition this week in whatever configurations appear most productive and I will report again to this Group. The work will remain based on the options paper, with the aim of building consensus wherever possible. The results which I have just outlined make it clear that this process is a productive one. Insofar as it involves further technical work, it is technical work with a clear purpose, that of contributing to the political decisions which are urgently needed.

0110

4-4

원 본

외 무 부

종 별 :

번 호 : GVW-1393 일 시 : 91 0724 1130

수 신 : 장관(통기,경기원,재무부,농림수산부,상공부)

발 신 : 주 제네바 대사

제 목 : UR/ 농산물 비공식 협의

7.23(화) 20:00 주요 8개국 (미국,이씨,호주, 카나다,일본, 뉴질랜드, 알젠틴, 북구) 스위스, 오지리,아국, 칠레, 모로코등이 참석한 비공식 협의가 개최되어 시장접근 분야중 최저 시장 접근(MMA)에 대하여 논의한바 요지 하기 보고함.

1. 회의를 주재한 불터 농업국장은 MMA 에대한 각국의 정치적 입장을 예단하지 않고 순수한 기술적측면에서 통계적 자료의 획득가능성과 실제 이용 가능성에 촛점을두고 별첨토의 자료의 C,D,G 항 중심으로 논의하자고 제기하였음.

2. MMA 의 개념에 대한 토의

- 일본은 MMA 의 정의관련, 추가적시장접근은 MMA 의 논의를 복잡하게 하므로 별개 용어를 사용하는 것이 좋으며, 갓트 11조 2 (C) 의 경우는 MMA 를 달리 적용하되R/O방식으로 협상하는 것이 좋다고 하였으며, 기초식량의 경우는 MMA 약속이 곤란하다고 발언하였음.

- 카나다는 갓트 11조 2항의 MMA 는 별개의문제이며, 본 협의에서는 관세화하는품목이 MMA 에 대하여 논의하자고 하였음.

- 호주는 MMA 가 관세화의 필수적 요소이며,비관세 조치를 관세화 하거나 매우 높은 수준의 관세가 부과되는 경우는 MMA 가 품목별로 구체적으로 정해져야 한다고주장 하였음.

- 이씨는 MMA 의 기술적 논의 필요성을 인정하면서 어느정도까지 현실적으로 적용할수있는지를 검토하자고 하였음.

- 아국은 MMA 에는 갓트 11조 2와 관련된 개념, 비관세 장벽과 관련된 개념, 관세화하는 품목에 대한 개념등 3가지가 있는바 이를 먼저 명확히 규명해야 한다고 전제하고, 관세화 자체가 시장개방을 의미하므로 관세화 품목에MMA 를 인정하는 것은개념상 모순이라고 지적하고, 이중적이 부담을 하게될 경우는 농민을 설득하기

통상국 차관 2차보 경기원 재무부 농수부 상공부

PAGE 1

91.07.25 00:42 ED

외신 1과 통제관

0111

어려운점을 제기하였음.

- 의장은 MMA 에 3개 개념이 있음을 인정하면서 MMA 의 적용 가능성을 검토하기위해서는 가능한 광의로 접근하자고 하고, 정치적 입장의 예단없이 순수한 기술적인 문제만논의하자고 하였음.

3. MMA 의 통계자료 수집 가능성에 대한 토의

- 이씨는 생산통계가 관세 항목별로 나오지 않는다고 하면서 기초 품목에 대하여 가공품에 대한 계수적용을 통해 총 생산량 통계를 작성한다고 하였음.

- 일본은 소비량 통계는 가상 숫자이며,생산량통계만이 조사된다고 하고 따라서관세항목별로 자료 제시가 곤란하므로 품목군별 접근이 필요하다고 주장하였음.

- 미국은 토예자료 조사에 한계가 있는 점을 인정해야 한다고 하며 미국의 경우통계자료가 조사되지 않는 품목이 있다고 하였음.

- 카나다, 호주, 알젠틴등 케언즈 그룹 국가는 관세항목별로 비관세 조치가 존재하는 경우는 MMA 의 설정이 가능할 것이라고 주장하였음.

- 아국은 관세항목과 생산통계는 서로 별개의 개념이며, 실제 국내 생산이 없는품목이 많이있다고 하면서 생산 통계의 제시의 어려움을 지적하고 품목별로 MMA 적용은 불가능하다고하였음.

- 스위스, 오지리등은 통계 조사의 어려움을 지적하면서 품목별 MMA 설정의 어려움을주장하였음.

- 뉴질랜드는 각국이 HS 품목별로 (2단위,4단위 또는 6단위) 생산, 소비, 수입 수출 통계를 제공할수 있는지와 통계가 없는 경우 추정치를 사용할수 있는지를 각국에 알아 보자고 제기하였음.

0 이에 대하여 일본은 국별 리스트(CL) 와는 별개라는 점을 강조하였음.

- 의장은 사무국이 생산, 소비, 수입, 수출등의통계가 HS 품목별로 존재하는지 여부에 대하여 일반적인 질문서를 작성 각국에 배포하겠다고하였음.

첨부: 최저 시장접근 토의자료 1부 끝

(GVW(F)-272)

(대사 박수길-국장)

GVW(F)-0272 . 10723 1130

" GVW-1393 첨부 "

22 July 1991

Minimum Access Commitments

Note by the Secretariat

1. This note attempts to offer a basis for work on minimum access commitments by providing a brief outline of issues in this area.

(a) Definition: clarification whether participants are discussing a minimum access level (e.g. where current access is lower than x per cent of production/consumption, an increase in access to x per cent), or additional access (e.g. notwithstanding current access levels, an increase in access of x per cent).

(b) Policy coverage: the policy coverage of minimum access could be limited to all products for which non-tariff measures apply, or it could include those products currently subject to prohibitive tariffs. Depending on the scope and modalities of tariffication, minimum access could apply in all cases, only to tariff equivalents above a certain "ceiling", or only to tariff equivalents "established in a way that would result in higher initial levels of protection", etc.

(c) Product coverage: the product coverage of minimum access could be all products, an agreed set of major traded products, or some other group of products or sectors. In all cases the rôle of processed products must be taken into account. If the calculation is made at the tariff line level processed products can be treated individually. If products are grouped (e.g. a generic category for "wheat", "cereals", or "beef", or a category for milkfat and protein for dairy products), imports and domestic consumption/production of processed products up to the first and second stage of processing could be taken into account with coefficients.

(d) Basis for comparison: the level of minimum access could be calculated as a percentage of production or consumption (or the higher or lower of the two). The calculation could be made annually or only once at the beginning of the implementation period (notwithstanding any increase in access that may be agreed for the implementation period).

(e) Means of implementation: tariff rate quotas have been suggested. In addition, some participants have proposed the use of tariff equivalents set at the "correct" level, i.e. a level at which the minimum access commitment is met, and others have proposed a continuation of the current border measures.

(f) Level of tariff applying to minimum access: in the case of tariff rate quotas or the continuation of current border measures, the tariff rate could be set at zero or low rates, the existing bound or applied rates, or be made a function of the new bound rate in the case of tariff equivalents.

0113

AG58-RF

2-1

(g) Product allocation: the issue of translating a minimum access level for a product (e.g. beef or wheat) into tariff lines (e.g. for frozen carcasses versus fresh cuts, or wheat versus flour versus pasta) needs examination.

(h) Country allocation: the allocation of new access on an MFN basis could be implemented via Article XIII type provisions. Additional procedures may be necessary for seasonal products for which a first-in-first-served allocation may distort marketing patterns.

(i) Access transparency: special transparency requirements may be necessary to allow exporters to assess import opportunities and to avoid trade disruption following the filling of the minimum access amount. This may be particularly important for perishable products.

(j) Length of application: the minimum access level could continue in perpetuity, or be limited to the implementation period. Means may have to be identified to avoid trade disruption if minimum access is time-limited.

(k) Relationship to safeguards: if a volume based special safeguard for agriculture is agreed upon, the definition of an "import surge" in relation to imports under a minimum access commitment would need to be clarified. A similar clarification may be required for Article XIX.

(l) Special and differential treatment: what provisions for developing countries could be contemplated in relation to minimum access commitments?

0114

58-RF

2-2

관리 번호	91/511

외 무 부

종 별 : 지 급

번 호 : USW-3704 일 시 : 91 0724 1655

수 신 : 장 관(통기,통이,농수산부) 사본주제네바대사,주 EC 대사-중계필

발 신 : 주 미국 대사

제 목 : GATT/UR 농산물 협상

7.24 당관 이영래 농무관은 미 농무성의 GRUEFF 다자간 교역과장과 오찬, 표제 협상 관련 협의한바, 동인 발언 내용 하기 보고함.

1. 미측으로서는 7 월 하순 제네바에서 개최되는 35 개국 비공식 회의 및 TNC 회의에서 특별한 진전이 있으리라고는 기대하지 않고 있으나, DUNKEL 의 OPTION PAPER 등을 중심으로 오는 9 월부터 본격적인 협상에 들어가게 될것이라고 전망함.

2. 제네바에서의 다자간 협상과 병행하여, 미국과 EC 간 양자 협상이 중요한바, 오는 7.30 CARLA HILLS 미 USTR 대표 및 MADIGAN 농무장관이 MACSHARRY 및ANDRIESSEN EC 집행위원과 브랏셀 에서 만나 농산물을 중심으로 UR 문제 전반에 관해 협의를 가질 예정이나, 미측으로서는 새로운 제안을 하기 보다는 G-7 회의에서 합의한바와 같이 연내 UR 협상의 성공적 타결을 위하여 무한정 CAP 개혁안의 확정을 기다릴수 없다는점을 강조하고, 지난해의 HELLSTROM 안등 여러가지 대안을 놓고 해결점을 모색하려고 노력할 것이라고 말함.

3. 또한 동 과장은 금번 MACSHARRY 위원의 CAP 개혁안이 진일보한 안인것만은 사실이나 시간이 경과함에 따라 이의 대폭적인 수정이 불가피할 것이라고 말함. (이 농무관이 협상의 조속한 타결을 위해 미국및 CAIRNS GROUP 이 새로운 대안을 제시할 필요성이 있지 않겠느냐고 타진한바)동 과장은 9 월이후의 본격 협상에서 기본 FRAMEWORK 을 만들기 위하여 융통성있는 협상이 필요하다는 점은 인정하고, 의회, 업계등의 동정을 감안, 현 단계에서 구체적인 대안을 제시하는데에는 어려움이 있다고 언급함.끝.

(대사 현홍주-국장)

예고:91.12.31 까지

일반문서로 재분류(1991 .12.31.)

통상국	장관	차관	1차보	2차보	통상국	분석관	청와대	안기부
농수부								

PAGE 1

91.07.25 07:49

외신 2과 통제관 BS

0115

원 본

외 무 부

종 별 :

번 호 : GVW-1402 일 시 : 91 0725 1500

수 신 : 장관(통기,경기원,재무부,농림수산부,상공부)

발 신 : 주 제네바 대사

제 목 : UR/ 농산물 비공식 협의

7.24(수) 던켈 총장 주재로 개최된 표제 협상비공식 협의에서는 국내 보조 분야중 허용정책에 관하여 논의한바, 요지 하기 보고함.

1. 국내 보조(허용정책) 토의 요지

- 던켈 총장은 논의에 앞서 별첨 허용 정책에대한 토의자료가 그동안 개별국가와의 비공식 협의를 통해 작성된 것이며 완전한 상태의것이 아니라고 하면서 특히 개도국 우대는 현재논의중에 있으며, 추후 보완될 것이라고 전제한후, 동 토의 문서가 향후 합의 골격이 될가능성(POSSIBLE FUTURE FRAMEWORK) 도 있다고 하고동 문서에 제시된 협상 방향에 대한 각국의 반응을 요청하였음.

- 스위스, 우루과이, 모로코, 콜롬비아, 칠레, 멕시코,태국, 헝가리, 페루등 대부분 국가가 동 문서에제시된 협상 방향을 지지하였음.

0 스위스, 오지리, 폴란드등은 직접 지불정책의 내용이 어떻게 될 것인지가 중요하다고 하였음.

- 허용정책 기준에 대하여 케언즈 그룹 국가들은보다 구체적이고 강화된 기준이 추가되야 한다고하였음.

0 나이제리아, 콜롬비아, 태국등 개도국은 허용기준중 보조재원을 조세에 의존하도록 할경우 국제기구등을 통한 투자지원이 제외되는 문제점을 제기 하였음.

0 인도는 NEGATIVE AMS 에 대하여 가격지지 효과기준을 적용할 것인지를 질문하였음.

- 아국은 허용정책 정의 방법으로 대안문서에제시된 대안들을 각각 충분히 논의하지 않고 특정 대안으로 방향을 잡아가는 것은 형평에 맞지않는다고 하고, 개도국의 경 우는 기준 적용에 어려움이 있으며, 최소한의 왜곡 현상이라는 개념이 불확실하기 때문 에 허용정책을 판단하기 어려운점이 있다고 하고, 직접 지불정책에

통상국 2차보 구주국 외정실 정와대 안기부 경기원 재무부 농수부 상공부

PAGE 1 91.07.25 22:40 BU

외신 1과 통제관

0116

대한구체적인 내 용이 조속히 제시되기를 요청하였음.

- 던켈 총장은 동 문서에 제시된 방향을 대부분 국가가 지지하고 있다고 하고,아국이 다른대안을 지지한다면 구체적인 입장을 제시하여 다른나라를 설득하는 것이 좋겠다고 하였음.

2. 관세화 방법론에 대한 토의 문서 설명

- 던켈 총장은 관세화 방법론에 대한 기술적 토의문서(별첨 FAX 송부)를 배포하고, 동 문서는 협상용이 아니고 기술적인 것이며, 각국의 관세화에 대한 입장과 향후 협상의 방향(GUIDELINE) 을 제시하였다고 전제하고 동 문서는수정의 대상이 아니라고 하면서 7.25(목) 15:00 표제비공식 협의를 개최하여 협상 방향에 대하여논의하자고 하였음. 동인은 동 문서에 제시된협상 방향이 다른 주요국으로 부터 강한 반대를제기하지 않도록 작성되었다고 하였음.

- 던켈 총장은 국내보조, 시장접근, 수출 보조에대한 사무국의 토의문서(NON-PAPER) 가 7.30 개최되는 TNC 보고서의 부록으로 첨부될 가능성이 있다고 시사하고 첨부 여부는 현재 진행중인 비공식 협의를 본후 결정 하겠다고하였음. 끝

첨부: 국내보조 및 관세화 토의문서 1부.(GVW(F)-275) 끝

(대사 박수길-국장)

PAGE 2

0117

GVW(기)-0275 =725 1500
GVW-1402 첨부

22 July 1991

Domestic Support: The basis for exemption from the reduction commitment

Illustrative list

1. Certain forms of support with either no, or minimal, trade distortion effects or effects on production may be excluded from the commitment to progressive and substantial reduction. This support may take the form of direct payments to producers or government expenditure and revenue foregone on programmes involving transfers to producers. It may include programmes aimed at providing general services to agriculture and the rural community; domestic food aid; public stockholding for food security purposes; ....

In order to qualify for exemption from the reduction commitment such support must conform to the criteria set out below.

Criteria for exempting policies from the reduction commitment

2. Domestic support policies for which exemption from the reduction commitment is claimed must meet the fundamental requirement that they have no, or at most a minimal, distortive effect on production and trade. To this end, all policies for which exemption is claimed must conform to the following basic criteria:

(a) the support in question must be provided through a tax-payer-funded government programme (including government revenue foregone) not involving transfers from consumers;

(b) the support in question must not have the effect of providing price support to producers.

3. Exempt policies may involve either government expenditure (or revenue foregone) on the provision of services or direct payments to producers. In both categories policies for which exemption is claimed must conform to certain additional conditions as set out below

0118

12-1

(4) Government Service Programmes

(a) General services

Expenditures (or revenue foregone) in relation to programmes which provide services or benefits to agriculture or the rural community without involving direct payments to producers or processors. Such programmes, which include but are not restricted to the following list, must meet the general criteria in (2) above and policy-specific criteria where set out below.

research, including general research, research in connection with environmental programmes, and research programmes relating to particular products;

pest and disease control, including general and product-specific pest and disease control measures, such as early warning systems, quarantine, eradication etc.

training services, including both general and specialist training facilities;

extension and advisory services, including the provision of means to facilitate the transfer of information and the benefits of research to producers and consumers;

inspection services, including general inspection services and the inspection of particular products for health, safety, grading or standardization purposes;

marketing and promotion services, including market information, advice and promotion relating to particular products (but excluding expenditure for unspecified purposes that could be used by sellers to reduce their selling price or confer a direct economic benefit to purchasers); and

0119

12-2

infrastructural services, including: electricity reticulation, roads and other means of transport, water supply facilities, dams and drainage schemes, and infrastructural works associated with environmental programmes. In all cases the expenditure shall be directed to the provision or construction of capital works only, and shall exclude the subsidized provision of on-farm facilities other than for the reticulation of generally-available public utilities. It shall not include subsidies to inputs or operating costs, or preferential user charges.

(b) Domestic Food Aid

Expenditures (or revenue foregone) in relation to the provision of domestic food aid to sections of the population in need.

Eligibility to receive the food aid should be subject to a means test or other objective criteria related to need. Such aid shall be in the form of direct provision of food to those concerned or the provision of means to allow eligible recipients to buy food either at market or at subsidized prices. The volume of such aid shall not be influenced by annual production fluctuations and food purchases by the government shall be made at current market prices. The financing and administration of the aid shall be transparent.

(c) Public stockholding for food security purposes

Expenditures (or revenue foregone) in relation to the accumulation and holding of stocks of products which form an integral part of a national food-security programme. This may include government aid, to private storage of products as part of such a programme.

(2 -)

0120

The volume and accumulation of such stocks shall not be influenced by annual production fluctuations and the process of stock accumulation and disposal shall be financially transparent. Food purchases by the government shall be made at current market prices and sales from food security stocks shall be made at more than the purchase price.

(5) Direct Payments to Producers

....

12-4

0121

23 July 1991

Analytical Note on the Methodology of Tariffication

Introduction

1. This note attempts to offer a basis for work on the methodology of tariffication by providing a brief analysis of some of the major issues that have emerged in the country list exercise of last year, and consultations that since then have been carried out on this matter.

2. The analysis is based on the tariffication guidelines as they were first circulated as Annex I of MTN.GNG/NG5/W/170. These guidelines were based on the concept that **'tariff equivalents are established so that, for each product, they reflect no more than the gap between the domestic market price and the world price'** (MTN.GNG/AG/W/1). In other words, these guidelines purported to outline a static conversion methodology that would result in no trade effects.

3. Under each guideline, some of the major discrepancies evident in the country lists tabled by participants and points noted in discussions are outlined, and, where appropriate, alternative or amended guidelines are proposed. Some deviations away from the guidelines are reflected in the alternative methodological option set out in the options paper - **'tariff equivalents are established in a way that would result in higher initial levels of protection'** (MTN.GNG/AG/W/1).

4. In general, only some of the country lists tabled by participants have been used as a reference in this note (the lists from the EC, US, Japan and Canada) since they have been subject to specific consultations. Some specific issues from other lists are also included, and reference is made to some more general points that have come up in the consultations. The comments made on the country lists serve illustrative purposes. They are the Secretariat's interpretation of the lists for this purpose alone - they are not meant to evaluate the lists and do not prejudice the position of any participant. In addition, the note does not purport to be comprehensive, nor does it prejudice in any way additional points that participants may wish to raise in connection with this matter.

5. Notwithstanding the amount of analytical work that is carried out, the guidelines will necessarily remain just that i.e. only guidelines. This is because of the wide differences in data quality and availability, as well as the differences in marketing (domestic and external) systems etc. among countries. Nevertheless, guidelines could play a valuable rôle if some review procedures are envisaged to assess market access offers in the next stage of the negotiations.

6. This note does not address the eventual scope of tariffication in terms of its universal application versus exceptions on whatever grounds. The paper does examine, however, the list of policies that would be subject to tariffication based on the list given in the options paper.

* * *

12-5

0122

Policy coverage: **"The tariffication approach requires that the policy coverage of tariffication be clearly defined. Among the measures to be included would be: quantitative import restrictions, variable import levies, minimum import prices, non-automatic licensing, non-tariff measures maintained through State trading enterprises, voluntary export restraints and similar schemes, whether or not these measures are maintained under country specific derogations from obligations provided for by rules and disciplines."** (MTN.GNG/AG/W/1)

7. This list is simply a (non-exhaustive) list of the policies that were previously summarised as "border measures other than normal customs duties" (MTN.GNG/NG5/W/170). During the discussions on the options paper, the only reference to the list was by one participant who noted that non-automatic licensing should only be included if it was used in conjunction with a quantitative restriction.

8. The option (initially proposed by the EC) of including some of the effects of specific deficiency payments in the list is also still under discussion. (Sweden too included some direct payments in the tariff equivalents reflecting recent policy changes). The need to specify the treatment of policies which may only occasionally apply (such as marketing orders, minimum prices etc.) is also required. However, these issues have been discussed previously and it is generally agreed that they have a political connotation.

> [Suggested guideline: "The policy coverage of tariffication would include: quantitative import restrictions, variable import levies, minimum import prices, discretionary licensing, non-tariff measures maintained through State trading enterprises, voluntary export restraints, [other policies as may be agreed] and any other schemes similar to those listed above, whether or not the measures are maintained under country-specific derogations from obligations provided for by rules and disciplines."]

Transparency and review: **"the conversion...into tariff equivalents must be carried out in a transparent manner using data, data sources and definitions that are made available to all contracting parties. Following the estimation of initial tariff equivalents, their rates will be subject to scrutiny and negotiation by interested contracting parties."** (MTN.GNG/NG5/W/170)

9. The consultations showed that transparency is important (and that it means different things to different participants). The more general and important issue, however, is the possible scope for assessing market access offers in the next stage of the negotiations on the hypothesis that tariffication is the instrument to be used in these negotiations.

10. During the recent technical consultations, one participant proposed that tariff equivalents (along with other parameters) would be subject to

0123

12-6

approval by participants following their submission. Another participant considered that the "approval" process should be an implicit part of the broader negotiation process. Another view was that there may be a need for an arbitration body to make rulings on proposed tariff equivalents.

[Suggested guideline: "The calculation of the tariff equivalents would be made in a transparent manner using data, data sources and definitions that are made available to all participants. Following the estimation of initial tariff equivalents, their rates would be subject to scrutiny and review by interested participants prior to their consolidation."]

Base period: "data used will be for the most recent period available" (MTN.GNG/NG5/W/170)

11. During the recent technical consultations, it was agreed that this was largely a political issue to be resolved at a later date. Nevertheless, it is worthwhile noting the range of base periods proposed in the offers and country lists: most countries (the US, EC, Canada, most other Cairns Group, Austria, Sweden, Korea, Japan) used the 1986-88 period, Switzerland and Finland used 1988-89, Mexico proposed the most recent period available, Israel used 1988, and Iceland used 1988 for some products and 1989 for others. Some participants noted that the introduction of the harmonised system dictated to a certain extent the data availability.

12. The proposal of using the most recent period available was intended to reduce to the maximum extent possible trade disruption that could occur with the introduction of tariff equivalents in the place of other measures. For most products reference prices have increased since the 1986-88 period (reflecting generally ~~very poor world prices in~~-1986) and therefore, a tariff equivalent calculated on this period's data would be larger than one calculated using 1990 data.

[Suggested guideline: "Data used would be for the [19__] period."]

Product coverage: "calculations will be carried out for all principal products traded. This implies that:

(i) for major commodities, calculation would generally be made at the four-digit level of the HS;

(ii) for other products, including for individual fruits and vegetables, calculation would be made up to the six-digit level of the HS" (MTN.GNG/NG5/W/170)

13. This basic principle, intended to reflect the situation of the major products traded internationally, was followed in most cases. The US calculated a tariff equivalent for the "major commodities" of the milkfat and non-fat solids content of dairy products other than cheese. The EC concept of "pilot products" fits into this framework.

12-7

0124

[Suggested guideline: "Calculations would be carried out for all major agricultural products traded. This implies that:

(i) for major agricultural products, calculation would generally be made at the four-digit level of the HS;

(ii) for other agricultural products, including for individual fruits and vegetables, calculation would generally be made up to the six-digit level of the HS."]

Transformed and processed products: "**in all cases initial tariff equivalents for products derived from principal products would be calculated by multiplying the initial tariff equivalents for the principal product(s) by the proportion of principal product(s) in the derived product**" (MTN.GNG/NG5/W/170)

14. In this area there were more deviations from the guidelines. One participant noted that some six-digit products where traded to such an extent that a direct price comparison should be made for them rather than the use of coefficients from the principal products. The examples given were wheat flour and some vegetable oils. Switzerland and Korea calculated price differences at the most disaggregated level possible.

15. Some countries raised the issue of the level of protection that benefits the processing sector rather than the producers of the basic agricultural inputs. One participant noted that the use solely of coefficients and principal products to calculate tariff equivalents for processed products could result in the immediate removal of protection for the processing sector. The use of direct price comparisons for processed products would not have the same result as the protection of the processing sector would be captured in the tariff equivalents. Another participant made a similar point as to whether the protection on processed products would be adequate if coefficients were used. The EC country list notes that tariff equivalents for derived products may include an additional amount to protect the processing industry or to ensure a tariff element for non-basic products.

16. The EC has also used coefficients in order to deal with some products covered in their rebalancing proposal which are not subject to border measures or deficiency payments. These products are generally substitutes of basic products for which tariff equivalents are calculated. Finland has raised similar issues during the discussions.

[Suggested guideline: "Initial tariff equivalents for agricultural products derived from [, or substitutes to,] the major agricultural products would generally be calculated by multiplying the initial tariff equivalents for the major agricultural product(s) by the proportion of the major agricultural product(s) in the derived product [or, for substitutes, by some means that reflects the level of substitutability."]

12 - 8

0125

Quality: **"the initial tariff equivalent calculation for the principal product should be adjusted as necessary to take account of differences in quality or variety using an appropriate coefficient"** (MTN.GNG/NG5/W/170)

17. Most participants did not seem to need the use of a quality coefficient reflecting presumably that an appropriate reference price (see below) could be found. The EC however, did use a quality adjustment for some cereals (between Argentina's cereals and the EC's cereals) and for sheepmeat (between fresh and frozen). Details on how the adjustments were estimated are not contained in the country list.

18. The coefficients used to calculate the tariff equivalents for transformed and processed products are likely to include elements of quality along with the physical coefficients of inputs. For example, the price ratios of other cheese to cheddar as used by the US reflect not only the milkfat quantity of the cheese, but also quality and consumer preferences. (These price ratios where only used to calculate the ad valorem tariff equivalents for these cheeses. The specific tariff equivalent used was the same for all cheeses - reflecting implicitly an assumption about the fat content in those cheeses).

19. Some participants noted in the informal discussions that if imports of a significant quantity had occurred during the base period, it was not necessary (or correct) to take into account a quality coefficient. This is because the domestic price has already reacted to the importation of the different quality imports and therefore, the price gap alone will capture quality differences.

[Suggested guideline: "Where current imports are minimal and no comparable product exists in world trade, the initial tariff equivalent calculation for the major agricultural product would be adjusted as necessary to take account of differences in quality or variety using an appropriate coefficient."]

External prices: **"external prices would be, in general, actual c.i.f. unit values for the importing country; where c.i.f. unit values are neither available nor appropriate, external prices would be either: (i) appropriate c.i.f. values of a near country; or (ii) estimated from f.o.b. values of an appropriate major exporter adjusted by adding an estimate of c.i.f. costs"** (MTN.GNG/NG5/W/170)

20. Again the basic approach to determining an external price for each country and product was generally followed although, largely because of the nature of the import regimes, the use of actual c.i.f. prices in the countries examined was not widespread. There were exceptions however, because of data difficulties or data distortions.

21. The EC used, for most major products, not the c.i.f. price, but a reference price (generally the f.o.b. price of a major exporter). For other products (e.g. some of the fruit and vegetables) the use of internal prices less export refunds or intra-EC trade prices may reflect a proxy for the c.i.f. price (or indeed, the f.o.b. price). For pigmeat, the EC used

12 - p

0126

existing levies. For most dairy products, the EC (and some other countries) used the IDA minimum price to calculate tariff equivalents. The IDA prices are based on f.o.b., and they are the minimum "permitted" f.o.b. price (and, at least in some years, trade is generally carried out at higher prices).

22. For dairy products, the US used average world prices adjusted to a c.i.f. equivalent. This presumably reflects the fact that the actual c.i.f. prices would be distorted by quota rents. For beef, the US used a "constructed" price based on carcass value in Australia (the major exporter to the US) adjusted to c.i.f. For other products the US used quoted market prices along with assumptions about transport costs. The raw sugar price used was an f.o.b. price.

23. For cereals, Canada used quoted US prices less the average unit US Export Enhancement Program (EEP) payment. This implies that in the absence of the import licensing system, domestic wheat production would compete with this price. For fluid milk (and chicken, turkey and eggs), Canada used the US price in areas close to the Canadian border. The price used to calculate the tariff equivalent for concentrated milk was effectively the c.i.f. price of Canadian milk in North Africa. This method was used presumably to reflect the Canadian c.i.f. price for which no data was available. The assumption behind this seems to be that f.o.b. prices of exporters (e.g. Canada, EC or New Zealand) are about the same throughout the world. Transport costs between Canada and North Africa are also assumed to be the same as between Canada and one of the other exporters (e.g. the EC or New Zealand). Under these assumptions, c.i.f. North Africa for Canadian concentrated milk would be the same as, for example, c.i.f. Canada for EC concentrated milk. For the remainder of the dairy products, middle range values from GATT publications were used plus an estimate of transport from New Zealand to Canada.

24. For the tariff equivalents calculated by Japan, actual c.i.f. prices were used in all cases. This reflects that for the products concerned Japan was a significant importer hence c.i.f. data were available (it is not clear if the c.i.f. prices would include any quota rent). One other aspect of the calculation of tariff equivalents in some cases is the inclusion of "c.i.f. costs" in the external price. Details on the definition of these costs were not provided in the country list.

25. Some other countries did not follow the guidelines exactly. Sweden for example, calculated the tariff equivalents on the basis of actual import levies rather than a price gap. In many cases imports in the tariff lines concerned were not large (and in some cases may only have resulted from preferential arrangements) which may imply that the levy was largely prohibitive.

26. For some products (those not subject to quantitative restrictions and/or those for which price data were not available) Switzerland used the average actual import charge as the tariff equivalent rather than using a price gap approach.

-

0127

12-10

[Suggested guideline: "External prices would be, in general, actual c.i.f. unit values for the importing country; where c.i.f. unit values are neither available nor appropriate, external prices would be either: (i) appropriate c.i.f. values of a near country; or (ii) estimated from f.o.b. values of an appropriate major exporter adjusted by adding an estimate of insurance and freight costs."]

Exchange rates: **"in all cases external prices would be converted to domestic currencies using the annual average market exchange rate for the same periods as the price data"** (MTN.GNG/NG5/W/170)

27. This guideline was followed in almost all cases although some countries (such as Brazil) noted that because of rapid exchange rate devaluation the use of average data was not appropriate.

[Suggested guideline: "Except in exceptional circumstances, the external prices would be converted to domestic currencies using the annual average market exchange rate for the same periods as the price data."]

Internal prices: **"the internal price would be the average price ruling in the domestic market"** (MTN.GNG/NG5/W/170)

28. This guideline was followed by most of the participants that submitted a country list - in most cases the prices used were at the wholesale level or first stage processing level reflecting the level at which most trade occurs. The EC used the intervention price plus 10 per cent as the domestic price (and included monthly increments where appropriate). There is no information on the relationship between this estimate of the internal price and the actual internal price (for which data are not always readily available).

29. Those countries that used import levies or import charges to calculate the tariff equivalents did not use an internal price as such, but the resultant tariff equivalent may be comparable to the price gap method.

[Suggested guideline: "The internal price would be the average price ruling in the domestic market or an estimate of that price where no data is available."]

Specification: **"initial tariff equivalents would be expressed as *ad valorem* or specific rate"** (MTN.GNG/NG5/W/170)

30. During consultations, most participants have noted that the option of expressing tariff equivalents as either *ad valorem* or specific rates should be available. For most products, data supplied in the country lists would allow the calculation of either rate even where only one or the other is currently quoted.

31. The issue of the protective effects of *ad valorem* versus specific rates exists in agriculture as well as elsewhere. Specific rates provide relatively more protection when world prices are falling (and relatively

12-11

0128

less when world prices are increasing). Specific rates also tend to favour the importation of high value products within each tariff line as these products are relatively less protected (i.e. a fixed specific rate as a proportion (ad valorem equivalent) of a high c.i.f value is lower than the same specific rate as a proportion of a lower c.i.f. value).

[Suggested guideline: "Initial tariff equivalents would be expressed as ad valorem or specific rates."]

Other issues: negative tariff equivalents and tariff equivalents less than bound rates.

32. In many of the country lists of developing countries and some Central/ Eastern European countries, the tariff equivalents calculated following the guidelines were negative (reflecting domestic prices lower than the potential competing external price) or were lower than bound rates. The incidence of this reflects that the import controls in place (normally monopoly import regimes or import licensing) were not designed to protect the domestic producer, but designed for other objectives such as orderly domestic marketing etc. While the price gap still reflects the protective effect in price terms, it may not reflect these other considerations. One reason for this may be in the choice of the domestic price which could be distorted by consumer subsidies. In these cases the estimation of an "undistorted" wholesale price may ease the problem.

33. The Cairns Group also proposed that when this situation arose "the initial tariff equivalent will be negotiated on the basis of national offers". Another means to address the situation may be to allow the countries concerned to establish an initial tariff level in these cases (that could, for instance, be related to the tariff rate of a similar product).

[Suggested guideline: "Where the tariff equivalents resulting from these guidelines are negative or lower than the current bound rate, the initial tariff equivalent may be established at the current bound rate or on the basis of national offers [or at [x] per cent (or the specific equivalent of [x] per cent)]."]

0129

12-12

원 본

외 무 부

종 별 :

번 호 : GVW-1436 일 시 : 91 0727 1000

수 신 : 장관(통기,경기원,재무부,농림수산부,상공부)

발 신 : 주 제네바 대사

제 목 : UR/ 농산물 주요국 비공식 협의

7.25(목) 개최된 표제 비공식 협의 요지 하기 보고함.

1. 협상 대상 품목

가. 일본, 칠레, 멕시코, 이씨등은 임산물,수산물등을 추가해야 한다고 제기한데대하여 던켈총장은 시장접근 그룹에서도 농산물 그룹에서의 협상 대상품목이 조속히 결정되야 한다는 요청이있기 때문에 표제 협상에 합치되는 범위내에서 검토가 필요하다고 하면서 관심국가는 의견을 사무국에 조속히 제시해 주기 바란다고 하였음.

2. 관세화 방법론에 대한 분석자료 논의

가. 분석자료의 성격

- 던켈 총장은 동 자료의 성격에 대하여 의장 책임하에 작성된 토의 배경문서라고 하면서,관세화가 협상 도구(MODALITY) 로 합의될 경우의 기술적 문제를 구체화하기 위한 문서라고 설명하였음.

- 아국은 동 자료가 관세상당액(TE) 계산방법에 대한 이해를 돕기 위한 토의 자료로 본다고하고, 갓트 11조 2항(C) 및 식량 안보와 관련된 기초 식량은 관세화할수 없다는 점을 강조하였음.

나. 내용 토의 요지

(1) 대상 정책 범위

- 인도는 18조 (B) 항은 대상에 포함되지 않는다고 하였고, 아국 및 일본은 기초 식량과 11조 2항(C) 관련 품목은 대상에서 제외된다고 강조하였음.

(2) 명료성 확보

- 아국, 오지리, 일본등은 계산기준과 자료(DATA)검토를 명료하게 하기 위한 협의는 가능하나 그이상으로 승인 절차를 요구하는 하는것은 곤란하다고 밝혔음.

특히 일본은 R/O 에 의한 협상의 대상이 될수있을 것이라고 함.

통상국 2차보 경기원 재무부 농수부 상공부

PAGE 1 91.07.27 21:55 DF

외신 1과 통제관

0130

- 사무국은 점검(SCRUTINY AND REVIEW) 절차는 상호 이해를 돕기 위한 것이며승인을 의미하는 것이 아니라고 설명하였음.

(3) 기준년도

- 일본, 오지리 등은 CREDIT 과 관련하여 86년 이후가 되야 한다고 강조하였음.

- 사무국은 대다수 국가가 이동 평균법을 선호하고 있다고 하였음.

(4) 대상품목

- 아국은 자료의 획득 가능성등을 고려하여 상품분류 단위를 융통성 있게 하는 것이 좋다고 하였고 일본은 R/O 방식에 의하자고 하였음.

(5) 가공품 포함문제

- 이씨는 가공품 및 대체품에 별도 기준 적용에대해 만족을 표하였으며, 미국은품목별 방식을 선호하였음.

(6) REGATIVE TE

- 헝가리, 멕시코등은 별도의 보완조치가 있어야 한다고 강조하였음.

라. 던켈 총장은 동 분석자료가 협상 방향(GUIDELINE) 의 제시일뿐이며 협상은 대안 문서를 가지고 할것이라고 하고 동 분석자료는 수정의 대상이 아니라고 하면서 정치적인 입장을 가지고 동 자료를 논의하지 말자고 하였음. 끝

(대사 박수길-국장)

원 본

외 무 부

종 별 :

번 호 : GVW-1438 일 시 : 91 0729 1600

수 신 : 장 관(통기,경기원,재무부,농림수산부,상공부)

발 신 : 주 제네바 대사

제 목 : UR/ 농산물 협상

7.26 개최된 표제 협상 주요국 비공식 회의 및 전체 공식 회의 요지 하기 보고함.

1. 주요국 비공식 회의에서는 수출 보조 분야에 관한 사무국의 토의 자료 중심으로 논의하였음.

가. 수출 보조의 범위

- 이씨는 결손지불(DEFICIENCY PAYMENT) 가 보다 명확한 개념으로 정의되어 포함되도록 해야한다고 강조하였고, 현행 갓트 16조 3항과 관련하여 농산물 분야에 보조금 상계관세그룹의 합의 초안을 적용하는데 반대한다고 하였으며, 국내 보조와의 연계성을 강조하면서 수출 보조를 예시하는 방안에 불만을 표시하였음.

- 미국은 결손지불이 수출 보조에서 빠져야 한다고 하면서 사무국의 토의 문서는 각국 견해차를 확인시키는 기초문서라고 하였음.

- 호주등 케언즈 그룹은 수출 보조금 범위를 가능한 확대시켜야 한다고 강조하였음. 카나다는 수출금융이 포괄적으로 포함된데 불만을 표하였고, 생산자 단체의 자발적 보조를 포함시킨데 문제를 제기하였음.

- 일본은 단위당 약속의 중요성을 강조하였고 식량저장의 경우 보관에 따른 품질 저하 비용을 감안해야 한다고 하였음.

- 아국은 생산자 단체보조와 관련 수출 보조금의 정의와 정책 예시에 차이가 있다고 지적하고, 수출보조는 가능한 최대한 엄격히 규제되야 한다고 강조하였음.

나. 새로운 상품및 시장에 대한 수출 보조 문제

- 호주, 뉴질랜드, 알젠틴등 케언즈 그룹 국가는 새로운 상품 및 시장에 대한 수출 보조를 엄격히 규율해야 한다는 점에서 첫번째 접근법을 지지하면서 보다 구체적인 내용으로 발전되기를 희망하였음.

- 일본, 폴란드 및 인도, 파키스탄, 멕시코등 개도국은 균형 유지측면에서

통상국 2차보 경기원 재무부 농수부 상공부

PAGE 1 91.07.30 07:38 WH

외신 1과 통제관

0132

현재수출 보조를 하지 않고 있다고 하여도 앞으로 수출 보조를 줄수 있도록 해야 한다고강조하였음.

- 아국은 수입국 입장에서는 국내 시장에서 국내생산품과 수출품이 공정한 경쟁이 이루어지도록 새로운 품목, 새로운 시장에 대한 수출 보조가 이루어지지 않도록 하여야 한다고 주장하였음.

2. 전체 공식회의에서는 던켈 총장이 금주중 개최된 비공식 협의결과를 보고하였음.

가. 보고 요지

- 비공식 협의는 기술적 문제 중심으로 논의하여 향후 협상을 촉진시키기 위한 CONSENSUS 를 모아 나가는데 촛점을 두었으며, 동 논의사항이 EXHAUSTIVE 한것이 아니며, 향후 협상의 기초는 대안 문서임을 강조

- 국내 보조 관련 허용 정책의 정의에 있어서 적용 기준과 정책 예시를 병용하는 방식에 대부분 공감하고 있으며, 특히 정부의 지출 관련사항 논의에 상당한 진전이있었음. AMS역할 관련해서는 큰 진전은 없었음.

- 시장접근 관련 관세화 방법론 특히 관세상당액 계산 방법중심으로 논의가 있었는바, 다소 진전이 있었음. 앞으로 특별 세이프가드, 관세화 범위, 기타 특수한 관심사항에 대한 진전이 필요한 상황임.

- 수출 보조관련 일반적인 개념정의와 정책예시 방안을 중심으로 논의되었으며,삭감약속을 각각 재정지출, 물량, 단위당 보조금기준으로 하는 방안에 대하여 논의하였음.

나. 대안 문서의 부록(ADDENDA)

- 던켈 총장은 협상수단(MODALITY) 에 대한합의 단계로 발전을 위해서 대안을 보다 깊이 검토하기 위한 부록을 조속한 시일내에 배포하겠다고 하고, 동 부록은 협상진전에 긴요한 사항들에 대한 질문을 던지는 형식이 될 것이라고 하면서 부록의 내용을 다음과 같이 제시하였음.

. 협상 대상 품목의 범위 (

. 국내보조: 허용정책, AMS 의 정의, 상응한 약속의 정의, 개도국 우대

. 시장접근: 관세화 대상 정책의 범위 및방향, 최저 시장 접근, 개도국 우대

. 수출 경쟁: 수출 보조의 범위, 개도국 우대

다. 차기회의

- 9.16 주간중 개최키로 잠정적으로 정하였음. 끝

(대사 박수길-국장)

관세화 관련 갓트사무국 작성 토의문서에 대한 한.일 입장 비교

1991. 7.30.
통상기구과

쟁 점	아국 입장	일본 입장
관세화 대상정책 범위	갓트 11조 2항 C 대상품목 및 식량안보 관련 기초식량은 관세화 대상에서 제외	아국 입장과 동일
TE 산출 관련 명료성 확보	TE 산출관련 이해관계국과의 협의는 가능하나 승인절차는 불요	아국 입장과 동일 (단, R/O 협상 대상 가능)
TE 산출을 위한 국내.외 가격 기준년도	'86-'88 평균	credit 관련 86년이후 (아국 입장과 동일)
TE 산출 대상품목 범위	TE 산출 근거 자료 입수 가능성등을 고려 융통성 부여	R/O 협상에 의해 결정

공람	통상기구과	91년 7월 30일	담 당	과 장	심의관	국 장	차관보	차 관	장 관

0135

7.26 UR/농산물 협상 주요국 비공식 회의 및 전체 공식회의 요지

1991. 7.31.
통상기구과

1. 수출 보조분야 논의 요지 (주요국 비공식 회의)

쟁 점	주요국 입장
수출 보조범위	o E C - 결손지불(deficiency payment) 포함 - 보조금.상계관세 그룹 합의 초안 적용 반대 - 국내보조와의 연계성을 고려할 때 수출보조 예시 방안 반대 o 미 국 - 결손지불 포함 반대 o 케언즈그룹 - 수출 보조범위를 가능한 확대 필요 o 일 본 - 단위당 약속 필요 o 아 국 - 가능한 엄격한 규제 필요
새로운 상품 및 새로운 시장에 대한 수출 보조 문제	o 케언즈그룹 - 엄격한 규율 필요 o 일본 및 인도, 파키스탄, 멕시코등 개도국 - 현재 수출보조를 지급치 않고 있더라도 균형 유지 측면에서 허용 o 아 국 - 국내산품과의 공정경쟁을 위해 수출보조 허용 반대

공람	통상기구과	91년 7월 31일	담 당	과 장	심의관	국 장	차관보	차 관	장 관
			송봉헌	(서명)		(서명)			

0136

2. 비공식 회의 결과에 대한 Dunkel 사무총장 보고 요지 (전체 공식 회의)

o 향후 협상의 기초는 대안문서

- 협상 수단(Modality)에 대한 합의단계로 진전을 위해 부록 작성, 배포 예정

o 국내보조

- 정책 예시 및 적용기준 병행에 대부분의 국가가 공감

o 시장접근

- TE 계산방법 논의에 다소 진전

o 차기 회의

- 9.16 주간 (잠정). 끝.

관리번호	91-5-31

	분류번호	보존기간

발 신 전 보

번 호 : WJA-3422 910801 1449 FN 종별 :

수 신 : 주 일 대사.총영사

발 신 : 장 관 (통 기)

제 목 : ~~쌀시장 개방 문제~~ UR/농산물협상

일반문서로 재분류 (1981 . 12. 31 .)

1. 7.30 제네바에서 개최된 무역협상위원회(TNC)에서 Dunkel 갓트 사무총장은 9월이후 UR 협상 가속화, 10-11월에 타협이 이루어지도록 노력하는 향후 UR 협상 계획을 밝힘.

2. 한편, 6.24 UR/농산물 협상 관련 동 총장이 제시한 option paper에는 아국과 일본이 적극 주장하고 있는 식량안보에 긴요한 품목(쌀)의 최소 시장접근(minimum market access) 예외가 반영되어 있지 않음.

3. 상기 관련, 향후 아국의 UR/농산물 협상 ~~입장 수립에 참고코자 하니~~ 대책에 참고코자 하니 귀주재국의 쌀시장 개방 문제를 위요한 정부, 의회, 농민단체, 경제계 및 언론 동향을 수시 보고바람. 끝. (통상국장 김 용 규)

통상과장 [서명]

앙고재	91년 8월 1일	통상국 과	기안자	과 장	심의관	국 장	차 관	장 관
			송보현	[서명]		전결		[서명]

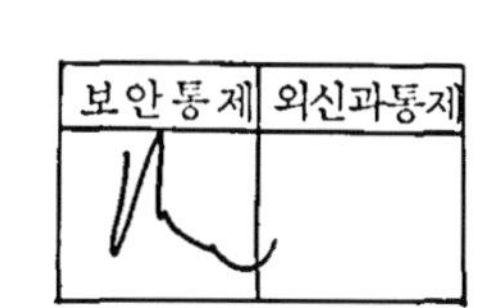

보안통제	외신과통제
[서명]	

0138

원 본

외 무 부

종 별 :

번 호 : GVW-1468 일 시 : 91 0805 1700

수 신 : 장 관(통기,경기원,재무부,농림수산부,상공부)

발 신 : 주 제네바 대사

제 목 : UR/ 농산물 대안 문서 부록

표제 협상 대안문서 부록(ADDENDA) 을 별첨 송부함.

첨부: 대안문서 부록 1부. 끝

(GVW(F)-287)

(대사 박수길-국장)

통상국 2차보 경기원 재무부 농수부 상공부

PAGE 1

91.08.06 07:43 WH

외신 1과 통제관

0139

1991-08-05 16:55 KOREA MISSION GENEVA 2 022 791 0 P.01

GVW(F)-0287 10805 1100

GVW-1468 첨부

MULTILATERAL TRADE
NEGOTIATIONS
THE URUGUAY ROUND

RESTRICTED

MTN.GNG/AG/W/1/Add.1
2 August 1991

Special Distribution

Original: English

Group of Negotiations on Goods (GATT)
Negotiating Group on Agriculture

OPTIONS IN THE AGRICULTURE NEGOTIATIONS

Note by the Chairman

Addenda

1. The documents attached (MTN.GNG/AG/W/1/Add.2-11) are addenda to the Note on Options which was circulated as document MTN.GNG/AG/W/1 on 24 June. As stated to the Negotiating Group, these addenda are aimed at exploring certain options in greater detail. Like the Note on Options to which they refer, they are issued on the Chairman's own responsibility, are not exhaustive, and are without prejudice to participants' positions on these or other issues which may also need to be considered further.

2. Square brackets are used in various places in the addenda to highlight outstanding or additional options. Their use does not imply that the text outside the brackets is considered to be agreed.

GATT SECRETARIAT
UR-91-0100

0140

11-1

Product Coverage[1]

The following product coverage could be considered in relation with paragraph 2 of the options paper.

(a) Harmonised System Chapters 1 to 23 less fish and fish products.

(b) Plus

Heading 2401 (un-manufactured tobacco)

Heading 3301 (essential oils)

Ex-Heading 3501 (casein; less casein glues)

Ex-Heading 3502 (albumins; less albumins unfit for human consumption)

Ex-Heading 3502 (albuminates and albumin derivatives)

Headings 4101 to 4103 (hides and skins)

Headings 4301 to 4302 (undressed and dressed furskins)

Headings 5101 to 5103 (wool and animal hair)

Heading 5201 (raw cotton)

Heading 5202 (cotton waste)

Heading 5203 (cotton, carded or combed)

---

[1]Suggestions on possible additions to this list are expected. When reviewing the product coverage there will be a need to co-ordinate with other negotiating groups.

0141

Domestic Support: The Basis for Exemption from
the Reduction Commitment (Green Box)

(Paragraphs 8-13 of AG/W/1 refer)

1. Certain forms of support with either no, or minimal, trade distortion effects or effects on production may be excluded from the commitment to progressive and substantial reduction. This support may take the form of direct payments to producers or government expenditure and revenue foregone on programmes involving transfers to producers. It may include programmes aimed at providing general services to agriculture and the rural community; domestic food aid; public stockholding for food security purposes ...

Criteria for exempting policies from the reduction commitment

2. Domestic support policies for which exemption from the reduction commitment is claimed must meet the fundamental requirement that they have no, or at most a minimal, distortive effect on production and trade. To this end, all policies for which exemption is claimed must conform to the following basic criteria:

(a) the support in question must be provided through a publicly-funded government programme (including government revenue foregone) not involving transfers from consumers; and,

(b) the support in question must not have the effect of providing price support to producers.

3. Exempt policies may involve either government expenditure (or revenue foregone) on the provision of services or direct payments to producers. In both categories policies for which exemption is claimed must conform to certain additional conditions as set out below.

4. Government Service Programmes

(a) General services

Expenditures (or revenue foregone) in relation to programmes which provide services or benefits to agriculture or the rural community without involving direct payments to producers or processors. Such programmes, which include but are not restricted to the following list, must meet the general criteria in paragraph 2 above and policy-specific conditions where set out below:

research, including general research, research in connection with environmental programmes, and research programmes relating to particular products;

pest and disease control, including general and product-specific pest and disease control measures, such as early warning systems, quarantine, eradication etc.;

training services, including both general and specialist training facilities;

0142

16-3

extension and advisory services, including the provision of means to facilitate the transfer of information and the benefits of research to producers and consumers;

inspection services, including general inspection services and the inspection of particular products for health, safety, grading or standardization purposes;

marketing and promotion services, including market information, advice and promotion relating to particular products (but excluding expenditure for unspecified purposes that could be used by sellers to reduce their selling price or confer a direct economic benefit to purchasers); and

infrastructural services, including: electricity reticulation, roads and other means of transport, water supply facilities, dams and drainage schemes, and infrastructural works associated with environmental programmes./In all cases the expenditure shall be directed to the provision or construction of capital works only, and shall exclude the subsidized provision of on-farm facilities other than for the reticulation of generally-available public utilities. It shall not include subsidies to inputs or operating costs, or preferential user charges.

(b) Domestic Food Aid

Expenditures (or revenue foregone) in relation to the provision of domestic food aid to sections of the population in need.

Eligibility to receive the food aid should be subject to a means test or other objective criteria related to need. Such aid shall be in the form of direct provision of food to those concerned or the provision of means to allow eligible recipients to buy food either at market or at subsidized prices. The volume of such aid shall not be influenced by annual production fluctuations and food purchases by the government shall be made at current market prices. The financing and administration of the aid shall be transparent.

(c) Public stockholding for food security purposes

Expenditures (or revenue foregone) in relation to the accumulation and holding of stocks of products which form an integral part of a national food-security programme. This may include government aid to private storage of products as part of such a programme.

The volume and accumulation of such stocks shall not be influenced by annual production fluctuations and the process of stock accumulation and disposal shall be financially transparent. Food purchases by the government shall be made at current market prices and sales from food security stocks shall be made at more than the purchase price.

Direct Payments to Producers

5. ...

387-16-4

0143

1991-08-07 08:22 KOREAN MISSION GENEVA 2 022 791 0525 P.01

Domestic Support: The Definition of the AMS

(Paragraphs 17-19 of AG/W/1 refer)

1. The AMS would be calculated on a product-specific basis for each product receiving market price support, direct payments, or any other product-specific subsidy (including revenue foregone) not exempted from the reduction commitment. Specific AMSs for each product would be expressed in total monetary value terms in domestic currency. [Support which is generally available for all products, would be totalled into one non-product specific AMS in total monetary terms. The coverage of such an AMS would be sector-wide rather than applying only to the products for which a product-specific AMS is calculated.]

2. Support at both the national and sub-national level would be included. The AMS would be calculated at the farmgate level. Policies directed at agricultural processors would be included to the extent such policies benefit the producers of the products.

3. The AMS would be calculated for three broad groups of polices i.e. those that fall under the categories of: market price support, non-exempt direct payments and other non-exempt policies.

4. Market price support: including any measure [, other than a border measure,] which acts to maintain producer prices at levels above those prevailing in international trade for the same or comparable products, and taking account of levies or fees paid by producers. Market price support would be calculated as the level of support extended through these policies using the gap between a fixed external reference price (expressed in national currencies) and an agreed internal price multiplied by the quantity of [eligible] production. The fixed external reference price would be based on [19__-19__] data and would be subject to reassessement in [19__]. The fixed reference price would be adjusted for quality differences as necessary.

5. Non-exempt direct payments (including revenue foregone): including deficiency and like payments, and taking account of levies or fees paid by producers. [Non-exempt direct payments which are dependent on the difference between the world price and an internal price, e.g. deficiency payments, would be calculated as the level of support extended through these policies using the gap between a fixed external reference price (expressed in national currencies) and an agreed internal price price multiplied by the quantity of [eligible] production. The fixed external reference price would be based on [19__-19__] data and would be subject to reassessment in [19__]. The fixed reference price would be adjusted for quality differences as necessary.] Non-exempt direct payments [which are not dependent on price (i.e. are unrelated to the world or domestic prices)] would be measured using budgetary outlays.

6. Other non-exempt policies, including non-exempt revenue foregone, input subsidies (e.g. investment subsidies, credit and other financial input assistance) and other policies such as marketing cost reduction measures, and taking account of input taxes. Such policies would generally be measured using government budget outlays or revenue foregone. In cases

0144

such as subsidies for irrigation water and interest concessions, the means to calculate the effects of the subsidies would be the difference between the price (interest rate) paid by producers and the price (interest rate) paid by other users of the water (or other users of similar finance) multiplied by the quantity of water (finance) used.

7. [Adjustments would be made to allow governments of particular countries to compensate producers for some of the effects of [excessive rates of] inflation.]

8. [Adjustments would be made in either the AMS or the reduction commitment for those products for which effective supply controls are in operation.]

0145

16-6

Domestic Support: The Definition of Equivalent Commitments

(Paragraph 20 of AG/W/1 refers)

1. For those products for which the calculation of an AMS is not practicable, commitments equivalent to those undertaken via the AMS would be made. Such commitments would depend on the types of policies in operation.

2. For those products for which a form of production aid or direct payment is used, disciplines would take the form of the agreed reductions applying to the production aid or direct payment and/or the quantity of production [eligible to receive them].

3. For those products for which there is price support (e.g. the withdrawal of product or storage), agreed reductions would be made on the basis of an agreed internal price and/or the quantity of production [eligible to receive that price].

4. Equivalent commitments for other direct payments would use total budgetary outlays or revenue foregone. Equivalent commitments for other non-exempt policies would generally be measured using government budget outlays or revenue foregone. In cases such as subsidies for irrigation water and interest concessions, the means to calculate the effects of the subsidies would be the difference between the price (interest rate) paid by producers and the price (interest rate) paid by other users of the water (or other users of similar finance) multiplied by the quantity of water (finance) used.

5. [Any non-product specific policies not captured in the sector-wide AMS would be treated in the same manner as product-specific policies above.]

6. [Adjustments would be made to allow governments of particular countries to compensate producers for some of the effects of [excessive rates of] inflation.]

0146

16-7

Domestic Support: Special and Differential Treatment

(Paragraph 23 of AG/W/1 refers)

1. Special and differential treatment for developing countries in respect of domestic support would reflect the recognition by participants that assistance to encourage agricultural and rural development is an integral part of the development programmes of developing countries. In addition to the general exemptions from reduction commitments available under the "green box", the following special provisions could apply:

(a) Support policies which fall into the "amber" category may, where implemented as part of agricultural and rural development programmes in developing countries, be exempt from reduction. Such policies must satisfy agreed criteria relating, inter alia, to persistent economic deficiencies in the agricultural sector and to minimal trade distortion. They would be subject to notification and monitoring. Investment subsidies which are generally available to agriculture in developing countries are to be included in this exempt category, as is support to producers to encourage diversification from the growing of illicit narcotic crops.

(b) Where developing-country support falls within the scope of reduction commitments, the developing countries concerned would have the flexibility to implement reductions within the range of [x to y] per cent of the reduction rate applying to developed countries.

(c) The timeframe for implementation and completion of reduction commitments by developing countries would be extended up to an additional [z] years.

0147

16-8

Market Access: Guidelines for Tariffication

(Paragraphs 27-30 of AG/W/1 refer)

1. The policy coverage of tariffication would include all border measures other than ordinary customs duties such as: quantitative import restrictions, variable import levies, minimum import prices, discretionary licensing, non-tariff measures maintained through State trading enterprises, voluntary export restraints, other policies as may be agreed and any other schemes similar to those listed above, whether or not the measures are maintained under country-specific derogations from obligations provided for by rules and disciplines.

2. The calculation of the tariff equivalents would be made in a transparent manner using data, data sources and definitions that are made available to all participants. Following the estimation of initial tariff equivalents, their rates would be subject to scrutiny and review with a view to [adjustment as necessary] [their negotiation] by interested participants prior to their consolidation.

3. Data used would be for the [19__ to 19__] period.

4. Calculations would be carried out for all agricultural products traded. This implies that:

(i) calculation would primarily be made at the four-digit level of the HS;

(ii) wherever appropriate, as in the case of individual fruits and vegetables, calculation would be made up to the six-digit level of the HS;

(iii) for transformed and processed agricultural products, calculation would generally be made by multiplying the tariff equivalent(s) for the agricultural input(s) [or substitute(s)] by the proportion(s) of the agricultural input(s) [or substitute(s)] in the transformed and processed agricultural products. [For products treated in this manner, the tariff equivalent would also include the current level of industrial protection. However, the total tariff equivalent would be no larger than that implied by a price gap between the domestic price and the world price for the transformed or processed product concerned.]

5. The initial tariff equivalents would be adjusted, where necessary to take account of differences in quality or variety using an appropriate coefficient.

6. External prices would be, in general, actual c.i.f. unit values for the importing country; where c.i.f. unit values are neither available nor appropriate, external prices would be either: (i) appropriate c.i.f. values of a near country; or (ii) estimated from f.o.b. values of [an] appropriate major exporter[s] adjusted by adding an estimate of insurance, freight and other relevant costs to the importing country.

0148

1-9

7. Except in exceptional circumstances, the external prices would be converted to domestic currencies using the annual average market exchange rate for the same periods as the price data.

8. The internal price would be the average price ruling in the domestic market or an estimate of that price where no data is available.

9. Initial tariff equivalents would be expressed as ad valorem or specific rates.

10. Where the tariff equivalents resulting from these guidelines are negative or lower than the current bound rate, the initial tariff equivalent may be established at the current bound rate or on the basis of national offers [or at [x] per cent (or the specific equivalent of [x] per cent)].

0149

16-10

Market Access: Minimum Access Commitments

(Paragraph 35 of AG/W/1 refers)

1. Minimum access commitments could apply in a number of contexts, notably in connection with products subject to tariffication, products on which prohibitive tariffs apply, and/or products on which non-tariff measures could be maintained on whatever grounds as may be agreed. In all cases clarification is required on some technical elements such as those outlined below.

2. The general basis on which minimum access could be created include: minimum access opportunities to increase access to [x] per cent of domestic [production] [consumption]; and, the allocation of new access on an MFN basis. The commitments would not be to guarantee that imports actually take place, but to provide minimum access opportunities.

3. In some cases, data for production or consumption may not be readily available. In this situation, one possibility may be the use of constructed data (an estimate of production or consumption).

4. Certain other technical aspects of such a commitment remain to be decided. In the case of processed products the commitment could be taken at the tariff line level for each individual product. Alternatively, if products are grouped into broader categories (e.g. a generic category for "wheat", "cereals", or "beef", or a category for milkfat and protein for dairy products), imports and domestic [production] [consumption] of processed products up to the first and second stage of processing could be taken into account on the basis of coefficients.

5. In the latter case, translating a minimum access level for a broad product category (e.g. beef or wheat) into commitments at the individual tariff line level (e.g. for frozen carcasses versus fresh cuts, or wheat versus flour versus pasta) needs examination. Options include: the allocation of product-specific import licences prior to the beginning of the marketing period in proportion to the requests for licences; the allocation of licences on a first-come-first-served basis throughout the period until the minimum access opportunities have been filled; the allocation of a minimum import of [y] per cent of [production] [consumption] per tariff line with the remaining [x-y] per cent available for some other form of allocation; or the allocation of access to "major" products with the provision of opportunities for request/offer negotiations for other products. Special provisions may be necessary for perishable products.

6. In terms of implementation, a number of options have been suggested including: tariff rate quotas; tariff equivalents set at the "correct" level to ensure that the minimum access commitment is met; or the use of the present border measures.

7. The level of tariffs applying to the minimum access and the duration of the minimum access opportunities remain to be agreed.

16-11

0150

8. The relationship of minimum access opportunities to other aspects of the negotiations such as a possible special safeguard for agriculture will have to be addressed at an appropriate stage.

0151

16-12

Market Access: Special and Differential Treatment

(Paragraphs 39-40 of AG/W/1 refer)

1. The suggested guidelines for tariffication allow participants some flexibility in establishing tariff equivalents, notably with regard to data availability and special circumstances that may be particularly relevant to developing countries. Where the tariff equivalents resulting from the use of the guidelines are negative or lower than the current bound rate, the initial tariff equivalent may be established at the current bound rate, on the basis of national offers or by some other agreed means.

2. Should a special safeguard to facilitate the process of reform be introduced, scope may be given for developing countries to have the flexibility to extend the period of application of the special safeguard and/or to suspend any further tariff reductions on the product(s) in question for an agreed period. In addition developing countries would continue to have the possibility to make use of the provisions of Article XVIII.

3. For other aspects of commitments on market access, such as provisions on current and minimum access opportunities and the treatment of products subject to existing tariffs only, the application of special and differential treatment remains to be considered following agreement on the general modalities.

4. Once the general reduction commitment is negotiated and agreed, special and differential treatment could include that developing countries have the flexibility to implement their commitment within the range of [x to y] per cent of that applied by developed countries and/or that the timeframe for implementation by developing countries would be extended by up to [z] years.

5. Further, in implementing the commitments on market access, developed countries would take fully into account the particular needs and conditions of developing countries by providing for a faster rate of improvement of access opportunities for agricultural products of particular interest to these countries, including tropical agricultural products.

0152

16-13

Export Competition:
Export Subsidies to be subject to the terms of the Final Agreement

(Paragraphs 44-48 of AG/W/1 refer)

1. The following generic criteria and related illustrative list of export subsidy practices are suggested as a basis for further consideration.

Generic Criteria

2. "The provision by governments or their agencies of subsidies to producers or exporters of primary agricultural products which are legally contingent upon export performance or which in practice are tied to actual or anticipated exportation or export earnings, as well as any form of subsidy which results [in the price or return to producers of a product, when exported, being higher than world market prices or returns, or] in the sale of such products for export at a price lower than the comparable price charged for like products to buyers in the domestic market."

Illustrative List of Export Subsidy Practices

3. (a) The provision by governments or their agencies of direct subsidies, including payments-in-kind, to a producer, a firm or an industry contingent in law or in fact upon export performance or export earnings.

(b) Payments to producers of a product which result in the price or return to producers of that product when exported being higher than world market prices or returns, including the repayment at less than full value of product specific governmental loans or advances to producers in respect of which repayment is based on a price that is lower than the comparable price for the like product prevailing in the domestic market.

(c) The provision of financial assistance in any form by governments or their agencies to export income or price stabilization schemes operated by producers, marketing boards or other entities which enjoy a monopoly of, or play a predominant rôle in, the marketing and export of an agricultural product.

(d) The sale or disposal for export of publicly owned stocks at less than their acquisition value except bona fide food aid transactions.

(e) Assistance to reduce transport and freight costs in respect of exports.

(f) Assistance to reduce the cost of marketing exports (other than generally available export promotion advisory services) including handling, upgrading and other processing costs.

(g) Export performance-related taxation concessions or incentives other than the remission of indirect taxes.

0153

16-14

(h) Export credits provided by governments or their agencies on less than fully commercial terms.

(i) Subsidized export credit guarantees or insurance programmes.

(j) Subsidies on agricultural products contingent on their incorporation in products that are exported.

(k) Subsidies on exports of agricultural products which are financed from the proceeds of a levy on producers of that product, or on producers of the primary product from which the exported product is derived, under programmes in whose establishment, operation or financing governments are directly or indirectly involved.

(l) Any other export subsidy practice in the sense of paragraph 2 above.

0154

16--15

Export Competition. Special and Differential Treatment

(Paragraphs 54-55 of AG/W/1 refer)

1. The basic options are whether all countries using export subsidies should, without exception, undertake reduction commitments on the same basis, or whether developing countries should be fully or partially exempted from such commitments.

2. Approaches for special and differential treatment in the context of specific export subsidy reduction commitments would include: that individual developing countries would not be required to undertake such commitments provided that their levels of export assistance do not exceed predetermined de minimis levels; that developing country reduction or freeze commitments be contingent on a degree of harmonization in levels of export assistance having first been achieved as between heavily subsidizing and other exporting countries; and that reduction or freeze commitments to be undertaken by developing countries would apply only where their share in world export trade in a given product exceeds a predetermined level.

3. Where reduction commitments are undertaken by developing countries, the scope for longer timeframes and/or lower rates of reduction would be another aspect of special and differential treatment for consideration.

4. The options in terms of the rules and disciplines that would eventually govern export competition, would depend on the nature of the framework that might be adopted.

5. As regards possible negative effects of the reform process on net food-importing developing countries, one option would be the development of guidelines under which the availability of basic foodstuffs to the least developed and net food-importing developing countries would be assured. Such guidelines could outline the general principles or criteria for ensuring the availability of adequate supplies of basic foodstuffs in the form of recommendations for consideration by the relevant international bodies and for appropriate action by Contracting Parties.

16-16

0155

관리번호 91-549

원 본

외 무 부

종 별 :

번 호 : GVW-1482

일 시 : 91 0806 1900

수 신 : 장관(통기,경기원,농림수산부)

발 신 : 주 제네바 대사

제 목 : UR/농산물 대안문서 ADDENDA 평가

연: GVW-1468

연호 송부한 표제협상 대안문서 ADDENDA 에 대한 당관 평가 하기 보고함.

1. 특징

- 종래 기술적 문제에 대한 비공식 토의 자료를 집약 공식화

0 주요국 비공식 회의등에서 논의되었던 사무국의 NON-PAPER 를 TNC 에 보고된 농산물 협상 대안 문서의 ADDENDA 로 첨부시킴으로서 갓트의 공식문서화 하여 정식 배포

- 7.30 TNC 회의 종료이후 배포

0 7.30 TNC 회의시 배포치 않고 8.2 배포함으로서 동 TNC 회의시 논란을 방지하려는 의도가 있었던 것으로 보임.

- 사실상 협상 방향 설정 및 대안 축소의 공식화

0 소위 CONSENSUS-BUILDING 작업을 통하여 협상 주도국이 지지하고 있는 협상 대안을 발전시켜 나감으로서 향후 협상의 방향을 제시

0 필요한 정치적 결단(대체적으로 ADDENDA 에 제시된 협상 방향을 수용하는내용)을 기다리면서, 동 결단이 이루어질 경우 협상을 급속히 전개시키려는 것으로 보임.

- 우선적 결정이 필요한 사항 중심으로 제시

0 본격 협상에 필요한 INSTRUMENT 합의와 관련된 사항 (AMS, 관세화, MMA, 수출보조금의 범위등)을 제시하고 개도국 우대의 구체적인 내용, 갓트 규범 강화등의 문제는 그 다음단계로 미루어둠.

- 7 월 비공식 협의시 논의된 NON-PAPER 내용 일부 수정

0 PRODUCT COVERAGE 에 HS 5203 추가, GREEN BOX CRITERIA 에 TAX-FUNDED 를 수정, 관세화 대상에 대하여 당초 MAJOR AGRICULTURAL PRODUCTS 에서 ALL

통상국 2차보 경기원 농수부

일반문서로 재분류(1991 . 12 . 31 .)

91.08.07 05:25

외신 2과 통제관 FM

0156

AGRICULTURAL PRODUCTS 로 수정등 일부 내용 수정

0 MMA 에 대한 NON PAPER 는 전면 수정하였으며, AMS 정의에 대한 것은 새로이 추가

- 이씨 관심사항 일부 수용 가능성 시사

0 이씨의 REBALANCING, 관세화 대상에 결손 지불을 포함하는 문제, 수출과 관련된 결손지불을 수출 보조로 취급하는 문제등이 수용될수 있도록 괄호내에 포함.

- 일부 CONSENSUS 가 형성되지 않고 있는 문제 및 논쟁이 있는 문제는 괄호내에 표시

0 인프레 반영, 생산통제 반영, AMS 계산에서 국경조치 효과 제외등

2. 평가 및 건의

- 다수국가(협상 주도국)가 지지하는 협상대안을 중심으로 하여 이씨의 핵심관심사항을 동 대안에 기술적으로 일부 접목시킴으로서 정치적 수용 가능성을높이고 하반기 논의의 발판을 마련했다는 점에서 평가

- 반면 아국등이 주장하는 특수한 핵심 관심사항은 동 ADDENDA 에 제시된 협상방향에서 제외되어 있거나 제한적인 범위에서 접목되어 있는 실정임.

0 아국 관심사항은 협상 대안 문서에는 비교적 고려게 반영되어 있으나 대안을 대폭 축소한 ADDENDA 에는 상당 부분 반영되지 않았음.

0 ADDENDA 에서 빠진 대안도 FRAMEWORK 에 대한 정치적 합의 단계까지는 계속 살아 있겠지만 논의는 제한될 것으로 예상됨.

0 아국의 쌀 문제및 개도국 우대 적용범위등 어려운 문제는 협상의 최종 단계까지 계속 남게 될것으로 보이며, 마지막 단계에서 정치적 해결이 불가피 할것으로 보이지만 그전에 있을 것으로 예상되는 일반적 협상 원칙 합의에 반영될 가능성은 점점 좁아지고 있는 것으로 보임.

- 따라서 전반적인 협상 전개 방향에 비추어 특수 관심사항에 대해서는 일반적 협상 원칙에 반영되지 않거나 미흡하게 반영될 가능성에 대비한 대책이 필요한 것으로 사료됨.

- 또한 9.16 주간 개최 예정 표제 협상 회의에 대비 동 ADDENDA 에 대한 아국의 입장 정립이 필요함. 끝

(대사 박수길-국장)

예고 91.12.31. 까지

외 무 부

종 별 :

번 호 : USW-3922 일 시 : 91 0807 1029

수 신 : 장관(통기,통이,경기원,농수부),사본:주GV,EC대사-필

발 신 : 주 미 대사

제 목 : UR 농산물 협상

연 USW-3704

당관 이영래 농무관은 8.6 미 농무부 해외 농업처 RICHARD SCHROETER 처장보를 면담, 최근의 UR 농산물 협상 동향에 관해 협의한바, 요지 하기 보고함(아측 김중근 서기관, 미측 THORN 다자무역과 부과장, HEMPHILL 담당관 동석)

1. 최근 협상 동향

0 동 처장보는 7 월말까지의 협상은 주로 기술적인 세부 사항을 중심으로 이뤄져 큰 진전이 없었으나, MARKET ACCESS 분야에서 관세화 원칙에 대한 일반적인 양해가 이루어진것(WIDENING ACCEPTANCE OF THE PRINCIPLE OF TARIFFICATION)은 어느정도의 성과라 할수 있다고 언급함.

0 또한 EC 의 CAP 개혁안에 대하여 EC 국가간의 이견이 신속히 해소되어 EC 가 타당성 있는 새로운 안을 제시하는것이 협상 타결의 관건이라고 말하며, 현재의 CAP 개혁안에 SUGAR, 채소류, 식용유등이 포함되어 있지 않다고 지적 하고 품목수를 확대하는것이 필요하다고 강조함.

2. 미.EC 각료회담

0 동 처장보는 7.30 브랏셀에서 개최된 미.EC 각료 회담은 당초 UR 협상을 금년내로 종결시키기 위한 G-7 정상 회담의 합의 사항을 보다 구체적으로 추진키 위해 개최되었으나, 상호 양측 입장을 재확인하고 신뢰 구축 차원 이외에 구체적이고, 가시적인 내용은 없었다고함.

3. 향후 전망

0 협상의 FRAMEWORK 를 마련하는 문제와 관련하여, 동 처장보는 DUNKEL 사무총장이 이미 6.24 OPTION PAPER 를 제안하고 8.2 동 PAPER 에 대한 ADDENDUM 형식으로 협상의 정책 방향을 추가로 제시하였기 때문에 EC 입장에 변화가 있기전에

통상국 차관 2차보 통상국 외정실 분석관 청와대 안기부 경기원
농수부 중계

PAGE 1 91.08.08 05:44

외신 2과 통제관 CF

0158

DUNKEL 사무총장이 다시 새로운 제안을 하기는 어려울것이라는 의견이었으나, 다이 UR 협상관계자들은 10 월 이전에 DUNKEL 사무총장이 새로운 안을 제시하면 이를 바탕으로 협상을 시작하게될것이라고 관측하고 있음.

0 (9 월 이후 협상 재개시 미측이 현재보다 다소 완화된 새로운 입장을 제시할 가능성이 없느냐는 질문에 대해)

동 처장보는 작년 10 월 제시한 미측안은 합리적이고 최종적인것이므로 이제는 EC, 일본, 한국등이 양보하여야 될 차례라고 언급하였으나, 당지 UR 협상 관계자들은 협성의 성공적 타결을 위해 미국도 탄력성있게 임할것이라는 견해임.

0 미측은 한국원 NTC 품목수 축소조정에도 불구하고 대 UR 협상에 임하는 한국의 기본적인 자세에는 큰 변화가 없다고 계속 주장하고 있으며, 또한 EC, 일본, 한국이 동일한 입장을 견지하고 있다고 보고, 앞으로 다자간 협상과 병행하여 양자 협상을 통하여, 새로운 대안 제시를 촉구할것으로 전망됨.

0 현재로서는 협상의 기본 FRAMEWORK가 합의되지않은 상태이고 기본 FRAMEWORK 타결후에도 세부 사항 합의에 시일이 소요되는점을 고려할때 연내 협상 타결은 어려울것이라는것이 현지 관계관의 일반적인 관측임.

(대사 현홍주-국장)

91.12.31 까지

일반문서로 재분류(1991 . 12. 31.)

PAGE 2

0159

UR/농산물 협상 대안문서 관련 8.2자 부록 요지

1991. 8.13.
통상기구과

1. 협상 대상품목 범위 (Product Coverage)

o HS 1류-23류

- 단, 수산물 제외

o HS 2401(잎담배), HS 3301(정유, essential oils), HS 3501(casein glue를 제외한 casein), HS 3502(알부민 및 알부민 유도체), HS 4104-4103(원피), HS 4301-4302(모피), HS 5101-5103(양모), HS 5201-5203(면) 포함

2. 국내보조

가. 허용 대상 국내보조 기준

1) 공통기준

o 보조 재원은 소비자로부터의 이전이 아닌 정부예산에 근거해야 하며, 보조로 인한 가격 지지 효과가 없어야 함.

2) 보조정책별 추가 기준

o 일반서비스(연구, 병충해 방제, 기술훈련, 자문, 조사, 유통, 판매촉진, 구조 개선 서비스등)

- 자본재 사업(capital works)의 제공 또는 건설에 국한
- 일반적으로 이용 가능한 공공설비(generally-available public utilities)를 제외한 농촌 현지 설비(on-farm facilities)의 제공은 불가

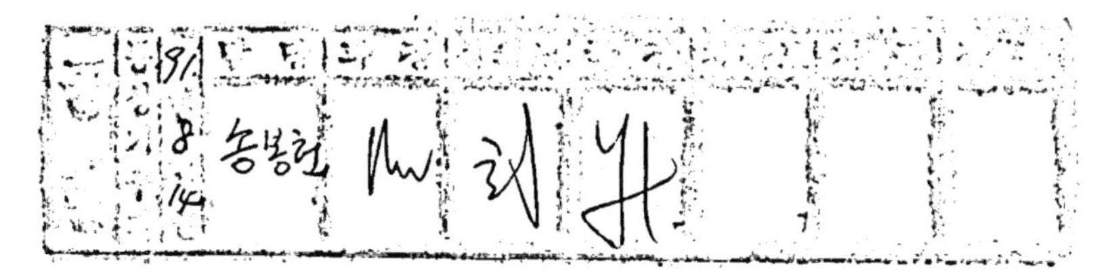

0160

- 동 설비와 관련된 투입요소 경비, 운영경비, 사용자 특혜경비 (preferential user charge)에 대한 보조는 불가

o 국내 식량 지원(domestic food aid)

- 해당자에 대한 식량 직접 지원 또는 식량구입을 위한 수단 제공의 형태로 시행
- 상기 지원량은 생산량 변동에 의해 영향을 받지 않아야 하며, 정부는 시장가격에 의해 식량구입
- 식량지원 관련 재정, 운영상황에 대한 명료성 확보

o 식량안보용 식량 비축

- 비축량은 생산량 변동에 의해 영향을 받지 않아야 하며, 비축 및 방출관련 과정은 재정적으로 명료성 유지
- 정부의 구매가격은 시장가격에 의해 결정되고, 방출가격은 구매가격보다 높은 가격에서 결정

o 생산자에 대한 직접 지불

- 미 정

나. AMS의 정의

1) 적용 원칙

o 허용대상 보조가 아닌 보조중 시장가격 지지, 직접지불, 품목 특정적 보조를 대상

o 국내 통화 단위 기준 total AMS 산출

o 인플레, 생산통제 효과 반영 여부는 미정

2) 보조정책별 적용 원칙

o 시장가격 지지

- 국제가격보다 높은 수준으로 생산자 가격을 유지하고 있는 모든 조치(국경조치 제외 여부 미정)
- 고정 국제가격(fixed external reference price)과 합의된 국내가격의 차를 생산량으로 곱해 total AMS 산출

- 고정 국제가격은 [19- ~ 19-] 자료를 근거로 산출하고
  [19-]에 재검토
- 고정 국제가격은 필요시 품질차를 반영

o 직접 지불
- 차액 보상을 포함
- 시장가격 지지에 적용되는 원칙을 그대로 적용하는 방안과 예산
  기준으로 하는 방안은 미정

o 여타 보조(투입요소 보조, 유통 경비 보조등)
- 정부예산 기준 감축
- 이자율 특혜, 관개수 이용 보조의 경우 일반 사용자가 이용할 때의
  이자율 또는 사용료와의 차액을 해당물량을 곱해 산출

다. 동등한 공약(equivalent commitments)의 정의

o AMS 산출이 어려운 경우 적용

o 생산지원, 직접 지불의 경우 동 보조 및 해당물량에 대해 합의된
  수준으로 감축

o 가격지지의 경우 합의된 국내가격 및 해당물량에 대해 합의된
  수준으로 감축

o 여타 보조
- 상기 "나"항 여타보조 적용 원칙과 동일

라. 개도국 우대

o 감축대상 보조에 해당되더라도 농업분야에서의 지속적인 경제적 취약성
  및 최소한의 무역왜곡과 관련된 합의된 기준(통보 및 감시 포함) 충족
  조건하 하기 보조는 감축 대상보조에서 제외
- 농업 및 농촌개발의 일환으로 시행되는 보조
- 부자 지원 (마약 재배로부터의 전환등)

o 감축폭(선진국의 X% ~ Y%) 및 감축기간(선진국 이행기간외에 추가 Z년) 에서의 우대

3. 시장접근

가. 관 세 화

o 적용 대상범위

- 모든 비관세 조치

o TE 산출 근거에 대한 명료성 확보

- 각국이 산출한 TE는 [협상] 또는 [필요한 경우 조정]을 위해 이해관계국에 의한 조사 및 검토(scrutiny and review) 연후, consolidation

o TE 산출 방법

- HS 4단위 기준 산출을 원칙으로 하되, 가능한 경우(과일, 채소등) HS 6단위 기준 산출
- 가공산품의 경우 동 산품에 포함되어 있는 해당 농산물의 TE를 동 농산물이 동 산품에서 차지하는 비중을 곱해서 산출
- 적절한 계수를 사용, 품질차를 반영 가능
- 국제가격은 원칙적으로 CIF 가격을 사용, 국내 통화 가격으로 환산
- 국내가격은 국내 평균 시장가격으로 사용

나. 최소 시장접근

o 상정 가능한 유형

- 국내 [생산] 또는 [소비]의 X%까지 시장접근 기회를 확대
- MFN 원칙하 새로운 시장접근 기회 부여

o 기술적 문제 면밀 검토 필요사항

- 가공산품의 경우 tariff line별 공약에 필요한 기술적 사항
- 주요 품목별(예 : 쇠고기, 곡물등) 공약을 할 경우의 쿼타 할당 방안
- 부패성 산물의 경우 쿼타 할당 방안등

o 합의 필요사항

- 최소 시장접근에 적용되는 관세율
- 최소 시장접근 기회 부여 기간

다. 개도국 우대

o 특별 세이프가드 적용기간 연장

o 합의된 기간 동안 특정품목에 대한 관세 감축 중단

o 갓트 18조 원용 가능성

o 감축폭, 감축기간에서의 우대

o 개도국 관심품목에 대한 선진국의 시장접근 기회 확대

o 기타 상세는 기본적인 협상 방향 합의후 논의

3. 수출 경쟁 : 생 략. 끝.

외교문서 비밀해제: 우루과이라운드2 12

우루과이라운드 농산물 협상 2

초판인쇄 2024년 03월 15일
초판발행 2024년 03월 15일

지은이 한국학술정보(주)
펴낸이 채종준
펴낸곳 한국학술정보(주)
주 소 경기도 파주시 회동길 230(문발동)
전 화 031-908-3181(대표)
팩 스 031-908-3189
홈페이지 http://ebook.kstudy.com
E-mail 출판사업부 publish@kstudy.com
등 록 제일산-115호(2000. 6. 19)

ISBN 979-11-7217-114-8 94340
979-11-7217-102-5 94340 (set)